D0363325

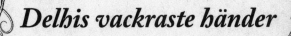

Delhis vackraste händer

Mikael Bergstrand

NORSTEDTS

ISBN 978-91-1-303802-5
© Mikael Bergstrand 2011
Norstedts, Stockholm 2011
Pocketupplaga 2012
Omslag: Johan Petterson
Tredje tryckningen
Tryckt hos ScandBook AB 2012
www.norstedts.se

Norstedts ingår i
Norstedts Förlagsgrupp AB,
grundad 1823

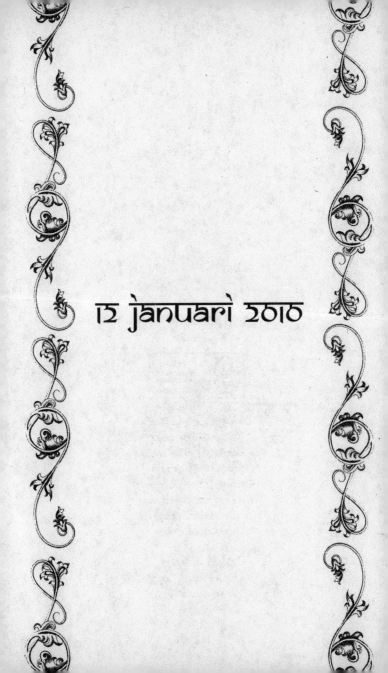

12 januari 2010

"Nå, vad tycker du? Har det inte blivit fint efter make-overn?"

Jag nickar och ler. Det ser ut ungefär som det alltid har gjort inne på Salong Cissi. Jag vet ingen människa som är så uppfylld av ständig förändring och samtidigt så monumentalt urusel på det som Cissi. Den vita soffan som förra gången jag var här stod till vänster om en yucca-palm har nu fått röd klädsel och befinner sig till höger om en benjaminfikus. Jag är inte helt säker men tror att brunetten med den androgyna pagefrisyren på den inramade affischen bakom disken tidigare var en blondin med androgyn pagefrisyr.

"Det blir ett helt annat ljus med den nya färgen, eller hur?"

Cissi ser på mig med förväntansfull blick under sin spikraka lugg. Om det inte vore för att jag känner henne skulle jag säga att hon påminner om ett oskyldigt, nyfiket barn när hon tar på sig den minen.

"Absolut", säger jag och letar förgäves i minnet efter den förra nyansen, som inte kan ha legat mer än högst två pigmenteringar på färgskalan från den gulvita kulör som nu täcker väggarna.

"Du har blivit smalare", säger Cissi.

"Ja, några kilo."

"Snyggt. Det ger ditt ansikte en mer maskulin framtoning."

"Tack", säger jag och undrar kort om det betyder att jag i hennes ögon tidigare såg ut som en övergödd fjolla.

7

Det är drygt elva år sedan jag för första gången steg in på Salong Cissi på Östergatan i Malmö med en oprecis order från min dåvarande fru Mia om att *modernisera* mig. Jag gick ut en halvtimme senare, en hästsvans fattigare. Bestulen på min identitet.

Hästsvansen hade varit min trygga följeslagare sedan slutet av tonåren, snuttefilten som jag tvinnat runt fingrarna när jag varit nervös och som jag sugit på i stunder då ingen sett mig. Och så hade en munvig frisörska på något oförklarligt sätt lyckats övertala mig att klippa av denna navelsträng. Jag sörjde förlusten innerligt i en vecka eller så. Men Mia gillade vad hon såg och när chocken och sorgen väl hade lagt sig förlikade jag mig med den nya håret-bakom-öronen-frillan. Den fick mig att se ut som ganska många andra fyrtioåriga män i min genre, vi som motvilligt hade insett att vi inte kunde fortsätta att låtsas vara pojkar men som ändå ville signalera att det fanns lite rock'n'roll kvar innanför den begynnande kulmagen. Vi som hade så kallade *kreativa yrken* och som när vi bar kavaj oftast valde en sliten manchestervariant och en svart polotröja under. Vi som var så banalt lika varandra. Och ändå betraktade jag Cissi i den stunden – med den brutala saxen i sina flinka händer – som världens mest innovativa frisör.

Idag vet jag att det var en fet illusion, att kapandet av hästsvansen i själva verket var ett rent beställningsjobb utlagt av Mia. Cissi berättade det för mig fyra månader och sjutton dagar efter skilsmässan (som var ett faktum den 9 oktober 2000). Hon sa att hon skämdes för att hon inte hade tagit upp det tidigare, men jag märkte att hon njöt en smula under ytan.

Jag har ändå fortsatt att klippa mig här och jag bär fortfarande samma frisyr. Håret har grånat en aning och glesnat betydligt. Flikarna rör sig målmedvetet uppåt och inåt likt en framryckande armé som attackerar fienden från två flanker. Förhoppningsvis kan försvaret hålla stånd några år till. En bakåtkammad frisyr kräver trots allt ett hårfäste som inte har kapitulerat helt.

"Ska vi hålla längden så här ungefär?" frågar Cissi och måttar med handen en decimeter ner på halsen. "Det har ju hunnit växa sig riktigt, riktigt långt!"

Det finns förväntan i rösten, som om hennes kommentar ska få mig att öppna mig lite mer.

"Ja, det blir nog bra", säger jag och sträcker mig efter tidningarna som ligger på den lilla hyllan under spegeln. Tre damtidningar ner i högen hittar jag ett vältummat exemplar av herrtidningen Slitz. Jag har tittat i det tidigare, upptäcker jag när jag kommer fram till en artikel som handlar om hur man raggar upp en feminist och får henne på rygg. Författarens budskap är att man inte ska hålla med när feministen börjar testa en på sina genusteorier om de patriarkala strukturerna i samhället utan istället grymta lite och le ett på samma gång avväpnande och överlägset leende. Hur mycket jag än anstränger mig kan jag inte föreställa mig hur ett sådant leende ser ut.

Jag bläddrar vidare och dröjer fyra sekunder vid mittuppslaget med pinuppan. Det är tillräckligt länge för att jag inte ska uppfattas som pryd och samtidigt lagom kort tid för att jag inte ska framstå som gubbsjuk.

"Nej, men Göran Borg! Vilka vackra händer du har! Har du fått manikyr?"

Cissis utrop överrumplar mig. Jag känner rodnaden sprida sig som en löpeld över kinderna och mina blottlagda öron hettar som chili.

Regnet smattrar mot fönstret. Det luktar ruttna ägg i salongen. Svagt men ändå tydligt under slöjan av hårvatten och parfym. Hårkemikalier luktar som ruttna ägg. Mia luktade ruttna ägg när hon en dag kom hem med vätesuperoxiderat hår. Det var sju månader och sex dagar innan vi skilde oss. Jag borde ha förstått vad som var på gång redan då. En kvinna över fyrtio försöker inte helt plötsligt se ut som Marilyn Monroe om hon inte har ett starkt skäl till det.

Jag har hittills inte träffat en enda människa som orkat läsa ut Marcel Prousts mastodontsvit *På spaning efter den tid som flytt*. Jag är tveksam till om det ens bland mina hyfsat litterära vänner finns någon som har kommit längre än till den där berömda scenen i den första volymen då berättaren doppar sin madeleinekaka i lindblomste och kastas tillbaka i tiden. Det är förmodligen ett av det senaste århundradets mest plagierade berättargrepp – att låta en doft eller smak väcka liv i minnen som sedan rullar upp en hel historia.

Jag tänker använda mig av det nu. Vi ska tillbaka till den tid då allting började. En gråmulen och vindpinad måndag i januari för precis ett år sedan.

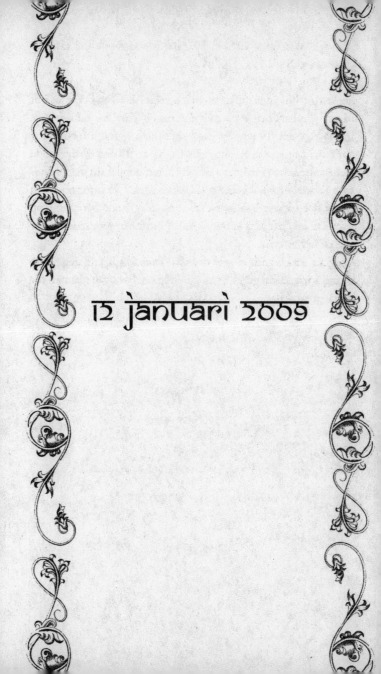

12 januari 2009

I

Det luktade svagt av ruttna ägg inne på Salong Cissi.

"Frisyren passar dig perfekt! Hyn får en helt annan lyster och dina ögon kommer mer till sin rätt."

Den medelålders kvinnan sken upp när hon gick bort till kassan för att betala.

"Om du vill ha ett schampo som skyddar håret och bevarar färgen ska du välja det här eller det här", sa Cissi och placerade två plastflaskor på disken.

Kvinnan vände och vred på dem medan Cissi tog fram ytterligare två flaskor och ställde bredvid.

Det är typiskt kvinnor, att vända och vrida på allting, tänkte jag.

"Och om du sedan vill ha ett bra balsam kan du välja mellan de här två."

Det slutade med att den medelålders kvinnan köpte alla fyra flaskorna plus tre andra hårvårdsprodukter innan hon äntligen tog på sig sin jacka, slängde ett förnöjsamt ögonkast i spegeln, drog kapuschongen över håret och gick ut. Cissi följde henne med blicken samtidigt som hon vant sopade ihop de avklippta hårtussarna till en liten hög på golvet och nickade åt mig att sätta mig ner i frisörstolen.

"Där har vi en klimakterietant till som garanterat kommer tillbaka", sa hon och log genom fönstret mot kvinnan som nu befann sig på trottoaren utanför. Trots den bitande vinden och det vassa regnet hade hon fortfarande ett soligt leende på läpparna.

"Hennafärgen är mot det gråa håret och den uppklippta nacken är mot svettvallningarna. Det slår aldrig fel. Klimakterietanterna är som galna i just den frisyren. Titta så lycklig hon ser ut", fortsatte Cissi och vinkade glatt åt kvinnan.

Jag skrattade svagt och lät Cissi svepa in mig i klippkappan. Slöt ögonen några sekunder och kände mig som en puppa i en kokong. Efter alla regelbundet återkommande besök i salongen hade det utvecklats ett slags förtrolighet mellan oss. Jag berättade elaka anekdoter om mina yngre och hopplöst historielösa kolleger på jobbet och hon skojade elakt om sina kvinnliga kunder i medelåldern. Men vår relation var långt ifrån okomplicerad. Den ömma punkten var Mia, som precis som jag fortfarande var kund hos Cissi.

"Mia och Max ska åka till Thailand om några veckor, hörde jag", sa hon.

Mia och Max, det lät som två tyska seriefigurer från trettiotalet. Iklädda Hitlerjugenduniformer.

"Ja, hon nämnde något om det sist vi talades vid."

"Tänk vad underbart att få lämna vårt tråkiga väder. Gud vad jag hatar den här årstiden!"

"Jo, det är rätt trist nu."

"Barnen ska också med, hörde jag."

"Barn och barn, de är väl snarast att betrakta som vuxna vid det här laget."

Cissi fnissade till och klippte med saxen några gånger i luften innan hon gav sig på håret igen.

"De ska bo på ett riktigt lyxhotell, hörde jag."

Om hon säger "hörde jag" en gång till sliter jag åt mig saxen och klipper av henne öronen så att hon aldrig mer kan höra någonting, for det genom min skalle.

Cissi bytte ämne. Det var en annan av hennes talanger, den osvikliga tajmingen som gjorde att hon aldrig drog ut en Miatråd längre än att den precis höll för belastningen. Resten av klippningen talade vi om i tur och ordning Elisabet Höglund, George Bush och Linda Skugge. Fråga mig inte varför, men det föll sig på något sätt naturligt. Under tiden hade en kvinna i trettioårsåldern kommit in i salongen, hälsat kort på Cissi och satt sig ner i den vita soffan. Jag sneglade på henne ett par gånger genom spegeln. Hon var mycket vacker med långt och lockigt rött hår. Inte hennafärgat utan äkta vara.

Efter klippningen försökte Cissi sälja en burk hårgelé med wetlook till mig. Jag avböjde vänligt men bestämt.

"Ses vi om två månader igen?" frågade hon.

"Javisst", sa jag och gav henne en lätt klapp på armen.

När jag kom ut på gatan tittade jag in i salongen genom fönstret. Den vackra kvinnan hade satt sig i frisörstolen. Cissi sopade ihop mina hårtussar. Hon lyfte ena handen och vinkade glatt mot mig. Hennes läppar rörde sig. Det var alldeles tydligt att hon sa någonting till sin nya kund. Och då förstod jag att de pratade om mig. Jag kunde naturligtvis inte höra hennes ettriga röst genom fönsterrutan men i mitt inre spelades den upp:

"Där går en sådan där halvfet femtioplusgubbe som tror att han är cool. Bakom-öronen-frillan slår aldrig fel. Gubbarna är som galna i den. Bakåtslicket är till för att täcka över den lilla flinten och längden i nacken ska dölja svinborsten som sticker upp från ryggen."

Så, ungefär, tror jag att det lät. Jag genomfors av den otäcka känslan av att någonting höll på att rinna mig ur händerna. En känsla som förstärktes av den grymma blåsten.

5

 Till alla som aldrig har varit i Malmö en gråmulen och vindpinad januaridag finns det bara en sak att säga: Grattis. Jag lyckades vinka in en taxi och kurade ihop mig i baksätet. När vi passerade Gustav Adolfs torg fick jag syn på den krumryggade mannen som trots regnrusket stod på pass i början av gågatan även denna dag. Lutad mot sin rollator och iklädd en T-shirt med texten "Organisationen för psykiatrisk vård måste krossas" i spretig tuschskrift framstod han som en symbol för den totala masochismen. Ingen av de andra själarna som tvingat sig ut i det hemska vädret tog någon notis om hans utsträckta hand med de blöta, skrynkliga flygbladen.

Taxin körde mig till Den lille italienaren, en enkel kvarterskrog inrymd i en gammal cykelkällare vid Lorensborg, på behörigt avstånd från de mer välbesökta lunchrestaurangerna inne i city, där risken för att man skulle stöta på någon från firman var större. Krögaren var mycket riktigt liten men ingen italienare utan en serbisk pizzabagare vid namn Ljubomir, som utökat sin meny med några italienska rätter. Maten smakade bra, men mer balkansk än italiensk. En ton av ajvar relish slog igenom i nästan allt som serverades.

Jag beställde en pastapesto, en saltimbocca, två små glas folköl och två enkla espresso, så att kvittot matchade en fingerad kundrepresentation. Jag brukade unna mig en sådan rejäl gratislunch i min ensamhet en gång i månaden, som en inofficiell löneförmån. Hittills hade det aldrig inneburit några redovisningsproblem, och jag hade heller inte några samvetsbetänkligheter vad gällde min vana. Restaurangerna jag valde var förhållandevis billiga och lite grädde på moset måste man väl ändå vara värd efter så många års anställning, resonerade jag.

Men den här gången infann sig inte den vanliga tillfredsställelsen efter måltiden utan det var istället en tung klump i kistan som följde med som sällskap när jag åter satt i en taxi, på väg till jobbet och ytterligare några timmars arbete. Regnet hade tilltagit i styrka och ett tröstlöst skyfall vräkte nu ner över Malmö.

Jag var äldst på firman och den ende som hade varit med sedan starten för tjugofem år sedan. Då hette vi Smart Publishing och jobbade med allt från copywriting till intervjuer och reportage i glansiga affärsmagasin. Nu hette vi Kommunikatörerna och sysslade nästan uteslutande med extern och intern information till olika företag och kommunala förvaltningar. Hemsidor och papperslösa personaltidningar. Hur sexigt var det? Det enda riktigt flashiga med Kommunikatörerna var vår kontorsadress ute i Västra hamnen, det gamla varvs- och industriområdet vid havet som hade förvandlats till Malmös hot spot och lekplats för arkitekter, med spanjoren Calatravas skruvade skyskrapa Turning Torso i självklart centrum.

Vårt kontor låg i byggnaden bredvid det spektakulära huset, bakom stora tonade fönsterrutor på bottenplan så att folk som gick förbi bara kunde ana våra siluetter när vi satt böjda över tangentbord och laptopskärmar.

Det var så långt från glamour som man kunde komma, men det fanns ändå några inte alldeles oväsentliga fördelar med jobbet. Jag var till exempel ofta utlokaliserad till våra kunder, vilket innebar att jag själv kunde styra över arbetsdagen. Och även när jag satt på kontoret hade jag som mångårig medarbetare vissa outtalade privilegier, såsom något längre lunchraster och lite tidigare hemgång.

Det var i alla fall fortfarande min fasta tro när jag slog mig ner vid mitt skrivbord den där januarieftermiddagen och drog högerhanden genom den nyklippta bakom-öronen-frillan. Då ringde mobilen.

"Kan du komma üpp, Göran?"

Det var Kent Hallgren, min chef. Han var från nordvästra Skåne, utanför Ängelholm, och uttalade vissa u:n som tyska ü:n. Ungefär som Anna Anka gör. Jag vet att malmöitiskan har sina skönhetsfläckar, men i jämförelse med Kents missljud framstår den ändå som ett uthärdligt språk. Men det var inte bara tungomålet som låg honom i fatet, Kent var dessutom en utpräglad Excelmänniska, som enbart tänkte i tabeller och kolumner. En räknenisse utan minsta känsla för den språkliga kommunikation som han var satt att leda. Han var också ett levande bevis på att även den som saknar all form av elementär bildning kan klättra ganska högt inom medie- och informationsbranschen.

Jag trodde ändå att han hyste en liten gnutta respekt för mig, men när jag hörde hans röst skorra i mobilen fanns det bara üppfordran i den. Jag tog spiraltrappan till hans rum på andra våningen.

"Slå dig ner, Göran."

Jag gjorde som han sa och han stängde dörren efter oss. Redan då hade jag förstått att någonting var fel.

"Bülle?"

Kent sträckte fram en korg med kanelbullar. Jag tog en, trots att jag fortfarande var proppmätt.

"Det har kommit klagomål, Göran."

"Jaha?"

Jag kände pulsens slag mot tinningarna och kramade representationskvittot i manchesterkavajens vänstra ficka med min svettiga hand. Kent studerade mig neutralt innan han harklade sig lätt och fortsatte.

"Avdelningschefen på gatükontoret är inte nöjd med hemsidan som du har gjort. Det finns alldeles för många büggar och länkproblem på den. Trettiofyra stycken, närmare bestämt. Måste vara nytt rekord."

Jag tog ett djupt andetag och såg honom i ögonen med en så fast blick som jag kunde.

"Men det där är ju bara lite tekniska småfel som Daniel eller Gisela kan justera. Jag har jobbat hårt med texterna och dem har du väl inte fått några klagomål på?"

Jag försökte låta indignerad.

"Språket, Kent, språket måste väl för sjutton vara det viktigaste inom all kommunikation?"

Kent fingrade först på sin slipsknut och sedan på glasögonbågarna. Det fanns ett stråk av nervositet i hans pojkaktiga ansikte. Men hans röst skrämde mig. Den lät fortfarande uppfordrande och bestämd, utan minsta darr på stämbanden.

"Det här håller inte längre, Göran. Vi kan inte låta Daniel och Gisela städa üpp efter dig varenda gång du missar någonting. De har füllt üpp med sina egna üppdrag."

"Jag har inte gjort så många misstag."

"Jo, det har du. Ünder det senaste året har vi fått bakläxa på varenda extern teknisk lösning som du har varit inblandad i. Face it, Göran. Tiden har sprüngit ifrån dig. De tjänster vi erbjuder våra künder idag har inte mycket att göra med det du sysslade med för tjugo år sedan."

Jag var fullständigt tillplattad. Pulvriserad inom loppet av två minuter efter mer än två decenniers anställning. Av en obegåvad man med nordvästskånsk dialekt. Av en liten kortklippt fjant i kritstrecksrandiga byxor och lammullspullover. Och han var inte färdig än.

"Det är annat också, Göran. Du har inte üppträtt på ett korrekt sätt mot Gisela."

"Vad säger du?"

"Hon üpplever det som att du har utnyttjat henne. Det ser vi mycket allvarligt på."

En Kafkaartad känsla grep tag om mig. Gisela var en av tre tjejer på firman, dessutom den yngsta och snyggaste av dem. Hon hade ganska stora bröst, som hon var mån om att skjuta fram när man pratade med henne. Jag hade vid några enstaka tillfällen möjligen dröjt med blicken i hennes klyka ett par sekunder för länge. Det fanns kanske en formulering i företagets jämställdhetsplan som förbjöd det.

"På vilket sätt skulle jag ha utnyttjat Gisela?" frågade jag spakt.

"Du har lämpat över en massa rütinjobb på henne och samtidigt lagt beslag på alla prestigefyllda üppdrag. Du har plockat rüssinen ur kakan. Du har ünderminerat hennes möjligheter att skapa sig en egen plattform att jobba utifrån."

Han pratade som om han läste direkt från ett manus, vilket han möjligen också gjorde eftersom han då och då sneglade på sin dataskärm. Det var i alla fall en lättnad att jag klarade mig undan anklagelser om sextrakasserier. Och vore det inte för att jag stod inför min egen avrättning skulle jag ha dragit på munnen åt Kents tal om prestigefyllda uppdrag.

"Jag har bett henne om hjälp när det gäller vissa tekniska detaljer och jag har räddat firman undan skammen att låta en medarbetare med dyslexi skriva pressmeddelanden", sa jag med en sista desperat förhoppning om att lyckas vända den kantrande skutan med lite anfall-är-bästa-försvar-taktik.

"Gisela har inte dyks… dykselexir."

"Och det är du rätt man att avgöra?"

Kent svarade inte utan tog fram ett papper. Han studerade det ingående under ett trettiotal sekunder som kändes som nästan lika många minuter.

"Det är annat också, Göran. Av den tid du tillbringar här på kontoret använder du fyrtiosju procent åt att surfa på internet."

Först trodde jag att han skämtade, men det fanns inte ett spår av leende i Kents nuna.

"Menar du att ni lägger ner tid och resurser på att kontrollera de anställdas internetvanor? För att sedan redovisa det i siffror och procenttal?"

"Ja, om det är befogat."

"Jag trodde i min enfald att vi sysslade med kommunikation. Att det där med internet så att säga ingick i vår it-värld. Att det rent av var ett centralt arbetsredskap."

Kent sköt ner glasögonbågarna på näsryggen och såg mig stint i ögonen. Jag fick en bestämd känsla av att det var en inövad pose. Någonting som han hade lärt sig på en chefskurs, kanske.

"Det beror på vad man är üppkopplad mot."

"Jag har aldrig varit inne på någon porrsida! Aldrig!"

När man med reflexmässig urkraft försvarar sig mot någonting som man ännu inte har blivit anklagad för brukar det betyda att man är skyldig. Men i det här fallet var jag faktiskt inte det. Jag skulle aldrig få för mig att konsumera datorporr i ett öppet kontorslandskap. Kunde liksom inte se poängen med det.

"Bli inte üpprörd, Göran. Jag säger inte att du har porrsürfat. Däremot har du ett sjukligt intresse för en hemsida som heter Himmelriket. När du använder internet är du üppkopplad mot den sidan sextioen procent av tiden."

"Den handlar om fotboll", pep jag fram.

"Ja, jag har förstått det. Om Malmö FF. Vad jag vet har vi inga kündkontakter med Malmö FF. Ändå har du det senaste halvåret tillbringat i genomsnitt två timmar och trettiotre minuter av din dagliga arbetstid här på kontoret i Himmelrikets forüm. Det som förvånar mig mest är att du inte själv deltar i disküssionerna.

21

Du verkar bara läsa andras inlägg. Det är rätt ünderligt."

Just i den sekunden, när Kent sa "ünderligt", insåg jag att loppet definitivt var kört. För han hade ju rätt, den dumskallen. Det var underligt, på gränsen till perverst, att en femtiotvåårig man med universitetspoäng i såväl litteraturhistoria som statskunskap, med tjugofem års erfarenhet som copywriter och skribent, med ett förflutet som en inte oäven trummis och med en svart polotröja under en sliten manchesterkavaj ägnade en tredjedel av sin arbetstid åt att läsa vad ett antal arbetslösa, alternativt arbetsskolkande, fotbollsnördar skrev om stans fotbollslag. Tre månader innan allsvenskan ens hunnit börja.

"Är du HIF:are?" frågade jag med tom röst.

För första gången under vårt samtal såg Kent förvånad ut. Sedan log han faktiskt en smula.

"Nänä, fotboll är inte min grej och Helsingborg inte min stad. Jag kommer från Ängelholm, där üppskattar vi hockey. Rögle."

Jag borde ha fattat att Kent var en hockeymänniska. Det finns en avgörande skillnad mellan fotbollsmänniskor och hockeymänniskor. Fotbollsmänniskor har någon sorts förankring ner i jorden, i kulturen. Hockeymänniskor halkar runt på ytan som rotlösa, vilsekomna själar. Allmänt puckade. Det är en oomtvistlig sanning även om jag just då inte var i stånd att försvara den.

När Kent hade kramat ur mig min sista droppe blod blev han genast vänligare. Det måste också ha varit någonting han lärt sig på den där chefskursen. Jag fick ett erbjudande som jag inte kunde tacka nej till. En årslön i avgångsvederlag. Goda vitsord. Löften om två konsultuppdrag om året under två år (bara skrivjobb) och ett personalmeddelande där Kommunikatörerna beklagade att deras mångårige medarbetare Göran Borg tyvärr hade valt att sluta på egen begäran för att pröva sina vingar som frilans.

Kent ville till och med ordna en liten avslutningsfest för mig, men där sa min stolthet nej. Blotta tanken på att stå med en drink i handen och försöka undvika att titta ner i Giselas klyka fick inälvorna att vrida sig som svedda ålar.

"Jag plockar ihop mina grejer ikväll, när alla har gått hem", sa jag.

3

De tre första dagarna i mitt nya liv – *Efter Kommunikatörerna* – befann jag mig i ett närmast vegetativt tillstånd. Jag var vid liv men visade få tecken på mänskligt intellekt. Navelludd och dammråttor frodades på och omkring mig. Min lägenhet vid Davidshallstorg lämnade jag bara de tio minuter om dagen då jag gick ner till närbutiken på hörnet för att handla mat.

Den tuggummituggande tjejen i kassan såg på mig med en blandning av medlidande och avsmak när jag radade upp de ständigt likartade varorna på rullbandet. Utöver någon djupfryst mikrorätt, ett par burkar Coca-Cola, bröd och lite smörgåspålägg var det mest glass. Ben & Jerry's i olika smaker, från Caramel Chew Chew till New York Super Fudge Chunk. Mitt tröstcentrum i hjärnan skrek efter Ben & Jerry's, denna Viktväktarnas fiende nummer ett, med samma tvångsmässiga eftertryck som en hankatt ropar efter honor i mars. Det såg inte bra ut. Män ska dricka dålig sprit och röka cigaretter utan filter när de går igenom en livskris, inte frossa i kaloristinn glass.

På det hela taget måste jag ha utgjort en patetisk syn där jag satt i soffan och åt med sked direkt ur de runda glassförpackningarna och hålögt stirrade in i plasmateveskärmen. Som en scen ur en filmatiserad chick lit-roman, med den skillnaden att jag inte var en förhållandevis ung kvinna med begynnande viktproblem som tittade på dåliga eftermiddagssåpor (och som man visste ändå skulle hitta sin prins till slut) utan en medelålders man med etablerade viktproblem som tittade på repriser av Bundesligamatcher på Eurosport (och som inte skulle hitta sin prinsessa till slut, det kunde man vara rätt säker på).

Men det finns ändå någonting robust och uppbyggligt i tysk fotboll, och på den fjärde dagen av *Efter Kommunikatörerna* började jag försiktigt reflektera över vad som hänt. Jag hade fått ett ilsket rött utvisningskort av Kent. Inte på grund av mina taxivanor och representationsnotor, som han inte nämnt med ett ord, utan för att "tiden sprungit ifrån mig". Beskedet var så domedagsmullrande att jag inte kunde ta in det helt. Så jag valde istället att plåga mig med fotbollssurfandet på Himmelrikets hemsida.

Det var pinsamt så att det räckte och blev över, att jag av ren jobbtristess hade förspillt tiden med att läsa illa formulerade teorier om vilka värvningar Malmö FF behövde göra inför den kommande säsongen. Så loseraktigt det någonsin kunde bli. Och så ovärdigt en man som en gång hade skrivit en kulturartikel i Aftonbladet om likheten mellan argentinsk tango och argentinsk fotboll, som varit på plats i Gelsenkirchen som tonåring och sett Bosse Larsson slå in den där distinkta straffen i snökaoset under VM-kvalmatchen mot Österrike 1973, och som gjort en lång intervju med Zlatan Ibrahimovic till ett glansigt holländskt affärsmagasin inför dennes första proffsflytt till Ajax Amsterdam.

På ett sätt hade det varit bättre om jag åkt dit för porrsurfning. Då hade jag kunnat söka vård för sexmissbruk. Jag hade aldrig hört talas om något behandlingshem som tog emot medelålders män som missbrukade fotbollsbloggar.

Den fjärde dagen av *Efter Kommunikatörerna* råkade vara en fredag. Då ringde mobilen igen. När jag såg på displayen vem det var bestämde jag mig till sist motvilligt för att ta samtalet.

"Hej Erik."

"Göran! Varför svarar du inte?"

"Är det inte det jag precis har gjort?"

"Kul. Men innan dess. Jag har ringt dig flera dagar i sträck."

Hans normalt sett så sorglösa röst lät anklagande.

"Sorry, jag har haft lite att stå i."

"Vadå, om man får fråga?"

"Vi kan ta det en annan gång."

"Okej, på Bullen ikväll klockan åtta. Hela gänget kommer, utom Sverre förstås. Han påstår att han har migrän men jag sätter en hundring på att det är kärringen som håller honom fastkedjad vid spisen."

"Men du, jag vet inte om jag orkar. Jag känner mig lite krasslig."

"Det botar man bäst med en vinare. Kom igen nu! Det är skitlänge sedan vi sågs allihop. Är du man eller mes?"

Det kändes lockande att svara mes men samtidigt insåg jag att jag förr eller senare skulle bli tvungen att möta omvärlden. Och att jag lika gärna kunde göra det på en hemtam krog på snubbelavstånd från min egen bostad som någon annanstans. Jag behövde ju inte berätta alla detaljer.

"Okej då, Bullen klockan åtta."

Erik Pettersson var min bäste vän, eller i varje fall den som jag umgicks mest med. Vi var polare sedan gymnasietiden, då vi startade det ganska slamriga rockbandet Twins, som faktiskt gav ut en singel som sålde i över sjuhundra exemplar och som spelades på lokalradion ett par gånger. Men mest var vi ett liveband, som drog en hel del ungt folk till våra spelningar på småklubbar och privata fester. Jag var den taktfaste trummisen som satt i bakgrunden och bankade mig blå i ansiktet, medan Erik var den karismatiske sångaren som stod längst fram på scenen med elgitarr om halsen och fick alla flickors gunst.

Det förhållandet mellan oss kan man säga fortsatte genom åren. Eriks kvinnoaffärer var lika otaliga som omtalade. Han hade varit gift en enda gång, men bara i tre veckor, med en turkisk supermodell. Flickvännerna var desto fler: känd svensk skådespelerska, rysk prima ballerina, satanistiskt inspirerad poetissa från Årjäng, dansk företagsledare, läkare och fyrbarnsmamma från Lund samt ett oräkneligt antal andra spännande och vackra kvinnor. Han hade aldrig lämnat några barn efter sig men väl flera krossade hjärtan. Ett tillhörde Mia, min före detta fru.

Mia Murén gick i vår parallellklass och jag hade tidigt kiken på henne. Hon var inte vacker på det där mallartade viset som brukar tilltala gymnasiepojkar. Hennes näsa var markant, på gränsen till stor, och höger öga skelade en aning. Men för mig var detta bara charmiga små defekter som gav utseendet karaktär och som perfekt kompletterade hennes oemotståndligt långa, tjocka, kastanjefärgade hår som föll fritt nerför axlarna, den nätta men ändå kurviga kroppen och det lite vemodiga leendet. När hon dök upp på våra spelningar gjorde jag allt för att få hennes uppmärksamhet. Jag skickade ut små trumvirvlar och menande ögonkast från scen, försåg henne med öl i pauserna och bjöd slutligen in henne back stage, som en riktig rockstjärna. Samma kväll gick hon hem med Erik.

Jag grät floder i min ensamhet. De var ett par i tre månader. Tills han gjorde slut, veckan innan studenten.

Mia grät floder i full offentlighet.

Jag försökte tafatt trösta henne och samtidigt dölja min glädje över att hon åter var ledig. Men det blev aldrig någonting mellan mig och Mia Murén den gången. Efter sommaren åkte hon till Paris och jobbade som au pair under ett år, innan hon drog vidare till Stockholm och så småningom utbildade sig till sjukgymnast.

Det var först sex år senare som våra vägar korsades igen, på en fest hos bekantas bekanta i Malmö där även Erik råkade befinna sig. Men han hade vid tillfället händerna fulla med en portugisisk fadosångerska. Samma kväll gick jag och Mia hem till min lilla ungkarlslya, som låg bara ett stenkast från min nuvarande, avsevärt större ungkarlslya. Ett halvår senare gifte vi oss och efter ytterligare ett år bodde vi i ett radhus i villastaden Djupadal i utkanten av Malmö och hade bil och hund och inom kort även barn. Erik var för övrigt best man på vårt bröllop. Än idag sprider han den historierevisionistiska utsagan att det var han som förde oss samman.

4

Strax efter klockan åtta på kvällen lämnade jag min lägenhet och Bundesligamatcherna, nyduschad, nyrakad och med en tjock, svart, ribbstickad vinterpolotröja under manchesterkavajen. Det hade slutat att regna och blåsa, men en råkall fuktighet hängde kvar i kvällsluften.

Jag drog ett djupt andetag genom näsan och konstaterade att stjärnorna och planeterna trots allt fortsatte att snurra i kvarteren runt Davidshallstorg, mitt eget lilla universum.

Här låg alla de adresser som höll mina ljuvaste och bittraste minnen vid liv: Petriskolan på andra sidan Fersens väg där jag första gången såg Mia, ettan med kokvrå ovanpå den osande pizzerian på Erik Dahlbergsgatan där jag första gången låg med Mia, och sushirestaurangen Hai på torget där jag första gången såg Mia tillsammans med Max – de höll varandras händer över bordet en smärtsamt ljus och ljum sommarkväll. Detta var för övrigt bara ett par huskroppar bort från den lokal som en gång i tiden hyste systembolagsbutiken utanför vilken Erik och jag, innan vi hade åldern inne för att själva köpa ut, brukade uppvakta A-lagarna som mot en mindre betalning langade Explorer till oss. Och den låg i sin tur inte långt från sunkbaren Zoltans, där man mot en billig penning kunde få en öppen butelj av det vinägersura Konstnärsvinet, som bestod av efterlämnade slattar från kvällen innan. Och den i sin tur låg väldigt nära Bullen, en av Malmös äldsta kvarterskrogar, som alltjämt utgjorde mitt andra hem och som egentligen hette Två Krögare.

Bullen var lite som Salong Cissi. Här såg det ut som det hade gjort redan när jag började gå hit på sjuttiotalet: de mörka medaljongtapeterna, de rustika träborden, den majestätiska ölkranen som tronade vid baren och den perforerade darttavlan med Bull's Eye i tavlans mitt, som en gång i tiden hade förlänat stället dess smeknamn.

Ungefär hälften av gästerna i lokalen var också desamma, fast drygt trettio år äldre. Alla i vårt gäng minus Sverre satt runt stammisbordet när jag klev in genom dörren och försökte se så normal ut som möjligt.

"Det var inte igår", sa Rogge Gudmundsson, den forne kommunisten och basisten i Twins, som efter sitt avsked från Marx hade skapat sig en stor förmögenhet som framgångsrik börsanalytiker och penningplacerare. Det syntes på honom. Palestinasjalen hade han kastat av sig för länge sedan. Numera var han klädd i skräddarsydda skjortor med monogram på och han bar en jättelik Rolexklocka runt vänster handled. Dessutom hade han skor med små lädertofsar på.

"Tjänare, Rogge, allt väl?"

Han nickade och makade på sig så att jag fick plats. Det stod två vinflaskor på bordet och Erik fyllde ett glas till brädden och sköt över det till mig.

Jag tog en djup klunk och växlade några ord med Bror Landin, Eriks gamla lumparkompis som började sin journalistiska karriär som sommarvikarierande lokalredaktör för Skånska Dagbladet i Svedala men som snabbt sadlade om till frilansande teaterrecensent, ett värv han fortfarande ägnade sig åt.

Jag hade ännu inte läst en recension av honom som inte innehöll minst en invändning. Speciellt minnesvärd var en av hans första anmälningar, den av Lars Noréns "Natten är dagens mor", som hade premiär på Intiman i Malmö i början av åttiotalet.

Han hann utnämna den till decenniets bästa svenska pjäs innan han ägnade den avslutande tredjedelen av recensionen åt att förbanna ett par mindre korrekturfel i programbladet. Det där med att aldrig vara riktigt nöjd präglade Bror Landins hela väsen.

"Gott vin det här, Erik, men det är för mycket tanniner i det", sa han.

"Men så är du också en sur och sträv gammal stofil, så det passar ju dig perfekt", skrålade Erik.

Alla utom Bror Landin skrattade åt hans skämt. Det gjorde vi allt som oftast. Richard Zetterström gapskrattade. Han var med sina fyrtioåtta år den yngste medlemmen i vår grånande herrklubb, men den utan konkurrens störste. Richard hade ett förflutet som massiv och mycket lovande mittback. Vi spelade tillsammans i Limhamns IF, en lokal klubb i de lägre divisionerna. Jag harvade mest runt i reservlaget medan Richard tidigt blev A-lagets gigant tack vare sitt självuppoffrande spel. Malmö FF:s talangscouter följde honom intensivt och var på väg att värva honom när ett söndertrasat knä satte stopp för hans karriär redan som tjugoettåring. Han hade därför en alldeles speciell plats i mitt fotbollsbankande hjärta.

Eftersom Richard fortsatte att äta lika mycket efter skadan som han hade gjort före, blev han snart rundlagd. Och så småningom smällfet. Han är den enda människa jag känner som har gjort karriär på sin fetma. Richard skrev uppskattade kåserier i flera veckotidningar och minst hälften av dem var variationer på samma tema: hur mycket han älskade mat och hur mycket han hatade motionscyklar och bantningskurer.

Och så var det Mogens Gravelund, den kedjerökande konstgalleristen med danska rötter som man oftast så att säga bara såg röken av. När han inte stod huttrande på trottoaren utanför Bullen och bolmade på sina handrullade cigaretter satt han och hostade bronkithosta så att det skar i öronen på oss andra och gick på om den kommande jazzfestivalen i Köpenhamn, något han älskade över allt annat på jorden.

Den ende som saknades var som sagt Sverre, kulturchef i Eslöv och mannen som för tretton år sedan samlade oss gamla kompisar och drog igång herrklubben, men som inte hade närvarat vid en enda träff under de senaste tre åren. En period som råkade sammanfalla med tiden han varit gift med sin nya fru.

Det var ingen som saknade honom direkt. Sällskapets självskrivne ledare var ändå Erik, navet kring vilket allting snurrade. Det fanns stunder då vi andra, i lönndom innan Erik hade dykt upp, snackade skit om honom. Då kunde vi ondgöra oss över att han var känslomässigt handikappad som inte lyckats leva i ett längre förhållande med någon kvinna eller att han var omogen och lat som inte hade skaffat sig ett riktigt yrke. Flummade runt som vikarierande musiklärare och reseledare som en annan yngling. Och varför läste han aldrig några aktuella böcker eller följde med i kulturdebatten?

All vår magsyra kom sig av avundsjuka. Samtliga ville vi i vårt inre åtminstone då och då vara just så charmiga, orädda och obekymrat anpassningsbara som Erik Pettersson. För att vara en man över femtio år såg han dessutom overkligt ungdomlig och bra ut. Han hade kvar sitt blonda, lockiga hårsvall, utan minsta inslag av grått, och den långa, smala kroppen var lika senigt spänstig som hos en ung Mick Jagger. Det var som om han gav fan även i åldrandets lagar.

Efterhand som vinet slank ner blev jag allt mer avslappnad i mina vänners sällskap. Jag hade ännu inte med ett ord nämnt att jag slutat hos Kommunikatörerna, och bestämde mig för att låta saken bero när Richard Zetterström utan förvarning plötsligt frågade mig, högt och ljudligt så att alla andra kunde höra, hur det gick på jobbet. När jag inte svarade fortsatte han:

"Är den där dumsluge snorvalpen från Ängelholm fortfarande chef?"

Som på en given signal tystnade all konversation runt bordet och samtligas blickar riktades mot mig. Jag kände hur halsen snörptes åt.

"Jo, han är kvar. Men jag har slutat."

"Har du fått sparken?"

Det var Erik som fällde den kommentaren.

"Nej, jag har inte fått sparken. Jag har sagt upp mig."

"När då?"

"För ett par dagar sedan."

Den obehagliga tystnaden tilltog. Jag kunde höra mina egna hjärtslag och kände hur paniken närmade sig när Rogge Gudmundsson räddade mig.

"Det var verkligen på tiden, Göran! Jag har aldrig riktigt förstått varför du har stannat kvar på den där fabriken så länge. Men jag trodde i ärlighetens namn inte att du skulle våga ta steget därifrån."

"Jo, jag kände att det var dags. Man blir ju inte yngre och ska man hinna med någonting annat här i livet gäller det att börja nu", sa jag, stärkt av den positiva vändningen.

"Vad tänker du hitta på istället då?" frågade Bror Landin med en misstänksam rynka mellan de buskiga ögonbrynen.

"Jag ska skriva lite mer för tidningar och magasin. Det är ju det som ligger mig varmast om hjärtat."

"Frilansmarknaden är jävligt tuff nu, ska du veta", sa han.

"Jag har redan några uppdrag."

Erik såg på mig med ett spefullt leende. Jag insåg att han insåg att jag ljög. Men han hade den goda smaken att inte avslöja det.

"Då får vi väl beställa in en vinare till och fira att Göran har lämnat grottekvarnen och äntligen blivit en fri människa", sa han istället. "Skål, kompis!"

Alla höjde sina glas och vi skålade unisont. Jag hade ljugit mina vänner rakt upp i ansiktet, men skämdes inte en sekund för det. Jag kände bara en lättnad över att ha kommit undan så pass lindrigt.

Det blev en osedvanligt blöt afton. Rogge Gudmundsson började som vanligt sjunga sig igenom Nationalteaterns repertoar av gamla progglåtar när han hade fått tillräckligt mycket i sig, och Richard Zetterström lyckades med konststycket att beställa in pytt i panna och beska droppar trots att köket hade stängt. Till slut var det ändå bara Erik och jag som satt kvar bland alla glas med avslaget öl och vinslattar i. Ett tag funderade jag på att göra en Zoltans och avsluta kvällen stilrent med lite Konstnärsvin. Men jag var redan full så att det räckte och bestämde mig för att gå hem.

"Nä, man kanske ska dra sig tillbaka", sa jag trevande till Erik och reste mig upp på ben som kändes lätt ostadiga.

Han drog ner mig på stolen igen.

"Hur mycket fick du?"

Jag såg på honom med en oförstående min.

"Vad menar du?"

"Kom igen, Göran! Du är den värsta trygghetsnarkoman jag känner. Du har alltid likadana kläder och samma frisyr. Du bor i samma kvarter som när du var ungkarl förra gången och du tänker ständigt på samma kvinna trots att hon inte längre är din. Du har haft samma jobb i ett kvarts sekel och du har aldrig tidigare så mycket som knystat om att lämna det. Det finns inte en chans i världen att du har sagt upp dig. Hur mycket fick de betala för att bli av med dig?"

"En årslön."

Jag sjönk ihop och sänkte blicken. Erik lade sin hand på min axel.

"Och vad tänker du hitta på nu då?"

"Vet inte."

"Så du har suttit och ugglat i din ensamhet. Var det därför du inte svarade i telefon?"

Jag nickade. Erik kramade min axel hårt, på det där sättet som vi män tenderar att göra när vi är berusade eller inte riktigt vet vad vi ska säga. Efter ett par minuter bröt han tystnaden.

"Jag vet precis vad du skulle behöva just nu."

"Vad då?"

"Du skulle behöva komma bort från den här inkrökta skithålan. Följ med mig på min nästa reseledartur! Det finns plats i bussen och vi kan dela hotellrum. Det behöver inte kosta dig mer än flygbiljetten dit. Vi sticker inte förrän om tre veckor, så du har gott om tid att förbereda dig."

Jag kände mig med ens spiknykter.

"Resa? Nä, jag tror att jag måste ta tag i mina problem här och nu. Det går inte att fly från dem."

Erik suckade högt och skakade på huvudet.

"Det där låter ju förbannat bra, men jag vet att du säger det bara för att du är en sådan fegis. Fan, Göran! Du kan väl åtminstone fråga vart vi ska?"

"Det tänker jag inte göra", sa jag bestämt.

"Okej, då ska du få en ledtråd. Eller rättare sagt tre: cricket, curry and corruption."

"Indien?! Aldrig i livet!"

5

En av mitt livs mest pinsamma incidenter utspelade sig
när jag var nitton år gammal. Trots att jag egentligen
inte platsade i Limhamns IF:s A-lagstrupp hade jag ef-
ter några sena återbud fått följa med på ett träningsläger
till Budapest. Det var på kommunisttiden, då de fåtaliga
turister som dök upp med sin eftertraktade västvaluta be-
handlades som kungligheter.

När vi inte tränade på en sliten fotbollsanläggning i
utkanten av staden bodde vi flott på ett pampigt hotell
i city och kunde unna oss i princip vad vi ville. Inte för
att utbudet var överdådigt, men sprit fanns det gott om,
och den andra kvällen var vi ett stort gäng som samlades inne
på rummet hos två av lagets äldsta spelare för att grogga lite in-
för middagen. Whisky- och vodkaflaskorna skickades runt och
jag drack i ett tempo som jag inte var van vid. Min tunghäfta
försvann och jag ökade takten ytterligare. När den rutinerade
lagkaptenen föreslog att vi skulle supa ikapp var jag den ende
som antog utmaningen.

Sedan minns jag absolut ingenting förrän jag väcktes i min
säng och stirrade upp i Richard Zetterströms oroliga ansikte. Jag
hade spytt ner mig, jag hade pissat ner mig och jag hade till och
med skitit ner mig. Men det var långt ifrån det värsta. Jag hade
under den långa minnesluckan slängt fläskkotletter som frisbees
under kristallkronorna nere i restaurangen, gråtit ut i en horas
famn, sprungit naken i hotellkorridoren, snott mössorna från två

hisspojkar och med minsta möjliga marginal undvikit att arresteras av den hårdföra ungerska polisen. Allt återgavs av mina lagkamrater med en plågsam detaljrikedom som jag inte kunde ifrågasätta eftersom jag ingenting mindes.

Rent fysiskt satt baksmällan i under två dygn, då jag var oförmögen att delta i träningarna. Men jag hade gladeligen haft betongkeps i en vecka om jag bara sluppit de konstanta gliringarna under resten av Budapestvistelsen och ett bra tag därpå i omklädningsrummet under den gistna gamla träläktaren på Limhamns idrottsplats.

Efter den händelsen kopplade jag alltid ihop resor med pinsamheter. Bara jag hörde namnet Budapest rodnade jag. Det hade självklart varit mer logiskt att sluta dricka, men ett sådant offer var jag inte beredd att göra.

Nej, utlandsvistelser blev mitt svarta skynke. I jobbet var jag visserligen tvungen att flyga en del inom Europa på den tiden då firman blomstrade, men privat stannade jag helst hemma. När barnen var små åkte vi som längst till Legoland under semestern. Den enda riktiga utlandsresa som jag gjorde med Mia var när vi flög till Barcelona över en förlängd weekend. Det var ett år, två månader och tre dagar före skilsmässan.

Och så stod jag ändå här nu, framför spegeln i hallen, med en arm som värkte av vaccinationssprutor och med en tur-och-retur-biljett Köpenhamn–New Delhi i min hand.

Jag förstod aldrig riktigt hur det gick till. Kanske hade Ola Magnell rätt när han sjöng att det är först när man har tappat den sista tråden till sitt trygga gamla liv som man kan börja skönja nya perspektiv. Eller så var det helt enkelt ett utslag av ren dårskap.

Jag skulle följa med Erik till Indien och en veckolång bussresa där som kallades "Den gyllene triangeln", och som innefattade stopp i New Delhi, Jaipur, Agra och ett tigerreservat i Rajasthan.

Erik hade varit reseledare på liknande turer flera gånger tidigare, men nu hade han fått kontrakt med ett nystartat resebolag med det lika lovande som skrämmande namnet "Otroliga Indien!".

Hade jag vetat att den indiska ambassaden i Stockholm inte bara ville ha sexhundra spänn utan också upplysningar om allt från skonummer till min avlidne fars namn och födelsedatum för att utfärda ett enkelt turistvisum, är det möjligt att jag ändå hade sagt nej i tid. Men när bollen väl var i rullning tycktes det inte finnas någon återvändo.

"För helvete, Göran! Du ska inte genomgå en hjärttransplantation. Du ska på semester med din bäste kompis", som Erik sa när jag ringde honom en kväll och försökte avstyra det hela.

Nu var det bara en dag kvar tills vi skulle åka. Jag hade ringt mamma och berättat för henne om den förestående resan. Hon sa att hon tyckte det var en bra idé att jag äntligen såg mig lite om i världen, sedan ursäktade hon sig med att hon hade bråttom ut till en golfrunda och därför var tvungen att lägga på. Richard Zetterström, som var ungkarl precis som jag, hade lovat att ta hand om min post och vattna blommorna medan jag var borta. Allting var fixat och klart för avfärden. Det enda som återstod var mötet med min dotter Linda, som jag ville ta farväl av. Jag tänkte verkligen så ödesmättat: "ta farväl", med bilder av blodtörstiga rajasthanska tigrar på näthinnan.

Vi hade pratats vid i telefon men inte setts sedan i julas, så det kändes lite nervöst när det ringde på dörren. Linda var väldigt lik sin mamma både till sätt och till utseende. Men hon hade mina gröna ögon, och varje gång jag såg in i dem kände jag en lättnad över att ha lämnat just detta klädsamma genetiska arv efter mig och inte min slappa kroppshållning, till exempel.

"Du ser trött ut, pappa", sa hon och kramade om mig.

Vi satte oss i soffan i vardagsrummet. Jag hade dukat upp med kaffe och Ben & Jerry's. Det var en annan sak som min dotter delade med mig: passionen för onyttig amerikansk glass.

"Jag kan inte fatta att du har sagt upp dig. Och att du ska till Indien! Är det någon sorts försenad femtioårskris?"

"Kanske det", log jag besvärat.

"Vad är det som har hänt?"

"Vet inte riktigt, jag tyckte bara att jag hade gjort mitt hos Kommunikatörerna. Måste ut och pröva vingarna."

"Är det inte lite sent påtänkt?"

"Det är väl aldrig för sent att göra någonting nytt", sa jag och slogs själv av hur otroligt falskt det lät i min mun.

Linda såg på mig med skeptisk min innan hon började klaga på musiken som pumpade ut ur Bang & Olufsen-högtalarna: "Old habits die hard" med Mick Jagger.

"Har du bara gammal musik?"

Jag växlade till en cd-skiva med Timbuktu istället: "The botten is nådd".

"Ge dig, pappa!"

"Vad då? Jag trodde att du ville höra något ungt."

"Och så sätter du på Timbuktu! Han spelar med pensionärer som Mikael Wiehe och Nisse Hellberg. Och har någonting ihop med Peps Persson och Jacques Werup också, tror jag."

Inom loppet av fyra sekunder lyckades hon avfärda fyra av mina skånska kulturikoner som hopplösa föredettingar och dessutom göra ner den enda lokala yngre musiker som jag verkligen högaktade. En tydligare gubbstämpel kunde min tjugoåriga dotter inte ha gett sin far.

Men Linda hade redan lämnat ämnet och grävde sig nu djupt ner i den runda Ben & Jerry's-förpackningen. Hon lutade sig tillbaka i soffan och slickade njutningsfullt på skeden.

"Det är som knark, eller hur?"

"Vad då?"

"Glassen. Sjukt god! Om man inte blev så fet av den skulle

jag käka minst ett paket om dagen."

"Du är inte fet, Linda."

"Det vet jag. Men du börjar faktiskt bli det, pappa."

"Tack så mycket."

"Varsågod."

"Hur går det på universitetet?"

"Jag ska hoppa av."

"Varför det?"

"Jag ska ut och resa till hösten och då måste jag jobba och tjäna ihop till reskassan."

"Men det är väl synd, nu när du har kommit in på en så bra kurs."

Linda satte sig upp i soffan och sträckte sig efter sin kopp. Hon läppjade på det heta kaffet och log snett.

"Du vet inte ens vad det är jag läser."

"Det vet jag visst."

"Säg det då!"

"Konstvetenskap."

"Filosofi."

"Ja, just det. Jag sa fel."

"Nej, du sa inte fel. Du har bara hopplöst dålig koll på vad dina barn gör. När pratade du senast med John?"

"Det är inte så länge sedan."

"Okej. Vad heter hans tjej?"

"Är det här något läxförhör, eller? Hon heter Amanda."

"Hon hette Amanda. Nu heter hon Hanna. Och det beror inte på något namnbyte utan på att det är en helt ny tjej. Och det betyder att du inte har snackat om någonting av betydelse med John på minst sex månader, för så länge har de varit tillsammans."

Det dåliga samvetet slet i mig. När det gällde Lindas tre år äldre bror var jag verkligen urusel på att upprätthålla någonting som åtminstone liknade en far–son-relation. Han läste till läkare i Lund och var en riktig A-gosse. Trygg, målinriktad och dessutom ett fysiskt praktexemplar. Vi var väldigt olika.

"Och så glömde du att fråga vart jag ska resa", sa Linda, som verkligen hade fått upp ångan nu.

"Okej, vart ska du resa?"

"Till Colombia."

"Med vem då?"

"Ensam."

"Man åker inte ensam till Colombia om man är en ung tjej."

"Varför det?"

"Var inte dum nu, Linda!"

"Du är så fördomsfull, pappa. Men jag skojade bara. Jag ska till London med Steffi. Vi ska jobba på en bar."

"Det är väl ingen särskilt bra idé."

"Varför det?"

"För att det lurar en del faror på unga tjejer på barer i London."

"Kan du vara lite mer specifik?"

"Alkohol, droger … karlar med onda avsikter."

"Karlar? Du menar killar?"

Sådär fortsatte vi ett tag, tills hon tröttnade och vi åt upp det sista av glassen. Sedan berättade hon om Thailand och hur mycket hon såg fram emot att åka dit, två dagar efter min avresa till Indien.

"Det är en liten ö utanför Phuket. Värsta lyxstället. John och jag ska bo i en bröllopssvit, typ. Och vi ska flyga business class dit. Max har sjukt mycket bonuspoäng som han har fått genom alla sina jobbresor."

"Då ska väl Max och Mia också bo i bröllopssvit?"

"Du låter svartsjuk."

"Det är jag inte. Det var bara en enkel fråga, Linda. Övertolka inte allt jag säger."

"Nu låter du arg."

"Det är jag inte heller!"

"Okej."

Jag önskade att det hade funnits lite mer Ben & Jerry's. Kände att hjärnans tröstcentrum behövde det.

Sedan sa vi hej då. Linda gav mig en kram.

"Sköt om dig, pappa."

5

När vi mellanlandade i Helsingfors hade Erik redan kommit en bra bit på vägen i sin erövring av den enda kvinnan i resesällskapet som var singel och attraktiv; en lite mystisk mellanblond skönhet i trettiofemårsåldern med stora runda örhängen och en påtaglig solbränna. Hon stack verkligen ut i gruppen, som annars mest bestod av vinterbleka pensionärspar. Erik hade sett till så att han hamnade bredvid henne redan under flygresan från Köpenhamn.

"Okej, gott folk, nu kör vi lite fria aktiviteter. Det är massor med tid kvar tills vi ska boarda planet till Delhi. Vi ses utanför gaten prick klockan ett. Om ni behöver mig innan dess så sitter jag här", sa han och svepte med handen över en stor, öppen servering med bar och självbetjäningsdisk.

Ingen av de knappt trettio resenärerna gjorde någon ansats att lämna sin reseledare.

"Helsingfors flygplats har massor med spännande barer och restauranger. Det är ju en del av tjusningen med att ha semester, att man kan unna sig lite extra godsaker", fortsatte Erik.

Alla stod kvar i en ring runt honom.

"Hur är det med taxfreebutikerna? Är priserna bra?" frågade till sist en rundnätt dam, som liksom sin rundnätte man bar en neongrön midjeväska runt magen.

"Jättebra fråga", sa Erik och log brett. "En flaska whisky kan man ju alltid köpa med sig för att förgylla resan och hålla even-

43

tuella magbakterier i schack. Men vore jag i era kläder skulle jag vänta med de stora inköpen tills vi är i Indien. Där är allting mycket billigare och jag lovar att ni kommer att få möjlighet att köpa högkvalitativt konsthantverk till rena vrakpriserna", sa han.

"Kan man pruta?" frågade kvinnan med midjeväskan.

"Klart man kan", sa Erik och blinkade. "Men på de ställen som jag tar er till har jag redan pressat priserna så mycket att prutmånen är ganska liten. Efter mer än fyrtio resor till Indien har man ju fått lite rutin."

Ett imponerat mummel spred sig i gruppen.

"Då ses vi klockan ett vid gaten", upprepade Erik innan han gick fram till mig och sänkte rösten.

"Är det okej att jag pratar lite med henne?" frågade han och knyckte med nacken i en subtil gest i riktning mot mellanblondinen. "När vi väl är i Indien kan du och jag ägna mer tid åt varandra. Vi kommer ju att dela rum och så …"

"Det är lugnt, Erik. Jag är en vuxen man och behöver ingen som håller mig i handen hela tiden."

"Jag vill bara att du ska veta att jag är jäkligt glad att du följde med", sa han och kramade min axel, blinkade med ena ögat och gick och satte sig med sin nya bekantskap vid serveringen.

De drack te tillsammans och jag såg att deras fötter nuddade vid varandra under bordet. Vi andra fyllde på i de luckor där det fanns plats vid borden intill. Jag hamnade bredvid en man i sextiofemårsåldern från Nässjö, som i likhet med så många andra småländska män som jag har träffat led av ett svårartat Ingvar Kamprad-komplex. Han hade triggats av Eriks prat om goda affärer och skröt om hur han redan som grabb cyklade runt bland gårdarna utanför Nässjö och nasade stickningsmönster och sytillbehör till bondmororna, för att sedan starta en postorderfirma som sålde rengöringsmedel och till sist ett företag som var störst i Sverige på mjukglassmaskiner.

"Det gäller att hålla i penningarna", gnäggade han och slog med handen på sin bulliga hästhandlarbörs innan han tog upp en snusdosa och lade in en stor pris under överläppen. "Jag skulle aldrig få för mig att köpa någonting på en flygplats, det hade reseledaren inte behövt varna mig för. Men vänta du tills vi kommer ner till Indien, då ska du få se på en som kan pruta så att de indiska köpmännen gråter blod."

Jag log ett ansträngt leende och tänkte att det måste finnas ett gigantiskt centrallager någonstans i Smålands djupa skogar där man kan hämta ut sin egen Ingvar Kamprad-kopia i ett platt paket och själv montera ihop honom med en sexkantsnyckel.

Vid grannbordet satt tre bredaxlade finska män i kostym och drack rödvin, öl, long drinks och Koskenkorva smaksatt med salmiak. Det är bara riktiga finnar som kan komma på idén att kombinera så olika alkoholdrycker och dricka dem med samma metodiska beslutsamhet som dessa välklädda herrar gjorde. Inget flams och trams som när vi svenskar super till. Nej, konsekvent och målinriktat. Glas efter glas tömdes i deras strupar utan att på något sätt påverka vare sig intensiteten eller volymen i den ordknappa konversationen. Den enda synbara reaktionen var en viss simmighet i ögonen och en allt rödare färg i ansiktena. Efter en och en halv timme reste de sig upp, på förvånansvärt stadiga ben, tog sina laptopväskor och gick därifrån.

Erik hade avancerat ytterligare i sin erövring och viskade nu något i skönhetens öra som framkallade ett sinnligt leende i hennes ansikte. Hur fan bar han sig åt för att få alla kvinnor att äta ur handen på honom? Jag blev mer och mer irriterad och försökte distrahera mig med min nyinköpta indiska guidebok, men när jag kom till kapitlet om sjukdomar lade jag den ifrån mig. Min mage var redan lite i olag av nervositeten och det kändes inte bra att fördjupa sig i åkommor som malaria och dysenteri.

På grund av förseningar fick vi vänta en timme extra innan vi kunde boarda Finnairs plan till New Delhi. Majoriteten av passagerarna var indier på väg hem, och merparten av dem bar med sig en avsevärd mängd handbagage. Stora kartonger omvirade med snören, fullproppade plastkassar och mindre väskor packade till bristningsgränsen pressades med våld in i bagagefacken och under sätena, till ackompanjemang av ett livligt argumenterande på hindi uppblandat med engelska.

Det var första gången som jag hörde den karaktäristiska och märkligt melodiska medelklassindiskan, som ibland kallas för hinglish. Även om jag kunde urskilja ett och annat engelskt ord var det omöjligt för mig att avgöra om människorna var irriterade på varandra eller bara pratade livligt. I mina öron lät det som om någon snabbspolade Vicky Pollard i "Little Britain" – baklänges.

När bagaget äntligen var på plats lägrade sig lugnet i kabinen och alla sjönk förnöjsamt tillbaka i sina säten. Strax befann vi oss ovan molnen. Hela den svenska gruppen från "Otroliga Indien!" satt samlad längst fram i ekonomiklass, med Erik och hans erövring bredvid varandra. Nu sov hon, med huvudet lutat mot reseledarens axel.

Eftersom jag officiellt inte tillhörde sällskapet utan följde med lite grann som en fripassagerare, hade jag fått en plats betydligt längre bak i flygplanskroppen, inklämd mellan två indier. Till vänster om mig satt en man med djupt liggande ögon och en liten men klädsam mustasch över ett par fylliga läppar. Trots att det säkert var uppemot tjugofem grader varmt i kabinen behöll han sin stora, bylsiga täckjacka på. Det innebar att jag var tvungen att luta mig en aning åt höger och därför kom i närkontakt med en omfångsrik indiska invirad i en färggrann sari, som dock lämnade hennes stora mage blottad. Jag försökte skapa ett visst handlingsutrymme med hjälp av armbågarna, men det var som om de bara försvann in i mina medpassagerare. Beröringen verkade inte bekomma dem överhuvudtaget, och efter någon timme gav jag upp min hopplösa kamp och lät mig istället omslutas av deras kroppar.

7

"Been in India before?" frågade plötsligt mannen.

"No", svarade jag kort.

"Then you better prepare yourself, sir", skrattade han och vinkade åt sig en av flygvärdinnorna. *"Two large whisky with sodawater, please."*

Under resten av flygresan drack jag och mr Varma, som han hette, åtskilliga glas tillsammans. Han berättade att han jobbade som indisk koordinator för Nokia och nu var på väg hem efter en vecka fylld av möten i Helsingfors. Mr Varma insisterade på att jag skulle blanda whiskyn med vatten som en riktig indier, och övertygade mig också om att det fungerade alldeles utmärkt även som måltidsdryck.

Av misstänksamheten som jag hyst mot honom i början av vårt samtal fanns ingenting kvar när vi befann oss i luftrummet ovanför Kabul. Jag kände istället en stor tacksamhet och trygghet i hans sällskap och svalde det mesta som mr Varma sa. Han fick mig till och med att välja och svälja det vegetariska indiska alternativet när middagen serverades. Vi fick någon sorts gryta med mjuka och smaklösa vita klossar av oidentifierbart slag, dränkta i en snällt kryddad spenatsås. Mr Varma förklarade att det var paneer, en färskost som enligt hans tycke skulle serveras med mycket mera sting och med grön chili som tilltugg.

"Det ska bli underbart att komma hem och äta lite riktig mat igen efter alla finska piroger. Indien har världens bästa kök", sa han och fick ett instämmande och trovärdigt hummande som svar från kvinnan med den stora magen.

Jag hade ändå Budapest i åminnelse och tillräckligt mycket karaktär för att tacka nej när mr Varma ville beställa ytterligare varsin whisky åt oss efter middagen.

Planet landade så småningom med en bestämd duns på Indira Gandhi International Airport, och innan vi hunnit taxa in till gaten var mer än hälften av alla indiska passagerare uppe ur sina säten och fullt sysselsatta med att plocka åt sig väskor och paket ur bagagefacken. De finska flygvärdinnorna försökte inte ens hindra dem, och senare skulle jag förstå varför: Man stoppar inte indier i rörelse, för då uppstår en obeslutsam förvirring som förstör det organiserade kaoset.

Jag tog ett hjärtligt farväl av mr Varma och anslöt mig till Erik och de övriga i svenskgruppen under en sällsam labyrintvandring som varade i gott och väl en timme. Den tog oss bland annat förbi en hälsostation, där en trött läkare med munskydd stämplade i ett kort som vi fyllt i på planet, en bister passkontrollant som tycktes njuta av att framkalla långa köer och nervösa svettpärlor i pannan hos oss turister, ett tumultartat stångande vid bagagebandet, och ytterligare ett stopp där man skulle lämna ifrån sig nederdelen av den lapp som passkontrollanten tagit överdelen av, och som jag redan hunnit slarva bort.

"Det gör ingenting. Gå bara bestämt. Tveka inte", instruerade Erik och hans råd fungerade.

I ankomsthallen ledde Erik oss likt en fältherre förbi ett myller av chaufförer med skyltar med namn på resenärer som skulle hämtas, och pressade oss sedan genom utgången som var kantad av ännu fler människor. Doften av Delhi slog emot mig. Det luktade varken rökelse eller curry i den överraskande kyliga nattluften. Det luktade ruttna ägg. Samtidigt lät det som om det pågick en tävling om vem som kunde tuta mest och högst. Bilarnas envisa signalhorn blandades med rop och indisk musik, som med full kraft dånade från ett av de små testånden som låg precis utanför terminalen.

Det var så mycket människor att jag drabbades av svindel. Alla flöt ihop till en trögt rinnande flod, där det enda jag kunde urskilja var sikhernas turbaner som stack upp som färggranna, spänstiga tulpanknoppar i folkhavet. Klockan var kvart över tolv på natten lokal tid och jag försökte formulera ett vettigt svar på min fråga om vad jag egentligen gjorde här, när Eriks ordergivning väckte min överlevnadsinstinkt.

"Nu håller vi ihop gruppen så att ingen kommer bort!"

Jag blev smärtsamt medveten om hur livrädd jag var för att komma bort. Därmed blev jag också ett tacksamt byte för bärarna som svansade runt vår grupp och skrek i munnen på varandra.

"Welcome to India! I show you way to bus! Don't you worry, sir! I carry your bag!"

"Låt dem inte ta ert bagage. Då ska de ha dricks och ni har ju inga indiska pengar än!" ropade Erik.

Men det var för sent. En tonårspojke i smutsig skjorta, gabardinbyxor med förvånansvärt skarpa pressveck och slitna flip-flop-sandaler på fötterna hade redan lagt beslag på min resväska och vägrade lämna den ifrån sig innan vi var framme vid vår buss. Jag halade upp en femdollarsedel som jag stack i näven på honom, varpå han snabbt försvann därifrån som om han var rädd för att jag skulle kräva den tillbaka. När jag äntligen satt inne i bussen slog sig såklart smålänningen ner bredvid mig.

"Jag såg vad du gav grabben. Är du medveten om att det motsvarar en veckolön här i Indien?" frågade han och plirade skadeglatt med sina vattniga ögon.

Jag mumlade något om att jag inte hade växel samtidigt som en ny indier med ett bländvitt leende uppenbarade sig och trädde ett halsband av starkt doftande blommor över mitt huvud.

Det knastrade till i högtalarna. Jag tittade upp och såg att Erik hade grabbat tag i mikrofonen.

"*Namaste!*" sa han och förde samman handflatorna över bröstet i en ödmjuk hälsning. "Det betyder välkommen på hindi och det är ett ord som ni kommer att höra mycket under den här resan. *Namaste!* Kan ni säga det allihop och göra som jag gör?"

"*Namaste!*" ropade hela bussen och härmade hans gest.

"Vad bra! Ni ska alla vara hjärtligt välkomna på den här resan till världens mest spännande land tillsammans med 'Otroliga Indien!'. Med på turen har vi vår chaufför och hans assistent, och så Varinder såklart, vår certifierade indiske nationalguide som ska hjälpa oss och som nu välkomnar er med blommor. För så är det i Indien, här är man alltid välkommen. Det gäller bara att möta allt det nya med ett öppet sinne. Så ta av era svenska glasögon och ta på er de indiska. Som ni redan har märkt fungerar inte saker och ting riktigt på samma sätt här som hemma i Sverige. Ibland tar det lite längre tid än vi är vana vid, men det är också en del av charmen med Indien."

Som en lämplig illustration till Eriks ord vägrade bussen att starta. Först efter en halvtimmes hårt arbete av en oljig mekaniker, som någon trollade fram någonstans ifrån, stånkade motorn motvilligt igång. Jag hade svårt att se charmen i det hela, men kunde inte låta bli att imponeras av Eriks lugn och förmåga att hålla gruppen vid gott mod, samtidigt som han då och då underhöll sin dam så att hon inte skulle svalna.

Efter ytterligare tjugo minuter var vi framme vid vårt hotell, som inte låg mer än ett par kilometer från flygplatsen. Erik förklarade att det visserligen var enkelt, men valt med stor omsorg eftersom det var perfekt beläget intill motorvägen ut ur Delhi, vilket skulle spara oss minst en timme när vi gav oss iväg till Jaipur tidigt morgonen därpå. Star Hotel hette panget, som hade en stor, sned och oregelbundet blinkande neonstjärna på taket. Med hjälp av den ständigt leende Varinder delade Erik ut rumsnycklarna och önskade alla god natt. Han sparade mig till sist.

"Hur är läget, Göran?" viskade han.

"Under kontroll", sa jag.

"Är du trött?"

"Lite. Fast det är ju mycket intryck, så det blir nog svårt att somna."

"Jag vet. Första mötet med Indien är alltid överväldigande. Men du kommer snart att vänja dig. Imorgon blir en riktig kanondag, med massor av spännande upplevelser, så det är nog bra om du kan slagga in så fort som möjligt ändå."

Erik sänkte rösten ytterligare och kliade sig i sin blonda kalufs.

"Du får det bästa rummet, kompis", sa han och överräckte en nyckel till mig. "Helt för dig själv."

"Så du ska du bo med den där tjejen?" frågade jag utan att helt lyckas dölja irritationen i rösten.

"Bara inatt, kompis. Om det är okej för dig, alltså. Det är ju bara några timmar."

"Självklart! Herregud, Erik, du tror väl inte att jag är svartsjuk?"

"Nej, men jag vill inte att du ska tro …"

"Gå upp till henne nu. Jag klarar mig", sa jag och avfyrade ett påklistrat leende.

Hotellpojken som bar upp min väska på rummet fick en femdollarsedel även han och bugade sig hela vägen ut i korridoren. Jag borde ha borstat tänderna, men det fanns inga plomberade flaskor på rummet och jag övervägde inte ens att skölja munnen med indiskt kranvatten. Så jag klädde av mig direkt och kröp ner under det tunna täcket i den stenhårda sängen och försökte inbilla mig att de små geckoödlorna som kilade pilsnabbt över väggen ovanför mitt huvud var mina vänner, eftersom de åt upp myggen som samtidigt surrade i rummet. Det var inte överdrivet varmt men jag hade ändå satt på fläkten i taket för att få känna lite vinddrag i hårbotten. Efter ett par minuter gick strömmen. Myggorna sökte sig genast till mina öron och surrade så intensivt att jag höll på att bli tokig. Kanske ingick de i en jättelik indisk konspiration som hade som mål att åstadkomma så många irriterande ljud som möjligt, tänkte jag.

När jag öppnade fönstret för att få in lite luft fylldes näsan av den där sura doften av ruttna ägg igen. Trots att rummet låg mot en bakgård hördes den tunga trafiken från motorvägen på andra sidan tydligt. Jag stängde fönstret och lade mig åter i sängen. Vattenledningarna brölade som hungriga dinosaurier. Genom den lövtunna väggen hördes smålänningens snarkningar från rummet bredvid.

Namaste? Kyss mig i arslet ...

8

Klockan fem i åtta nästa morgon satt jag åter i bussen. Jag hade inte fått många timmars sömn och kände mig fortfarande extremt vilsen och obekväm i detta främmande och skrämmande land när smålänningen kom emot mig, lyfte på ryggsäcken som jag hade markerat revir med på sätet intill och slog sig ner.

"Undrar vad resebolaget betalar för rummen i det här råttboet. Det kan inte vara många korvören", sa han och gav mig en armbåge i sidan, som om han hade yttrat någonting sällsynt skarpsinnigt.

Jag sneglade nervöst på busschauffören. Han hade fått på sig en blå uniform med axelklaffar och en alldeles för stor skärmmössa som gick ner över ögonbrynen. Hans trådsmala assistent tände rökelse och lade en krans av blommor kring en liten staty med en treudd i handen, som stod på avsatsen ovanför instrumentbrädan. Erik var klädd i en T-shirt med texten "Incredible India!". Det såg imponerande ut med en engelsk översättning av resebolagets namn, fick jag tillstå. Världsvant. Efter ett insmickrande "namaste" förklarade han för oss att statyn föreställde Shiva, förgörelsens och återskapandets gud, och att assistenten offrade till honom för att det skulle gå bra för oss på resan.

"Det tror hundan att han gör, med den här dåliga sikten", skrockade smålänningen. "Det är för fasiken mer rök i luften än när godtemplarnas kyrka brann ner utanför Jönköping. Och vad är det förresten för en gudaskapelse som har släppt sig? Det luktar ju värre än när min kusin i Mariannelund tappade skithustunnan utanför farstun."

Inte nog med att han led av sitt Ingvar Kamprad-komplex, gubbfan plågades också av den där tröttsamma sjukan som får en inte obetydlig del av småländska män att låta som urusla Åsa-Nisse-imitatörer. Men även om han var ensam i bussen om att skratta åt sina skamligt dåliga skämt hade han i någon mån rätt. Det stank fortfarande som ruttna ägg i den täta morgondimman.

"Det är inversionen", sa Erik. "Alltså nattkylan som lägger sig som ett lock över alla luftföroreningar. Men det släpper fram på dagen."

"Bara inte någon annan också släpper sig, för då får du börja dela ut gasmasker", replikerade smålänningen blixtsnabbt och jag kände en djuriskt stark lust att slå honom på käften. Hårt och skoningslöst. Men när han tittade på mig med sina vattniga ögon log jag bara fånigt tillbaka.

Erik räknade in oss och signalerade sedan till den certifierade indiske nationalguiden Varinder, som i sin tur signalerade åt chaufförens assistent, som sedan signalerade åt chauffören som slutligen startade bussen, den här gången med ett skramlande ljud.

På vår färd ut ur Delhi körde vi förbi flera vägbroar där hemlösa familjer hade slagit läger, i ett virrvarr av damm, byggbråte och skräp. Genom avgasdimmorna såg jag smutsiga barfotabarn och deras för tidigt åldrade och utmärglade föräldrar, som satt runt eldstäder och värmde sig i den fortfarande råkyliga morgonluften. En kvinna i orange sari kokade te över lågan, en tandlös och knotig man sög på en cigarett. Under en av vägbroarna fungerade stora betongrör som ännu inte grävts ner i jorden som bostäder, men oftast var det bara papp eller plast fastspänt med snören i ett staket eller runt en pelare som markerade människornas boplatser.

Magra, ragghåriga gathundar med stukade svansar strök omkring och frigående kor sökte med mularna genom sophögarna, för att se om det fanns något ätbart kvarglömt bland alla kladdiga plastpåsar. Jag hade aldrig tidigare sett något så fattigt och skitigt och mådde instinktivt illa. Varför hade jag varit så urbota dum att jag låtit Erik lura mig hela vägen hit?

När vi kom till förorten Gurgaon utanför Delhi hade solen och värmen skingrat dimmorna tillräckligt mycket för att vi skulle kunna skymta de monstruösa skyskraporna med stål- och glasfasader som tornade upp sig till vänster om motorvägen.

"Det här är Indiens eget Silicon Valley", sa Erik i mikrofonen. "För bara femton år sedan var allt häromkring jordbruksland och djungel. Men så liberaliserades ekonomin och idag är det bara Kina i hela världen som har en högre tillväxttakt än Indien. Nu är marken härute svindyr. Allt har gått i en rasande fart och några har tjänat groteskt mycket pengar på utvecklingen. På tio-i-topp-listan över världens rikaste människor finns det fyra indier. Indien är verkligen kontrasternas land i alla avseenden. Rika och fattiga sida vid sida, skönhet och fulhet, girighet och generositet, allting har sitt självklara motsatsförhållande här."

Erik fortsatte att undervisa oss med jämna mellanrum hela vägen till Jaipur. I mina öron lät minst hälften av det han sa som inövade fraser, men hans engagerade kroppsspråk och charm gick utan tvekan hem hos de övriga. Ibland gav han mikrofonen till nationalguiden Varinder, som sa någonting om hur lycklig han var över att få visa oss "The Real India", och att vi var den trevligaste grupp turister som han någonsin hade träffat (hur det nu var möjligt att slå fast efter sammanlagt fyra timmars bussfärd tillsammans).

Det var genant men också lite roande att beskåda reseledarnas teaterspel. Dessutom distraherade det min rädsla. Chauffören körde som om han hade stulit bussen, men det gick samtidigt inte att förneka hans skicklighet. Med millimeterprecision undvek han allt som kom i vår väg, från bilar, bussar, motorcyklar och trehjuliga små autorikshor – fullproppade med passagerare – till vattenbufflar, cyklister och getter.

Efter en lunch på en riktigt skön och lummig trädgårdsrestaurang, där vi kunde växla till oss lite indiska pengar till dålig kurs och dricka öl av det inhemska märket Kingfisher i jättelika flaskor, steg humöret märkbart i bussen. Även om den täta trafiken och allt tutande fortfarande störde mig började jag så smått fascineras av det jag såg genom bussfönstret: den livliga rörelsen och kommersen i byarna vi passerade, de oljiga bilverkstäderna som låg i kilometerlånga rader efter varandra vid ett avsnitt av vägen, det torra och karga jordbrukslandskapet med sin röda rajasthanska jord.

Finlemmade kvinnor i färgstarka saris och med breda sjok av armband som sträckte sig från handlederna till armbågarna bar makadam i stora, flätade korgar som de graciöst balanserade på huvudet till byggen som pågick. Ju längre in i Rajasthan vi kom, desto färgrikare blev också männen – de bar stora, runda turbaner i olika kulörer.

Lastbilskonvojerna ersattes ibland av karavaner av kameler med dragkärror, av vilka en del kom rakt emot oss i fel körriktning utan att chauffören röjde minsta lilla min av förvåning när han med ena handen på signalhornet girade för de lika opåverkade djuren.

När vi anlände till Jaipur på eftermiddagen var det säkert närmare trettio grader varmt och jag svettades ymnigt eftersom bussens luftkonditioneringssystem hade brakat ihop. Men mikrofonen fungerade fortfarande och Erik hade kvar sin geist.

"Nu ska ni få en rejäl chockinjektion av Indien, så att ni vänjer er så snabbt som möjligt. Så haka på nu, för … *This is* …"

Han pekade med mikrofonen på Varinder, som for upp från sitt säte och fyllde i avslutningen:

"… *The Real India!*"

5

 Vi föstes ut som en skock får mitt i en av de lokala basarerna. Erik gick först, med sin erövring bredvid sig, och Varinder samlade ihop oss bakifrån som en vallhund. Genast attackerades vi av efterhängsna gatuförsäljare som ropade åt oss på dålig engelska att köpa sjalar, solfjädrar och fula marionettdockor. De höll sådan låda att knallarna på Kiviks marknad framstod som blyga jultidningsförsäljare i jämförelse.

Med Eriks råd om att aldrig tveka i färskt minne lyckades vi ta oss över en stor gata utan att mejas ner av den armada av fordon och kor som vällde fram i alla riktningar. Delhis odör av ruttna ägg hade ersatts av Jaipurs något behagligare lukt av koskit uppblandad med kryddigt matos och frityrolja från de många gatuköken. En enbent pojke hoppade spänstigt på krycka bredvid mig och pickade uppfordrande med pekfingret på min arm för att sedan föra handen mot munnen och väsa: *"Chapati, chapati."*

Jag gav honom en tiorupiesedel, vilket fick till följd att han ville ha ännu mer, samtidigt som en grupp andra tiggare dök upp med utsträckta händer. Alla verkade ha siktet inställt på mig.

"De häringa krakarna är ju eländigare än fattighjonen i Lönneberga", suckade smålänningen utan en ansats till att ta upp sin hästhandlarbörs.

Med lätt andnöd ålade jag mig genom trängseln fram till Erik, som lade en faderlig arm om min axel samtidigt som han motade bort tiggarna med en bestämd men vänlig fras på hindi, innan han sprack upp i ett självsäkert leende.

"Nå, vad säger du, kompis? Visst är det här bättre än att vandra runt i Malmös kalla och gråa ödslighet?"

"Det är … annorlunda", svarade jag.

"Har du hälsat på Josefin, förresten?" sa han och presenterade sin pinfärska flickvän för mig.

Hennes handslag var svalt och lätt. Blicken hemlighetsfull. Hon hade ett märke i pannan som jag inte sett där tidigare.

"Göran Borg. Angenämt", sa jag.

Erik log.

"Han är artig också, min gamle polare."

Jag kände alltför väl igen den subtila överlägsenheten i hans röst.

"Det är första gången Göran är i Indien", fortsatte han.

"Men du har varit här tidigare, förstår jag", sa jag.

"Det här är min tionde resa", sa hon med ett leende som nu såg mer överseende än hemlighetsfullt ut. "Jag har aldrig rest på det här turistsättet tidigare, men det var ett bra pris och jag kände att jag ville besöka den gyllene triangeln och se Taj Mahal och allt det där som man bara måste se. Men efter den här turen åker jag till Rishikesh och stannar där i ett halvår."

"Rishi vad?"

"Rishikesh, vid Ganges mynning. Jag ska bo på ett ashram hos en andlig ledare och fördjupa mig i yoga och meditation."

"Vid Ganges? Kan man verkligen bo där? Jag trodde att det bara var en stor och stinkande dypöl."

"Det är världens renaste flod, andligt sett", sa Josefin med en irriterad knyck på nacken. "Och platsen som jag ska besöka är så spirituell. Fast det gäller ju egentligen hela Indien, för den som inte sluter sig i sitt inskränkta skal."

Jag fattade vinken.

"Varenda gång jag reser hit känns det som att komma hem", fortsatte hon och strök tankfullt med pekfingret över sina röda läppar. "Men så levde jag också här i mitt förra liv."

Jag skrattade till men hejdade mig snabbt inför hennes vassa blick. Erik gav mig en hastig blinkning.

"Josefin har fullständig kontakt med sina chakran", sa han och pekade på hennes märke i pannan.

"Det här fick hon alldeles nyss av en sadhu utanför bussen. En helig man som kände av hennes aura."

Jag såg på Erik med en sådan där blick som signalerar "kom igen, kompis, du behöver inte spela Allan". Men han ignorerade den fullständigt och fortsatte:

"Det är alltså inget kastmärke, som en del okunniga västerlänningar tror. Det är en så kallad tilaka, som består av en blandning av sandelträ och gurkmeja. Man kan kalla det för ett tredje öga också, chakrat som öppnar för den andliga vishet som gör att vissa människor kan se glimtar av sina tidigare liv. Det är väldigt ovanligt bland västerlänningar att ha den förmågan. Vi är så upptagna av materiella ting att vi ser på världen som om den bara bestod av just materia, och går på så sätt miste om all den energi som finns i våra kroppar och som kommunicerar i helt andra dimensioner. Men Josefin är speciell och dessutom en mycket generös människa som delar med sig av sin energi."

Jag visste att Erik var en sorglös kameleont som kunde ikläda sig vilken halvknäpp roll som helst för att få sig ett ligg, men det här var ändå på gränsen till det outhärdliga. Om Josefin hade haft minsta lilla kontakt med sina så kallade chakran skulle hon ha genomskådat hans orrspel, men hon log bara och slängde sådär med håret som kvinnor brukade göra när Erik smickrade dem. Mia gjorde det också den där kvällen back stage, för mer än trettio år sedan, när han påstod att hennes rörelser på dansgolvet hade gjort honom knäsvag och fått honom att glömma bort delar av texten på låten som han sjöng (vilket var en ren och skär lögn som han visste att han skulle komma undan med, eftersom han också visste att det var precis sådant som kvinnor *ville* höra).

När vi kom fram till ett litet kvarterstempel viskade Josefin någonting i Eriks öra innan hon diskret lösgjorde sig från gruppen, tog av sig sina sandaler och försvann in genom porten till templet som flankerades av två sittande elefantstatyer.

"Det där är ett Ganeshatempel", förklarade Erik för de andra i gruppen. "Elefantguden Ganesha är den mest älskade av alla hinduiska gudar."

"Varför det?" undrade tanten med den gröna midjeväskan.

"För att han ger tur."

"Vilken tur då att han står här just nu, för nog satiken behöver vi tur om vi ska överleva den här värmen och trängseln", sa smålänningen, och nu var jag, fast bara i tanken såklart, en millimeter från att lappa till honom.

Rökelse och suggestiv indisk musik ringlade sig ut på gatan och blandade sig med alla andra lukter och ljud. En majestätiskt vaggande ko släppte en mocka precis framför mina fötter. Jag tog ett reflexmässigt litet skutt som räddade mig från att bli nerskvätt. Det sved i ögonen och jag var bastuhet.

"Ska Josefin inte följa med oss andra?" viskade jag till Erik.

"Nej, hon ska tanka lite andlig energi", väste han tillbaka med ett varggrin innan han sänkte rösten ytterligare.

"Josefin hittar själv till hotellet. Vi andra ska till Mammons tempel, men det håller du tyst om till resten av gruppen. Tänk bara på en sak: Köp ingenting!"

Efter att ha slingrat oss igenom en folktät och färgsprakande frukt- och grönsaksmarknad kom vi till köttmarknaden, där burar med tätt sammanpackade kycklingar stod staplade på varandra utanför mörka hål i de krackelerade husfasaderna. Jag kikade in i dunklet i ett av rummen och skymtade skuggan av en slaktare som lyfte upp en sprattlande kyckling och mumlade någonting innan han skar den i halsen med en kniv på en huggkubb och slängde ner den i en spann. Den söta, fuktiga doften av blod låg som ett ångande lock över hela kvarteret. Flugorna surrade förnöjt i luften.

När vi kom ut från marknaden uppenbarade sig vår kantstötta vita turistbuss som en oas i öknen. Det var fortfarande varmt ombord, men Erik kompenserade oss generöst med öl som chaufförens assistent hade hållit sval med hjälp av isblock i sitt strömlösa kylskåp. Jag tror att vi alla kände oss lite stolta över att ha klarat av den utlovade chockinjektionen av Indien utan några bestående men.

"Det här var ju alldeles otroligt fascinerande! Lite otäckt ibland, men otroligt fascinerande! Jag är otroligt tagen av alla intryck!" sa en kvinna med rödblossande kinder under en vidbrättad solhatt.

"Du sa det tre gånger!" utropade Erik triumfatoriskt.

"Vad då?"

"Du sa 'otroligt' tre gånger! Som i 'Otroliga Indien!'. Det är det som allting handlar om! Och ni har fattat galoppen – att man ska ha på sig de indiska glasögonen så att man kan ta in alla intryck. Ni minns att jag också pratade om Indien som kontrasternas land, eller hur?"

"Ja!" ropade alla i kör likt en förväntansfull dagisgrupp.

"Ni ska få uppleva det nu och jag lovar att ni inte kommer att bli besvikna!"

10

Efter vår heta stadsvandring kändes det gudomligt svalt och skönt inne i det luftkonditionerade visningsrummet på Jain Jaipur Jewellery Incorporation. Vår grupp hade placerats på träbänkar runt tre män som satt i skräddar-ställning på golvet vid enkla slipmaskiner och slipade hel- och halvädelstenar. En starkt herrparfymsdoftande lite äldre indier i smalrandig skjorta, matchande slips och med stora steninfattade klackringar på flera fingrar förklarade slipningsteknikerna för oss och berättade att han var den femte generationen juvelerare i sin släkt. Erik översatte allt till svenska, så att ingen skulle gå miste om någonting.

"Vi har ett grundmurat gott rykte och bland våra kunder finns många prominenta personer. När paret Clinton var i Jaipur un-der sitt indiska statsbesök så var det till just vår affär som Hillary kom för att köpa smycken", sa mr Jain och drog i sina stora ör-snibbar så att kvastarna av hår som stack ut ur öronen blev ännu synligare.

Han visade oss ett inramat fotografi som bevis, där en leende Hillary Clinton stod bredvid en ännu mer leende mr Jain i något yngre upplaga.

Efter demonstrationen bjöds vi in i ett annat rum. Det gnist-rade av alla smycken som låg exponerade i glasdiskarna, bakom vilka välklädda försäljare stod skjutklara med sina miniräknare. Men först fick vi sätta oss i en grupp bekväma fåtöljer i rummets mitt. Mr Jain knäppte med fingrarna och ett mindre hov av unga pojkar uppenbarade sig med rullbord som dignade av frukt, kakor och drycker.

"I Indien är det sed att alltid bjuda sina gäster välkomna med lite att äta och dricka. Det betyder inte att ni måste köpa någonting, det är bara för att visa er respekt", förklarade han och höll upp en spritflaska med en mörk vätska i.

"Ni kan få kaffe, te, cola eller till och med rom och cola. Det här är Old monk, Indiens berömda rom som är gjord på sockerrör."

"Den får ni bara inte missa", sufflerade Erik.

Så vi drack rom och cola och mådde ganska bra. Smålänningen hade stjälpt i sig tre stadiga groggar innan han, liksom de flesta andra, på ett närmast omärkligt sätt hade lockats upp ur fåtöljen av en försäljare och nu stod vid disken, inbegripen i ett köpslående om något smycke. På ena väggen hängde en omfångsrik och förtroendeingivande skylt med stora guldbokstäver: THIS SHOP IS APPROVED BY THE INDIAN GOVERNMENT.

Om det inte hade varit för Eriks exklusiva råd till mig att inte handla någonting är jag rätt säker på att även jag hade plockat upp mitt kreditkort till sist. Erik flöt hemtamt runt i lokalen och bistod med tips om hur mycket man kunde pruta utan att vara oförskämd eller spred komplimanger till damerna om hur fantastiskt väl de tog sig ut i halsbanden och örhängena de provade. Det var en timslång orgie i smicker och transaktioner, som utan tvekan inbringade mr Jain en avsevärd förtjänst.

När vi på kvällen satt i hotellets matsal och väntade på att servitörerna skulle bära ut rätterna till buffébordet skrävlade smålänningen om att han minsann hade prutat ner ett rubinhalsband från fyrahundra till tvåhundra dollar. Jag orkade inte lyssna på hans skryt och var dessutom kissnödig, så jag flydde fältet ut till toaletten i hotellfoajén. Där fick jag syn på Erik i samspråk med en man som jag kände igen som en av försäljarna från juvelerarbutiken.

När jag efter att ha lättat på trycket kom ut i foajén igen hade mannen försvunnit och Erik var på väg in i matsalen. Jag hann grabba tag i honom och frågade vad de hade pratat om.

"Vi snackade lite om hans fru och barn. Sedan gav han mig min bakschisch", svarade Erik med ett skamlöst leende.

"Menar du att du tar mutor för att dra in turister till juvelerarens butik?"

"Jag skulle inte kalla det för mutor. I det här fallet är bakshishen att betrakta som en rättmätig provision. Jag får en liten del av gubben Jains vinst på försäljningen till min grupp. Han är rik som ett troll och jag är bara en fattig reseledare, så det är inte mer än rätt."

"Hur mycket?"

"Tjugo procent, men jag ska dela det med Varinder."

"Det måste ha blivit en rejäl slant."

"Ja, idag rasslade det till riktigt ordentligt. Vi tjänade mer än en halv lakh tillsammans."

"Lakh?"

"Det är ett indiskt räkneuttryck för hundratusen."

Jag gjorde en snabb överslagsräkning.

"Så du har dragit in tjugofemtusen rupier i eftermiddag? Det är för fan femtusen spänn!"

"Överdriv inte. Det är allra högst fyratusen."

"Har du inget samvete?"

"Det kom just från den rätte", fnös Erik. "Göran Borg, mannen som aldrig har fifflat med redovisningskvitton och alltid skattedeklarerar med hedern i behåll."

"Jag har aldrig tagit några mutor."

Erik drog mig åt sidan och spände sina djupblå ögon i mig.

"Lägg nu av med att spela Moder Teresa, kompis. Det klär dig inte särskilt bra. Du såg själv hur nöjda alla gästerna var med sina inköp. Det här är en vinn-vinn-situation."

"Varför varnade du mig då så bestämt för att handla?"

"För att du är min kompis. Du borde vara tacksam istället för att anklaga mig!"

"Jains grejer är alltså inte så bra?"

"Säg så här: de kunde ha varit bättre. Eller säg så här: halvädelstenar kan vara förrädiskt lika helädelstenar. När jag jobbade för de stora resebolagen fick jag alltid stränga order om att hålla mig borta från honom."

"Blev Hillary Clinton också lurad?" frågade jag.

"Hon har mig veterligen aldrig satt sin fot i affären. Det där fotografiet måste vara ett montage."

"Godkännandet av regeringen då, är det också en bluff?"

"Det tror jag inte. Jag utgår från att han har fått betala en rejäl bakschisch till en byråkrat på någon tillståndsbyrå för att få sätta upp sin skylt. Vinn-vinn igen."

Jag kunde inte låta bli att le.

"Men det där med rom och cola var nästan för genomskinligt. Drick de godtrogna stackarna salongsberusade och blås dem sedan på pengar. Tänk att alla i bussen gick på den lätta finten."

Erik lade sin arm om min axel och tryckte till.

"Vi är alla bra på olika saker. Jag är till exempel bra på att bygga upp förväntningar. Det var väl inte någon slump direkt att jag tog er med på stadsvandringen innan besöket hos mr Jain. Eller att det tog lite längre tid än vanligt att laga luftkonditioneringen i bussen."

"Du har inga skrupler."

"Det har man inte råd med när man jobbar för de små resebolagen."

"De oseriösa, menar du."

"Du uttrycker dig så vulgärt, Göran. Jag skulle hellre säga de små, flexibla reseföretagen. De betalar inte så mycket i lön och vi bor inte på de bästa hotellen. Det händer ibland att vi inte ens får plats eftersom den förra räkningen inte är betald, och då måste jag hitta någon annanstans där vi kan bo utan att bli uppätna av hungriga sängloppor. För allt mitt extrajobb har jag rätt att själv välja vilka affärer vi ska besöka och ta kommission på försäljningen. Konstigare än så är det inte. Och du åker med gratis, glöm inte det."

"Det gör mig alltså medskyldig?"

"Till vad då? Mig veterligen har inga olagligheter begåtts."

"Smålänningen, blev han också blåst?"

"Tvåhundra dollar för ett halsband som jag kan köpa för sjuttiofem dollar av mr Jain är knappast något fynd."

Skadeglädjen över att den självutnämnde prutmästaren från Nässjö hade fått betala ett kraftigt överpris fick mig att dra ytterligare på munnen.

"Vad tycker du om Josefin förresten?" frågade Erik.

"Hon är snygg. Men om du vill ha ett helt ärligt omdöme verkar hon också lite underlig. Och du har bara en sak i tankarna när du göder hennes andliga obegripligheter."

"Jag trodde inte att du var så fördomsfull. Och så pryd. Undervärdera inte Kamasutra och tantrisk sex. Det kommer från Indien och är fantastiskt! Du borde pröva det någon gång."

"Och du borde växa upp."

"Var inte så förbannat stelbent. Lär dig att njuta av livet istället. Släpp loss! Allting blir mycket enklare och roligare då."

Erik fick det att låta som om han skämtade, men jag var övertygad om att han menade allvar med sina ord. Vi gick in i matsalen och blandade oss med de andra. Middagen bestod av en buffé av indiska och kontinentala rätter som smakade helt okej.

Efter kaffet inviterade Erik hela sällskapet till hotellets tak-terrass, där han bjöd på Old monk och cola. Han hade till och med släpat dit en rajasthansk dans- och musikgrupp, som under-höll/terroriserade oss med gnälliga dragharmonikor. Jag blev på lyset och hamnade i samspråk med kvinnan med den neongröna midjeväskan. Hon babblade på om sina barnbarn på ett både tröttsamt och beskäftigt sätt, vilket så småningom ledde oss in i en ordväxling om den nya generationen av unga pappor.

"De tror att de är Guds gåvor till mänskligheten bara för att de har varit pappalediga", sluddrade jag. "Själv tvingades jag ge-nomlida profylaxkurser och övade flämtandningar inför utdriv-ningsskedet med min exfru så att jag höll på att svimma. Jag mer eller mindre hyperventilerade mig igenom hela hennes första graviditet. Men inte tusan var jag tvungen att meddela omvärl-den det i någon tramsig pappablogg."

"Nä, bloggar fanns ju inte på den tiden. Men jag tycker att det är bra att dagens unga män tar sin papparoll på allvar. Det kom-mer de att ha igen när deras ungar blir äldre", sa neonkärringen med syrlig röst.

Diskussionen dog tvärt. Jag var för full för att komma på någon bra replik men också tillräckligt nykter för att inse det. Erik hade fixat fram en gitarr och drog ett helt koppel av smöriga Elvislåtar med överdrivet svaj på rösten. "Love me tender", "Always on my mind", "Can't help falling in love with you" ... Så typiskt att han valde just Elvis, som jag visste att han egentligen inte var något större fan av. Pensionärerna gillade det, såklart. Men även Josefin gillade det. Till och med den gnälliga rajasthanska sång- och dansgruppen gillade det. Visserligen efter att de hade fått rikligt med dricks för sitt eget öronskärande uppträdande, men dock.

Jag hatade det.

När jag var liten tog mina föräldrar mig med till Österrike på semester en sommar. Ett bestående minne från den resan var landets toaletter. Vid en första anblick såg de ut som vilka toaletter som helst, och det kändes inte heller annorlunda när man satte sig på dem. Det var först när det så att säga blev dags för leverans som det märkliga inträffade. Istället för ett plask kom en dov duns. Med skräckblandad fascination kunde jag sedan närstudera resultatet av mina ansträngningar, som låg fullt exponerat på en hylla innan jag spolade ner det i själva avloppet en avsats därunder.

Nu stirrade jag ner i ett indiskt toaletthål utan tillstymmelse till fascination. Den här gången kände jag bara en oförblommerad skräck. Och ett illamående som var så starkt men samtidigt så obestämbart att jag inte kunde räkna ut från vilken ände av kroppen som eruptionen skulle komma.

Ingen sittring att ta stöd emot, inget spolvred att hålla i, inte ens något toalettpapper att torka sig med. Bara ett otäckt svart hål som ville mig illa. Det var som om hela den indiska nationens anklagande rop steg upp genom det rostiga avloppsröret tillsammans med den stickande lukten av urin. Som om Moder Ganga ville ge igen för att jag hade kallat henne en stinkande dypöl.

Det var tidig morgon och jag befann mig på en offentlig toalett någonstans i Jaipur, med en buss full av medresenärer utanför som otåligt väntade på mig. Till slut sprutade allting ut i en kaskad ur munnen: butter chicken, dal makani, ris, paneer, fisk i curry, ägg i hollandaisesås och den där schwarzwaldtårtan som hade smakat syntetisk gräddbulle.

Viktig lärdom i Indien: Ät aldrig schwarzwaldtårta som smakar syntetisk gräddbulle.

Allting luktade rutten magsäck och Old monk. En ihärdig knackning på toalettdörren följdes av Eriks röst, som lät mer stressad än deltagande.

"Vad händer?"

"Jag mår skit", fick jag fram i en utandning som var så skarp att till och med flugorna höll sig borta.

"Vi måste vidare nu, elefanterna väntar på oss! Och sedan ska vi se Hava Mahal och City Palace och besöka matthandlaren. Du måste komma ut nu!"

Jag torkade mig hjälpligt om munnen med utsidan av min skakande vänsterhand och öppnade dörren med min lika skakande högerhand. Erik ryggade förskräckt tillbaka.

"Här, tvätta dig", sa han och räckte grimaserande över en flaska vatten.

"Det här är ingen vanlig bakfylla", kved jag fram. "Ni får köra mig tillbaka till hotellet."

Erik kastade en hastig blick på sitt armbandsur.

"Det går inte, då spricker tidsschemat. Antingen följer du med till Amber Fort eller så får du ta en riksha till hotellet så hämtar vi dig där senare."

Blotta tanken på att rida elefant upp till ett fort i bergen utanför Jaipur fick mig att spy igen. Nu vid sidan om det mörka, farliga hålet. Varinder hade redan ordnat fram sjuktransporten. För en gångs skull var leendet i hans ansikte borta och ersatt av ett uttryck av stark vämjelse. Han riggade upp mig i baksätet på en autoriksha medan Erik betalade föraren generöst och gav honom adressen till hotellet.

"Jag ringer och ber dem ordna ett rum åt dig. Ligg ner och vila så ska du se att du snart blir bättre. Och så tar du två tabletter av de här", sa Erik och gav mig en medicinförpackning. "Vi hämtar dig om några timmar!"

Det sista jag såg av den vita turistbussen var smålänningens vattniga blick som blängde ner på mig genom fönsterrutan. Sedan drog magen ihop sig i en kramp som var så stark att jag vek mig dubbel och spydde ännu en gång, nu över mina egna skor.

Jag vet inte exakt hur det gick till men så småningom hamnade jag i hotellsängen. Nog för att jag hade haft min beskärda del av magkrämpor i mitt liv, men den här slog alla tidigare med hästlängder. Illamåendet sköljde över mig i skov, som om någon med jämna mellanrum stack in en surrande elvisp i magen. Till sist slutade ändå de värsta attackerna och jag tog två av tabletterna som Erik hade gett mig och sköljde ner dem med en munfull flaskvatten.

Snart föll jag i en febrig sömn, fylld av mardrömmar om indisk mat och offentliga toaletter. När jag vaknade av att telefonen ringde var jag plaskblöt av svett. Jag lyfte luren men orkade inte svara. Efter ett par minuter steg Erik in i rummet med jäktad uppsyn.

"Hur mår du?"

"Jag är dödssjuk."

"Det är du inte alls. Du har bara fått en släng av Delhi-belly."

Jag hade svårt att förstå hur man kunde drabbas av Delhi-belly när man befann sig i Jaipur, men var för kraftlös för att protestera.

"Har du tagit tabletterna?"

Jag nickade svagt.

"Bra. Duscha och klä på dig så ses vi nere i foajén om en kvart. Jag tog ut din väska ur bagageutrymmet så att du kan byta om till något fräscht", sa han och ställde ner den bredvid sängen.

"Skynda dig, de andra väntar."

"Jag orkar inte."

"Ska jag hjälpa dig med något?"

"Hjälp mig att dö."

Om det var uppgivenheten i min röst eller den gröna färgen i ansiktet som övertygade Erik vet jag inte, men han tycktes inse att jag inte var i skick att klara av en fem timmar lång och skumpande bussfärd till vårt nästa resmål, som var Ranthambores tigerreservat i Rajasthans djungler.

"Vi får ta hit en doktor", sa han efter en kort paus. "Sedan ordnar jag en transport så att du kan ansluta dig till gruppen igen."

"När då?"

"Imorgon eller dagen därpå."

"Tänker du lämna mig ensam här?"

Min röst var fylld av lika delar desperation och harm. Med de få krafter som jag hade kvar lyckades jag lyfta och rikta ett anklagande pekfinger mot Erik.

"Det är ditt fel! Först lockar du mig till Indien med ord om att vi ska göra en kompisresa, sedan skiter du i mig och knullar runt med en knäpp brud, och nu när jag är sjuk så bara sticker du."

"Göran, för helvete! Jag har en hel grupp som jag måste ta hand om!"

"Som du måste mjölka pengar ur, menar du? Hur många lakh drog du in på mattförsäljningen idag?"

Efter mitt utbrott sjönk jag ihop som en misslyckad sufflé.

"Jag skulle aldrig ha tagit med dig! Du är så satans patetisk i din bittra självömkan!" röt Erik, och det var faktiskt första gången under vår långa bekantskap som vi grälade öppet, utan att förklä osämjan i ironi eller humor. Lite otur då att jag var i så dålig form att jag inte orkade svara.

"Förlåt", sa Erik och satte sig på sängkanten bredvid mig.

Bara han inte trycker min axel, tänkte jag. Det gjorde han.

"Jag menade inte det jag sa, det vet du. Jag blir bara så stressad av hela situationen. Det går ju inte att avbryta turen på grund av det här, Göran, det fattar du väl? The show must go on."

Trodde han att det var någon jävla rockturné? I så fall kunde han väl ha kört någonting i stil med att en inställd resa också är en resa.

"Men jag lovar att fixa hit en bra läkare och så ser jag till att någon kommer och hämtar dig senast imorgon. Okej?"

Jag vände demonstrativt undan ansiktet och väntade på att han skulle krama min axel igen. Men det enda som hände var att dörren slog igen.

12

Hotelldöden. Av och med Göran Borg. En tragedi utan något slut i sikte.

Det var så jag kände mig på kvällen två dagar senare, som ett riktigt dåligt sorgespel. Hotel Singha i Jaipur var visserligen något bättre än Star Hotel i Delhi, men det var fortfarande ett skithotell och jag var fortfarande väldigt ensam.

Vore det inte för min odåga till kompis hade jag kanske ändå skitit ur mig min magåkomma vid det här laget. Men eftersom Erik hade lurat i mig det stoppande preparatet imodium hade han också fördröjt mitt tillfrisknande med minst ett dygn. Den indiske läkaren, som anlände först flera timmar efter mitt insjuknande, hade synat förpackningen, suckat tungt och utslungat en förbannelse över okunniga utlänningar, innan han istället ordinerade två illgröna tabletter stora som tiokronorsmynt och ställde den förklenande diagnosen "överkänslig turistmage".

Jag vet inte vad det var i pillren, men de fick mig att springa i skytteltrafik till toaletten i fyra timmar. Efter det var jag smärtfri men totalt slut. Det enda jag orkade göra mellan mina måltider, som uteslutande bestod av rostat bröd och sött te, var att zappa med fjärrkontrollen mellan den uppsjö av indiska kanaler som var tillgängliga på hotellets snöiga teve. Trots att det fanns närmare hundrafemtio tevestationer räknade jag till endast sex typer av program, i snarlika variationer:

1. Obegripliga Bollywoodfilmer, där pojke mötte flicka, där flickan alltid grät en skvätt, och där alla helt plötsligt, utan synlig förvarning, började dansa och vifta hysteriskt med armarna till indisk popmusik.

2. Obegripliga cricketmatcher från företrädesvis tidigt åttiotal, kommenterade på obegriplig medelklasshindi uppblandad med engelska. (Gud vad jag saknade Eurosports reprise-ringar av Bundesligamatcher!)

3. Obegripliga eftermiddagssåpor med växlande filmklipp på mycket arga män alternativt mycket kuvade kvinnor med extremt plågade ansiktsuttryck, till tonerna av dramatisk knivhuggarmusik.

4. Obegripliga nyhetssändningar med "BREAKING NEWS" blinkande i underkanten av rutan hela tiden. Även under väderprognoserna.

5. Obegripliga religiösa sammankomster där manisk manlig indisk sektledare iklädd vit eller saffransfärgad dräkt rabbla-de alternativt skrek ut obegripligheter som fick den sittande kvinnliga publiken att sjunga och vagga med överkroppen.

6. Obegripliga talangtävlingar där barn och vuxna klädda i lustiga kläder antingen sjöng och dansade eller drog obe-gripliga skämt som fick publiken att explodera i obegripliga skrattsalvor.

Mellan programmen visades extremt långa sjok med reklam, av vilka framför allt ett ständigt återkommande inslag från Indiens turistbyrå fångade mitt intresse. Efter de vackra turistbilderna avslutades det med en liten melodislinga där en sensuell kvinnoröst sjöng "Incredible India" samtidigt som samma ord fyllde teverutan. Typsnittet på texten var identiskt med det som Erik hade burit på sina T-shirts. Där fick jag förklaringen till "Otro-liga Indiens" internationella satsning.

När jag inte sysselsatte mig med teven grät jag över min egen olycka. Jag tänkte på Mia och Max, som kanske just i samma sekund satt bredvid varandra på den thailändska stranden och läppjade på paraplydrinkar i solnedgången. Eller om de redan hade dragit sig tillbaka till bröllopssviten.

Jag hade aldrig förstått vad hon såg hos honom. Visst tjänade han bra och var en förhållandevis vältränad man för sina år, men det fanns inte ett spår av originalitet i hans affärsmannamässiga utseende och karaktär. Max dyra kostymer måste ha varit gjorda av teflon; ingenting fastnade på honom och han lämnade inte heller några avtryck. Erik sa en gång att den tråkmånsen ju måste vara bra på någonting annat än att driva sitt framgångsrika konsultföretag, och den konstpaus som följde efter det uttalandet fick mig att rodna av både vrede och genans. För vad än vissa medelålders försmådda män hävdar finns det ingenting som vi fruktar mer än att den som har lagt beslag på vår kvinna har gjort det för att han är en bättre älskare. Mia hade alltid haft en stor aptit på sex, som jag delade med henne, och min fasta förvissning var att jag gjorde det med både finess och fantasi. Jag må ha varit förändringsobenägen i de flesta andra sammanhang, men när det kom till sänglekar räknade jag mig själv till de förhållandevis pigga och uppfinningsrika.

Vi låg med varandra minst ett par gånger i veckan. Nakna, utklädda, under skarpa lampor, i det fladdrande skenet från stearinljus. Framifrån, bakifrån, från sidan och till och med i en gungställning som var ämnad just för sexuella övningar och som kostade mig ett efterhängset ryggskott. Vi låg med varandra på sidenlakan, oljeindränkta latexlakan och varma klipphällar. Inomhus, utomhus, i vatten och nästan, men bara nästan, i luften en gång, på flygplanstoaletten under weekendtrippen till Barcelona. Jag ville i alla fall, men Mia tyckte det var "för riskabelt", som hon uttryckte saken.

Det var efter just den resan som vårt sexliv successivt mattades av, tills Mia en dag sa: "Jag vill skiljas."

Inom loppet av tre sekunder hade jag ställt frågan: "Vad heter han?"

Vi grälade aldrig under uppbrottet. Jag grät mest, och bönade och bad att hon skulle stanna hos mig. Och när inte det hjälpte lade jag till: "för barnens skull".

"Göran", sa hon och såg på mig med sina uttrycksfulla ögon, "John och Linda är inga småbarn längre. Gör nu inte det här svårare för oss båda än vad det redan är."

Det där var ju ett jävla hyckleri, när man tänker efter. Som om det var en gemensam plåga vi genomled. Hon var nykär och skulle flytta ihop med mannen hon älskade i dennes lyxlägenhet på Gamla Väster, en av Malmös gräddhyllor. Jag var sviken, knäckt och skulle snart ställas ut till allmän beskådan som snubben som blivit brädad av killen i teflonkostym.

Två månader senare var vårt radhus sålt och mitt liv slaget fullständigt i spillror. Säga vad man vill om Erik, men han var den ende som tog sig an mig i mitt armod. Jag fick sova i hans soffa under tiden som jag letade lägenhet, och det var också han som hjälpte mig att flytta in i trean vid Davidshallstorg när jag till sist fastnade för den.

Jag var övertygad om att livet inte kunde bli mycket värre den gången, men det var alldeles uppenbart att jag hade fel. Man kunde till exempel även förlora sitt jobb, åka till Indien, bli magsjuk och lämnad ensam att dö på ett sunkigt hotellrum. Erik hade ringt under gårdagen och försäkrat att en av hans indiska vänner skulle komma och hämta mig "så fort han någonsin kunde", men att det kanske var lika bra att jag vilade ut på hotellet "några timmar till".

Det var tjugonio timmar och trettiofem minuter sedan, konstaterade jag efter en titt på mitt armbandsur.

Då knackade det på dörren, och den som gjorde det kunde inte ha valt en bättre tidpunkt för sin entré. Just där och då hade jag välkomnat ett besök av Jehovas vittnen.

13

"Hello sir! So happy to meet you!"

Den rundnätte mannen som stod utanför min dörr i hotellkorridoren böjde sig hastigt ner och nuddade vid mina fötter innan han greppade min högerhand och skakade den häftigt.

De lite ryckiga kroppsrörelserna och de stora, utskjutande ögonen gav honom ett utseende som påminde en hel del om Mr Bean, även om han måste ha vägt minst tjugo kilo mer. Trots den relativa värmen var han klädd i en kraftig brun tweedkavaj över en stickad väst och han hade en vit skjorta med nystärkt krage. Håret var vattenkammat med sidbena. Det stod en air av gammal tobaksrök omkring honom.

"Mr Gora! My name is Yogendra Singh Thakur. But all my friends call me Yogi. You also call me Yogi, please. I am extremely happy to meet you!"

Jag har alltid varit misstänksam av naturen, framför allt mot människor som kallar en för vän innan de ens har fått av sig skorna. Men det fanns en öppenhet och värme i Yogis väsen som jag inte kunde värja mig emot helt. Det var som om hans energi smittade av sig och återgav mig en liten smula av mina förlorade krafter.

"Please come in", sa jag.

Yogi steg in i rummet. Han ställde sig med händerna knutna bakom ryggen och inväntade vidare order, vaggande på fötterna från sida till sida. Jag bad honom att sätta sig ner i en av de två stolar som stod i hörnet och slog mig själv ner mittemot. Jag hade bara underkläderna på mig men det verkade inte störa Yogi. Han log överseende och frågade artigt om jag mådde bättre nu.

"Mr Erik ringde redan igår, men tyvärr befann jag mig i Madras och hann inte hit tidigare. Men så fort jag hade landat i Delhi körde jag på den allra rakaste vägen till Jaipur. Jag hoppas du ursäktar dröjsmålet."

"Hur känner du Erik?"

"Han är en högt ärad vän som jag träffade i en hotellbar i Delhi för fem år sedan. Och sedan dess har vi hållit kontakten på det allra vänskapligaste sättet."

Yogis engelska var väldigt speciell, av det artigt ålderdomliga slaget, men långt ifrån perfekt. Men han talade högt och tydligt och använde bara undantagsvis ord på hindi, vilket gjorde det relativt lätt för mig att förstå honom. Efter en snabb dusch och påklädning (äntligen fick jag använda mina jeans och min svarta polotröja igen!) var jag mer än redo att lämna Hotel Singha.

Ute på gatan blev jag åter varse alla lukter och all trängsel, men kände till min lättnad att illamåendet nu var helt borta. Mörkret hade lägrat sig över Jaipur, vilket dolde en del av stadens mest uppenbara skavanker. I den matta kvällsbelysningen såg de smutsiga gatubarnen nästan pittoreska ut där de snodde runt bland stånden, som sålde allt från nyrostade jordnötter och te till små gudastatyetter och barnkläder i grälla färger.

Vi stuvade in oss i Yogis lilla indisktillverkade Tata, som stod inklämd mellan två andra bilar. Han satte genast på ett kassettband med ABBA på högsta volym, tryckte handen på signalhornet och släppte inte förrän parkeringskillen hade hittat rätt nyckel i sin stora nyckelring och kört undan bilen framför så att vi kom ut. Yogi vevade ner rutan och gav honom en tjugorupiesedel.

"Du kanske vill ha en whisky på färden, mr Gora? Det kan

möjligen vara en av de allra bästa medicinerna som finns!" ropade han för att överrösta "Dancing Queen" och öppnade handskfacket med en van rörelse.

Det var inrett som ett miniatyrbarskåp, med en spritbutelj, en flaska mineralvatten, två pappmuggar samt en skål med cashewnötter som var rullade i en röd kryddblandning och faktiskt luktade en liten aning ruttna ägg. Jag tog upp spritflaskan och synade etiketten. Blenders Pride. Det lät i och för sig pålitligt, men eftersom jag fortfarande hade smaken av den gamle munken kvar på tungan tvekade jag en aning.

"Världens bästa indiska whisky!" försäkrade Yogi.

Jag hade lite svårt att tolka vad det betydde, men bestämde mig till sist för att lita på mitt sällskap och slog upp en skvätt i pappmuggen. När jag förde den mot munnen hejdade Yogi mig bestämt.

"Stopp, mr Gora! Du måste dricka whiskyn tillsammans med vatten, annars får du ont i dina magar!"

Jag skruvade ner volymen och såg på honom med ett undrande leende.

"Mina magar? Jag har väl ändå bara en?"

"Nej, nej! Alla har två magar, minst. Den snälla magen och den onda. Den snälla gör inte så mycket väsen av sitt humör. Kurrar bara förnöjsamt så länge man är vänlig mot den. Men den onda, den lurar dig att äta onyttiga saker som till exempel djur."

"Men whisky går bra?"

"Det går bättre än bra! Men om whiskyn väl börjar brinna som en eld i magen kan du inte släcka den i efterhand med vatten. Det är därför du ska släcka i förväg istället. Tämj den som björntämjaren tämjer sin björn. Drick den gärna men drick den alltid med vatten. Då gör den dig gott och dödar de onda bakteriernas avsikter!"

Även om jag fann Yogis medicinska teorier en aning löjeväckande, var de också ganska roande. Han rapade ogenerat och tog sedan på sig en allvarlig min.

"Du förstår, mr Gora, att allting är en fråga om balans. Kryddor är som naturmediciner, men man måste veta hur man ska ta dem. Färsk chili, till exempel, äter man alltid inlindad i chapati, som om chilin var en frusen man och chapatin en varm filt. Och så låter man tänderna tugga fast långt bak i munnen för att inte störa tungans diskussioner med gommen. En het curry ska kompletteras med en sval curd, och nimbu panin, limejuicen, gör bara gott för magen om den får sällskap av lite socker och salt. Det handlar om fullständig balans. Ni *goras* säger ju att alla mynt har två sidor. Vi indier säger att alla gudar har minst två ansikten. Värst är Ravan, han som kidnappade Sita från högt ärade Rama och förde henne till Sri Lanka. Han har hela tio ansikten! Det är så med maten också. Den har många ansikten. Och med magarna, de har också många ansikten. Och med allt annat med för den delen."

"Vad betyder gora?" frågade jag.

Yogi svarade inte utan sträckte sig efter vattenflaskan och hällde vatten i min whisky.

"Nu är det balans", sa han. "Nu kan du dricka!"

Jag tog en klunk. Det smakade inte whisky, men inte heller fotogen. Balanserat, med andra ord. Jag upprepade frågan. Yogi harklade sig.

"Gora är bara ett ord vi använder för att beskriva människor som har din vackra bleka hy", sa han.

"Du menar ungefär så som indianerna i Nordamerika sa om de vita när de kom?"

"Ja, precis!"

"Så mr Gora betyder Blekansikte?"

Yogi skruvade besvärat på sig.

"Nja, inte direkt, men lite grand åt det hållet, fast mycket finare och vackrare förstås. Som reklamen på teve när Priyanka Chopra tar på sig sådan där fin kräm och blir alldeles vit och glad!"

"Vem är Priyanka Chopra?"

"Oj då, vet du inte det? Hon är världens vackraste indiska kvinna! Hon har vunnit alla tävlingar i universum och visar nu upp sin skönhet på film. Största Bollywoodstjärnan!"

"Jag vet inte om jag vill att du kallar mig för Blekansikte. Jag heter Göran Borg."

"Det är som han den svenske kalsongmannen som spelar tennis!" sa Yogi med ivrig röst. "Han heter väl också Borg?"

"Men det räcker om du säger Göran."

"Gora."

"Nej, med två prickar över o:et och ett n på slutet. Det blir Göööööran."

"Goooooora."

Yogi tog upp en liten cigarett ur kavajfickan och tände den. Det luktade som en mindre skogsbrand av röken.

"Men det där är väl ändå inte nyttigt?" protesterade jag och rullade demonstrativt ner bilrutan.

"Jo, det är det absolut. Extremt nyttigt! Det är indisk handgjord minicigarr. Bidi, gjord enbart av de renaste naturprodukterna. Du vet, mr Goooora, i Nederländerna kan man köpa bidis på apotek om man lider av astma, bronkit eller någon annan otrevlig lungsjukdom."

Yogi skruvade upp ABBA-musiken igen och log förbindligt.

"Gillar du den här svenska musiken?"

"Inte precis."

"Är den kanske för modern för dig? Du kanske hellre vill höra någonting som är mer passande för din ålder? Mr Erik sa att du var en gammal vän."

Det fanns inte ett spår av ironi i Yogis röst. Jag borde kanske ha känt mig förnärmad men kunde inte annat än brista ut i ett högt och ljudligt skratt som snart fick min reskamrat att stämma in. När vi skrattat färdigt torkade Yogi sig i ögonen och tände en ny bidi.

"Ursäkta att jag frågar, mr Gora, men vad var det egentligen som vi skrattade åt?"

"Det spelar ingen roll."

"Nej, men roligt var det i alla fall."

Han trummade förnöjsamt med fingrarna mot ratten samtidigt som han gjorde en vansinnesomkörning – tre lastbilar i rad – på vägen ut ur Jaipur.

"Ska du verkligen till Agra, mr Gora?" frågade han efter en stunds tystnad.

"Ja, det är ju där Erik och de andra i gruppen befinner sig nu. Som jag förstod det skulle vi titta på Taj Mahal imorgon och det är ju ett av jordens sju nya underverk."

Yogi nickade eftertänksamt.

"Taj Mahal är en mycket vacker byggnad. Världens vackraste indiska byggnad! Men att titta på den utan en vacker kvinna vid sin sida är som att äta samosas utan röd chilisås, om du förstår vad jag menar."

"Nej, det gör jag inte. Jag vet inte ens vad samosas är för någonting."

"Det är världens bästa indiska vegetariska snacks! Ärtor och potatis friterade i ett underbart krispigt skal. Men om du frågar mig är det en högst medioker rätt utan chilisåsen."

"Som Taj Mahal utan en vacker kvinna vid sin sida?"

"Precis!"

Ju mer jag tänkte på det, desto mer förtjust blev jag i Yogendra Singh Thakurs liknelser och sätt att beskriva världen.

"Om jag inte åker till Erik i Agra, vad är då alternativet?"

Yogi sprack upp i ett stort leende.

"Jag ska genast ringa hem till *amma* så att hon kan säga åt tjänstefolket att ställa i ordning gästrummet!"

14

Sedan Yogi hade meddelat sin mamma vår ankomst lånade jag hans mobiltelefon och ringde själv upp Erik för att berätta om mitt stegvisa tillfrisknande och mina nya planer. Han lät lättad över att jag befann mig i tryggt förvar. Vi kom överens om att jag skulle ansluta mig till gruppen tre dagar senare i Delhi, för en sista övernattning i den indiska huvudstaden innan hemfärden till Sverige.

Efter en nästan fem timmar lång och tröttande bilresa från Jaipur rullade vi strax efter midnatt in genom en vaktbemannad grind till ett lummigt bostadskvarter. Yogi stängde av bilstereon, harklade sig och stoppade en minttablett i munnen.

"Här bor jag", sa han när vi hade kommit fram till en stor villa där ytterligare två vakter, invirade i filtar från topp till tå, satt och sov på varsin plaststol utanför en liten kur.

"Var nu tyst så att du inte väcker dem", fortsatte Yogi med ett visst allvar i rösten.

"Varför ska vi inte väcka dem?"

"För att det finns en chans att amma sover, och då är det alldeles onödigt att i denna väldigt sena timme väcka vakterna, för då väcker de i sin tur henne", viskade han.

Vad rörande, tänkte jag, att han av omsorg om sin mor har ett sådant överseende med de slöa vakterna.

Vi smög in genom en springa i porten och vidare längs en

stenlagd gång fram till husets ytterdörr, som Yogi med en kassaskåpstjuvs försiktighet öppnade ljudlöst.

En mörkgrön taklampa spred ett skumt ljus i hallen. Yogi ställde sig på tå och lystrade. Det tickade taktfast från ett ur, men i övrigt var det tyst. Hans spända anletsdrag slätades ut. Men blott för ett ögonblick, tills en gäll röst skar igenom en stängd dörr lite längre in i huset:

"Yooogeeeeendraaaaaaaa!!"

Tio sekunder senare öppnades samma dörr och en liten späd kvinna iklädd vit nattsärk och med långt grått hår hängande fritt nerför axlarna uppenbarade sig. Hon stödde sig på en käpp men utstrålade trots det en sällsynt kraft.

"Amma!" utbrast Yogi nervöst och rusade fram och vidrörde kvinnans fötter som om hon vore en gudinna innan han gav henne en försiktig kram.

"Du luktar whisky", väste hon genom mungipan.

Klang av små bjällror hördes och en ung kvinna i tjugoårsåldern kom springande nerför trapporna från ovanvåningen. Yogis mamma sa någonting strängt åt henne på hindi och vände sig sedan mot mig med ett blitt leende.

"Så ni är Yogendras nya vän? Skulle det smaka med lite te?"

Jag överrumplades av hennes plötsliga vänlighet och presenterade mig artigt, varpå jag lika artigt tackade nej med tanke på den sena timmen.

"Klockan är mycket, kära amma", sa Yogi med blidkande röst.

"Den är aldrig för mycket för en god kopp te", replikerade hans mamma med en sådan självklar bestämdhet att det inte fanns utrymme för några vidare diskussioner.

Det tog två timmar att stilla mrs Thakurs mest akuta nyfikenhet på mig med en friserad version av mitt liv och leverne, i vilken jag skickligt parerade den uppenbart laddade frågan huruvida jag var gift genom att föra in samtalet på mina barn. Gumman rynkade ibland på ögonbrynen men nickade mestadels intresserat. När hon äntligen bröt tesittningen med ett abrupt "god natt" och försvann tillbaka in i sitt sovrum, stödd på tjänsteflickan, spred sig lättnaden på nytt över Yogis ansikte.

"Det gick ju bra", viskade han nöjt. "Det är minsann inte alla som handskas så väl med amma. Jag tror att hon gillar dig."

Det verkade som om Yogi hade rätt. Dagen därpå, efter en förvånansvärt god natts sömn, var hans mamma vänligheten själv och jag bestämde mig för att fortsätta visa mig från min allra artigaste sida, nu när det börjat så bra.

Dagarna förflöt i stilla mak tillsammans med mrs Thakur i det rymliga huset. Den skinntorra gumman i sjuttioårsåldern, änka sedan tio år, var alltid klädd i den indiska tunikadressen salwar kameez, med en noppig kofta över. Mrs Thakur talade en utmärkt, skolad engelska men föredrog att läsa på hindi. Hennes fötter var för det mesta placerade i ett par alldeles för stora, handkardade ullstrumpor, som skyddade henne mot marmorgolvens kyla.

På grund av benskörhet och reumatisk värk lämnade hon ogärna sin nersuttna fåtölj, som var strategiskt placerad i vardagsrummet strax innanför entrén, där även ett elektriskt element och teveapparaten befann sig. Härifrån höll hon koll på allt som försiggick i huset. Och även om jag fann hennes kontrollbehov något besvärande var hon onekligen en originell och intresse-väckande dam.

Så när dagen då jag skulle återförenas med Erik infann sig ändrade jag mina planer igen. Efter en hjärtlig inbjudan från Yogi tänkte jag stanna ytterligare två veckor i Indien. Inte för att jag stormtrivdes, landet var fortfarande alldeles för stort, smutsigt, främmande och tidvis även skrämmande i mina ögon. Men tanken på att åka tillbaka till Sverige och min tillvaro där som medelålders och arbetslös informatör utan framtidsutsikter skrämde mig ännu mer.

Den här gången lät Erik både förvånad och en aning skeptisk när jag fick tag i honom.

"Vad ska du göra i Delhi i två hela veckor?"

"Tja, bara vara. Min flygbiljett går att boka om och vädret hemma i Sverige är ju vedervärdigt vid den här tiden på året."

"Men du gillar ju inte ens Indien."

"Vad fördomsfull du låter, Erik. Dessutom är allting relativt. Jag gillar inte heller när det ösregnar och blåser i Malmö. Och Yogi är en trevlig typ, det måste jag ge dig rätt i."

"Får jag prata med honom?"

Djävulen for i mig.

"Han är inte här just nu men du kan få tala med hans mamma."

Jag skulle just räcka över luren till mrs Thakur, som satt i få-töljen bredvid mig och läste den hindispråkiga dagstidningen Dainik Jagran med hjälp av ett förstoringsglas, när Erik väste "Nej!" med en sådan desperat vädjan i rösten att jag hejdade mig.

"Okej, du slipper."

"Tack. Akta dig för den kärringen, hon är en riktig giftorm."

"Hittills har jag klarat mig helskinnad."

"Det är bara en tidsfråga innan hon hugger. Tanten klarar sig inte utan blod mer än fyra dagar i rad."

"Du överdriver. Var är du nu?"

"Här i Delhi. Jag ligger och tar igen mig i min lyxsvit på Star Hotel", flabbade Erik.

"Ensam?"

"Än så länge."

Nu flabbade han ännu mer. Jag tror att han använde flabbandet för att släta över vår tidigare kontrovers. Det kändes ändå skönt att vi inte grälade längre.

"Hur har resan varit?"

"Ömsom vin, ömsom vatten. Bussen har brakat ihop två gånger och den där dryge smålänningen drabbades av en allergisk chock i Ranthambore. Det var tydligen någonting i smörjan i tilakan som de duttar mellan ögonen som han inte tålde. Hela huvudet svullnade upp och blev stort som en medicinboll. Som tur var fick vi snabbt tag i en läkare som gav honom kortison. Faran är över, men hans ansikte lyser i regnbågens alla färger. Det ser ut som om Mike Tyson har gått fyra ronder mot honom, utan handskar. Och frekvensen av dåliga vitsar har minskat dramatiskt i bussen de senaste dagarna."

Där fick han! Jag kunde inte låta bli att le för mig själv. Skadeglädjen hade alltid spelat en viktig roll som energigivare i mitt liv. Det hände till exempel att jag jublade mer åt en förlust för Helsingborgs IF i fotbollsallsvenskan än åt en vinst för Malmö FF.

Erik sänkte rösten.

"Måste sluta nu. Josefin är på ingång. Jag flyger hem med resten av gruppen imorgon och ska iväg på en ny tripp till Vietnam om några dagar. Jag blir borta i tre veckor. Sedan åker jag hem igen ett tag innan Indien åter kallar."

"Då får vi ses i Malmö mellan dina resor. Kanske över en öl på Bullen?" föreslog jag i förbrödring.

"Taget", sa Erik. "Hälsa Yogi och sköt om dig. Och akta dig som sagt för kärringen."

Yogis mamma hade slutat läsa och riktade nu all sin uppmärksamhet mot mig.

"Vem var det du pratade med?" frågade hon.

"Min svenske vän Erik, madam."

"Jaså han", sa hon med en grimas och återgick till Dainik Jagran.

Det var lätt att låta sig luras av mrs Thakurs bräckliga väsen, men i hennes späda kropp dolde sig en kvinna som styrde sin omgivning med järnhand och som dessutom hade bestämda åsikter om allt och alla. Under ett av våra tidigare samtal hade jag förstått att hon betraktade Erik som ett högst olämpligt umgänge för sin ende son. Hon hade träffat honom vid två tillfällen då han sovit över i huset och helt ogenerat flirtat med både tjänsteflickan och trappstäderskan. Mrs Thakur sa sig känna igen det sätt på vilket Erik betraktade kvinnor: "likt ett hungrigt lejon som spanar in sitt byte". Hon var trots sina svaga ögon således även klarsynt.

15

Några dagar senare kände jag mig fullt frisk men ännu inte riktigt redo för att själv utforska Delhi. Så när Yogi stack iväg på sina dagliga affärsärenden med löfte om att vara tillbaka inom några timmar fortsatte jag att hålla tanten sällskap i den stora marklägenheten i Sundar Nagar, som jag vid det här laget hade lärt mig var ett av New Delhis finare bostadsområden.

Jag var väl inte odelat förtjust i min roll som sällskapsherre åt henne och fruktade hela tiden det där giftbettet som Erik varnat för. Men jag fann mig i situationen, kände att jag var skyldig Yogi det efter hans gästfrihet. Och en stor del av tiden satt vi ändå bara tysta bredvid varandra och läste, mrs Thakur i Dainik Jagran och jag i min guidebok om Indien.

"Mr Borg, skulle det inte smaka gott med en kopp masala chai?" frågade hon plötsligt och ringde i en liten ringklocka som stod på bordet bredvid henne.

Efter mindre än tio sekunder uppenbarade sig den unga tjänsteflickan Lavanya på fjäderlätta steg, ackompanjerad av de små bjällror som satt i klädsamma silverband runt hennes fotleder. Fotbjällrorna fyllde två funktioner. Dels hjälpte de mrs Thakur att lokalisera var i huset Lavanya befann sig, dels gav de mrs Thakur chansen att rya åt Lavanya när bjällrorna varit tysta för länge, vilket indikerade att flickan latade sig.

"Två chai och två bitar av kakan som Shanker bakade igår."

”*Yes, madam*”, sa Lavanya och skakade på huvudet i en gungande rörelse som påminde mig om bilhunden som låg i bakrutan på vår Opel Rekord när jag var liten.

Lavanya försvann ut i köket men var snart tillbaka igen.

”Madam, det finns jättegoda shortbreads.”

Mrs Thakur plirade illmarigt.

”Det vet jag. Men vi vill ha den där kakan med glasyr på, eller hur mr Borg?”

”För min del går det bra med vad som helst”, svarade jag diplomatiskt.

”Det må så vara. Men för min del duger ingenting annat än just den där kakan som Shanker bakade igår. Med glasyr på.”

”Det finns ett litet problem”, sa Lavanya och drog nervöst i sin långa, kolsvarta hästsvans.

”Och vad kan det tänkas vara?”

”Kakan är inte närvarande, i det tillfälle som nu är givet.”

Med tanke på att Lavanya var en enkel byflicka från Tamil Nadu som aldrig gått i skolan talade hon en förbluffande god engelska. Den påminde en hel del om Yogis, sirlig och kryddad med en grammatisk uppfinningsrikedom som visserligen skulle få vilken engelsklärare som helst att vrida sig i plågor men som var fullt begriplig, högst nyanserad och väldigt personlig. Jag misstänkte att Yogi varit hennes lärare.

”Om kakan inte är närvarande kanske du kan berätta för mig var den befinner sig just nu”, fortsatte mrs Thakur utan att röra en min.

”Den är ute på ett synnerligen viktigt ärende”, sa Lavanya och nu såg det ut som om hon rodnade under sin mörka hy.

”Kan du vara så vänlig att hämta Shanker”, sa tanten.

Lavanya återvände till köket och kom tillbaka i sällskap med husets kock, som hade iklätt sig ett stort, bländvitt och påfallande ängsligt leende.

"Kakan som du bakade igår var fantastiskt god, Shanker", sa mrs Thakur.

"Tack, madam."

"Speciellt glasyren."

"Tack, madam."

"Det var bra att du lade på så mycket glasyr och gjorde kakan så stor, eftersom jag underströk för dig att jag ville ha en bit även idag."

Den här gången var kocken tyst.

"Och kakan är alltså för närvarande ute på ett ärende. När väntas den tillbaka?"

Shanker och Lavanya stod båda två med skamset sänkta huvuden och blickarna fixerade vid fötterna. Tanten lät fortsatt mild på rösten.

"Har jag rätt när jag säger att kakan inte är ute i sin ensamhet och irrar runt på Delhis gator? Stämmer mitt antagande att kakan rent av befinner sig i magen på en rundlagd man som bär mitt efternamn?"

"Förlåt", kom det till sist i en svag utandning från kocken.

Mrs Thakur tog spjärn mot fåtöljens armstöd och hävde sig upp i hela sin längd, som var högst en och en halv meter men som i tjänstefolkets ögon avgjort tedde sig tillräckligt skrämmande.

"Hur många gånger har jag inte sagt åt er att ni ska hålla efter den glupska fetknoppen! Kakan var min! Om Yogendra nödvändigtvis ska stoppa i sig någonting efter middagen finns det både kheer och frukt i kylen! KAKAN VAR MIN OCH DET VISSTE NI! NI SKULLE HA GÖMT UNDAN DEN!"

Efter vredesutbrottet sjönk mrs Thakur ner i sin fåtölj igen, fullständigt utpumpad. Lavanya for iväg på sina bjällerklingande fötter och försvann ut ur huset i ett huj. Tio minuter senare serverades det rykande heta och kryddiga teet tillsammans med fyra extremt söta bakverk, som tjänsteflickan hade inhandlat på Sweet Corner alldeles intill. Lugnet lägrade sig åter i vardagsrummet. Mrs Thakur bläddrade vidare i Dainik Jagran och småpratade med mig i vänlig ton, som om ingenting hänt.

Till mrs Thakurs försvar kunde sägas att hon bara till hälften var en kolerisk kärring med ett sjukligt kontrollbehov. Den andra halvan av henne var om inte varmhjärtad så åtminstone mänsklig och dessutom generös. För trots sina regelbundet återkommande utbrott var det ingen tvekan om att hon hyste en sorts kärlek till sin tjänstestab, som utöver Lavanya och kocken Shanker även inbegrep en trädgårdsmästare, den mestadels sysslolöse chauffören Harjinder Singh, två uniformerade vakter som turades om att sitta och småslumra i vaktkuren utanför gallergrinden och en trappstäderska som varje dag våttorkade den stenlagda uteplatsen och alla trädgårdsmöbler.

Med tanke på att hushållet numera bara bestod av Yogi och hans mor var antalet tjänstefolk väl tilltaget även med indiska medelklassmått mätt. Men Yogi var rädd för att mammans värld skulle rasa samman om de gjorde sig av med någon av trotjänarna.

Dessutom hade de råd. Yogis pappa hade varit en respekterad indisk statstjänsteman som lämnat ett gediget arv efter sig. Det stora huset i Sundar Nagar hade dessutom förvandlats till en veritabel guldgruva i samband med att fastighetspriserna i New Delhis bättre kvarter sköt i höjden med raketfart när ekonomin avreglerades i början av nittiotalet. Alla som ägde mark och hus i dessa områden blev mångmiljonärer i princip över en natt. Enbart intäkterna från lägenheten på ovanvåningen, som hyrdes ut till en amerikansk familj, räckte mer än väl till för att försörja hela hushållet och dessutom bygga på den redan solida förmögenheten. Så det spelade mindre roll att Yogis egen lilla firma, som exporterade kläder och tyger till Östeuropa, nätt och jämnt gick runt.

Yogis två yngre systrar var sedan länge gifta och bodde hos sina män i deras föräldrahem i Bombay respektive Calcutta. Mrs Thakurs huvudsakliga umgänge bestod alltså av tjänstefolket, som hon talade väl om bara när de inte själva hörde det. Enligt Yogi tvekade dock aldrig mamman att ställa upp om någon av husets anställda behövde pengar i ett akut ärende. Häromveckan hade hon till exempel lånat ut tjugofemtusen rupier till kocken Shanker för att han skulle ha råd att betala hemgiften inför sin äldsta dotters förestående giftermål. Yogi var säker på att hon aldrig tänkte kräva tillbaka lånet, även om hon ville att Shanker skulle tro det.

Efter vår testund i stillhet bröts tystnaden åter, den här gången av att Yogi dundrade in i lägenheten. Det första han gjorde var att nudda vid sin mammas fötter. Därefter upprepade han samma procedur med mig innan han slog sig ner i soffan med en duns som fick fjädringen att ilsket gnissla i protest. Jag frågade varför han tog på våra fötter, han hade ju gjort samma sak när vi sågs första gången.

"Det är för att visa er min respekt. Så gör jag mot alla gamla, fina människor."

"Tack, men i fortsättningen får du gärna låta bli."

"Om du nödvändigtvis tycker så. Hur har dagen varit, amma?" fortsatte han. "Har du och mr Gora haft det allra trevligaste sällskapet tillsammans?"

"Vi fick ingen kaka till teet och det var ditt fel", muttrade tanten, som uppenbarligen inte orkade väcka liv i sin ilska igen. "Du är för tjock", nöjde hon sig med att konstatera.

Yogi log kärleksfullt mot sin mor.

"Det kan ligga någonting i ditt påstående, kära amma. Och just därför ska jag börja träna!"

"När då?" frågade mrs Thakur med skeptisk röst.

"Ikväll! Jag ska gå på världens bästa indiska gym och motionera bort det här", sa Yogi och tog ett fast tag om sitt eget sidfläsk. "Jag ska bli lika snygg som Shah Rukh Khan!"

"Vem är det?" frågade jag.

"Världens bästa manliga Bollywoodstjärna. Alla kvinnor är som tokiga i honom och hans underbara kropp. Han kallas för Sixpack för sina bästa magmusklers skull."

Yogi slog ut med armarna som om han ville omfamna alla i rummet.

"Och jag tänkte att du också skulle följa med, mr Gora, nu när du är bättre i dina magar. Så att du också blir en vacker man. Jag menar en ännu vackrare man än den du redan är!"

Mrs Thakur skakade på huvudet och tog upp Dainik Jagran igen. Hon hade sysselsatt sig med tidningen hela dagen så det kunde inte finnas mycket kvar att läsa i den. Jag noterade att förstoringsglaset låg kvar på bordet. Förmodligen försökte hon bara gömma sig bakom tidningen för att kunna smyglyssna på oss. Men Yogi kände sin mor alltför väl och pratade därför bara om oskyldiga saker. Till sist tittade mamman upp och blängde surt på sin son.

"Om du ändå kunde ta och gifta dig någon gång så att det blev lite ordning på dig."

16

Tantens plötsliga utspel i äktenskapsfrågan var inte en provokation för att få igång ännu ett gräl utan ett ämne som verkligen tyngde både henne och sonen. Han var ju med sina trettionio år mer än giftasvuxen.

"Du förstår, mr Gora, nu när pappa i salig åminnelse är död är det min dyra moders plikt att hitta en vacker och klok indisk brud åt mig", förklarade Yogi när vi satt i hans Tata på väg till gymmet. "Hon skulle så innerligt behöva en svärdotter, men det är inte så enkelt för henne att finna den riktigt lämpliga."

"Är det inte enklare om du försöker själv?"

"*Love marriage?* Vi tror inte riktigt på detta lösa västerländska påfund om hur man knyter varaktiga band mellan man och kvinna. Det blir bara skilsmässa", sa Yogi och tände en bidi.

"Det blir det väl inte alltid", invände jag och vevade ner fönstret.

"Är du skild?" frågade Yogi.

"Jo, men …"

"Är mr Erik skild?"

"Men han var inte ens gift på allvar!"

"Det låter som en konstig västerländsk ordning, att inte gifta sig på allvar. När jag gifter mig ska det vara på det allra allvarligaste allvar som man kan tänka sig", proklamerade Yogi högtidligt medan han med full fart körde in i en av alla de livligt trafikerade och identiskt lika rondeller som band samman New

98

Delhis vittgrenade gatunät och gjorde det hart när omöjligt att orientera sig i staden.

Jag förstod på Yogi att det inte hade saknats brudkandidater, flickor som tillhört krigarkasten kshatriya precis som han själv och som varit både välutbildade och attraktiva.

"Men det är lite känsligt, mr Gora. I Indien flyttar kvinnan hem till mannens hus och blir en del av familjen. Den kvinna som blir min älskade fru måste också bli min mammas älskade svärdotter. Varje dag, om du förstår vad jag menar."

"Jag tror det."

"Hon måste ha den tjockaste elefanthuden och lika mycket styrka och kraft som gudinnan Durga på tigerns rygg. Annars blir hon olycklig, och en olycklig fru är det olyckligaste som finns. Det vill jag inte ha på mitt samvete, så därför har jag lyckats avstyra alla giftermål. Av största hänsynen till kvinnorna och högst älskade amma, förstås."

"Du väntar på en Durga med elefanthud?"

Yogi nickade och drog en djup suck följd av ett djupt bloss på bidin. Vi satt tysta i bilen hela vägen fram till Hotel Hyatt i södra Delhi, där gymmet som vi skulle besöka låg. När Yogi lämnat över bilnycklarna till parkeringsvakten och vi hade tagit oss igenom metalldetektorer och säkerhetskontroller möttes vi av livréklädda dörrvakter som välkomnade oss in i den spatiösa foajén.

Den mjuka, behagliga belysningen, den nertonade hotellmusiken, de smakfulla blomsterarrangemangen och det blänkande marmorgolvet var så långt som man kunde komma från larmet och smutsen i slumområdet vi precis hade passerat. Välklädda indier blandade sig med välklädda utländska hotellgäster. Frapperande många var också extremt välnärda.

Det är alltså här som den tidsinställda indiska diabetesbomben tickar, tänkte jag vid åsynen av en man som måste ha vägt minst hundrafemtio kilo.

"Du ser, mr Gora, redan innan man har hunnit börja träna känner man sig som en något mera smal och vacker människa härinne", viskade Yogi.

Gymmet med tillhörande spa låg en trappa ner, på andra sidan en upplyst utomhuspool på hotellets baksida. Yogi kände förste gyminstruktören, vilket gav oss tillträde till den annars exklusiva medlemsklubben. Ett blont muskelpaket av okänd nationalitet vid bicepsmaskinen och en kvinnlig indisk atlet med gasellben på ett löpband avskräckte oss inte. För även i gymmet var gästernas medelvikt hög. Och kaloriförbränningen låg.

Jag stirrade med förbluffad fascination på en väldig kvinna som cyklade på motionscykeln i en uppskattad fart av två och en halv kilometer i timmen. Hon hade förmodligen gjort av med fler kalorier om hon suttit stilla och ätit tomater. Inte heller imponerade träningsintensiteten hos den däste unge man som låg som en lam padda på en bänk och kommenderade gympersonalen att förse honom med sjukiloshantlar som han sedan lyfte i ultrarapid.

Yogi slog sig raskt i slang med sin vän gyminstruktören, som visade honom lite enklare uppvärmningsövningar, medan jag med bestämda steg närmade mig ett löpband. Jag hade ju tre fördelar att luta mig mot:

1. Grundkonditionen från fotbollen.
2. En kraftig benstomme.
3. Naturliga muskler.

Problemen var emellertid lika många:

1. Det var över tjugo år sedan jag sist spelat fotboll.
2. Kraftig benstomme är oftast ett resultat av en i löparsammanhang hämmande övervikt.

3. Naturliga muskler tenderar att försjunka i vila om de inte används.

Om man som nyligen återhämtad från en tärande magåkomma hamnar på ett löpband bredvid en kvinnlig indisk atlet med gasellben, inte till fullo inser ovan nämnda problematik och dessutom är utrustad med den manliga tävlingsinstinkt som förbjuder en att ta stryk av en kvinna, även om hon råkar ha gasellben och är hälften så gammal som en själv, hamnar man så småningom i en näradödenupplevelse.

Jag sprang för snabbt för länge, och plötsligt svartnade det för ögonen. Efter det hörde jag Barry White sjunga "Can't get enough of your love, babe" och såg framför mig Mia som leende sträckte ut armarna mot mig. Därefter vaknade jag av att gyminstruktören skvätte vatten i mitt ansikte. Bakom honom skymtade Yogi, den indiska gasellen och till och med den lama paddan. Jag låg på golvet bredvid löpbandet.

"Vi måste kalla hit en läkare", sa gyminstruktören, varpå Yogi mumlade någonting på hindi och rörde vid mina fötter.

"Det behövs inte, han är bra nu", sa min vän och jag reste mig utan minsta darr på benen och utan någon skråma på kroppen.

Uppvaknandet var lika behagligt som näradödenupplevelsen. En Messiashappening signerad Yogendra Singh Thakur. För att vara hängiven ateist kände jag mig oroväckande religiös.

Men ett ensamt mirakel gör ingen gudstro. Redan i omklädningsrummet hade jag hittat en rationell förklaring till underverket: Syrebristen frammanade hallucinationerna, medan slappheten i kroppen efter avsvimmandet mildrade fallet så att jag undvek skador.

"Jag börjar nästan tro att du har en sorts helande inverkan på mig", sa jag till Yogi med ett ironiskt leende.

Vi hade badat bubbelbad och duschat och stod nu och gjorde

slutfinishen bredvid varandra i ett rum med stora väggspeglar, handfat i genomskinligt glas och en lång marmorbänk fylld av toalettartiklar.

"Nej, nej, mr Gora. Allt är gudomlig kraft!" protesterade Yogi. "Ni är roliga, ni västerlänningar. Ingen tro på äktenskapet och ingen gudstro."

Han droppade hårvatten på huvudet och kammade sin sidbena.

"Men hur ska man kunna tro på en gud när det finns så många?" frågade jag.

"Vänd på det. Hur är det möjligt att låta bli att tro på en gud när det finns så många olika att välja mellan? Någon enda måste väl ändå passa dig?" kontrade Yogi och greppade en burk med Johnson's baby powder.

Det fanns en absurd logik i hans resonemang som gjorde mig svarslös.

"Gör som när du sitter i din soffa framför teven och ska välja kvällens allra bästa program. Använd fjärrkontrollen!" fortsatte Yogi exalterat. "Därhemma har vi trehundra kanaler och jag hittar alltid ett program som är värt att titta på. Inom hinduismen finns det över tre miljoner gudar och dubbelt så många inkarnationer av dem. Jag är säker på att du kommer att finna din gud om du bara börjar använda fjärrkontrollen!" sa Yogi och försvann i ett moln av talk.

17

Shah Rukh Khan kunde känna sig lugn. Yogi och jag utgjorde ännu inga hot mot honom. Det hastigt avbrutna träningspasset hade inte omvandlat min väns mage en millimeter i riktning mot ett sixpack. Den liknade fortfarande mest en bag-in-box. Själv hade jag visserligen tappat ett par kilo i samband med magsjukan, men var ändå i princip lika lömskt småfet som tidigare.

Å andra sidan var vi båda lätta till sinnes, rena och nykammade, och luktade gott från topp till tå. Yogi tyckte att vi även skulle kosta på oss ett besök i hotellets skönhetssalong när vi ändå var här. Han hade visserligen lovat sin mamma att vi skulle vara tillbaka till den sena middagen, som brukade serveras vid halvtiotiden, men ännu var klockan bara åtta så det skulle nog hinnas med ytterligare lite kroppslig renovering innan det var dags att ge sig ut i den täta kvällstrafiken igen.

"Salongens ansiktsrengöring är ypperlig, men jag skulle ändå föreslå manikyren. Den är Delhis absolut bästa! Låt oss undersöka möjligheterna att ge våra händer den innerliga kärlek som de förtjänar efter allt vad de gör för oss."

Det visade sig emellertid att salongen höll på att stänga för dagen. Möjligen skulle en av oss kunna få en manikyrbehandling, men mer än så fanns det varken tid eller personal till, meddelade flickan bakom disken. Jag föreslog att Yogi skulle nappa på erbjudandet. Dels för att han med sina tobaksgula fingertoppar behövde det bättre än jag, dels för att jag innerst inne tyckte att det var lite fjantigt att fixa till naglarna.

"Kommer aldrig på frågan att du ska bli utan! Jag hävdar med bestämdhet att vi båda ska få manikyr. Det här är ju ändå ett femstjärnigt hotell", sa Yogi indignerat och konfronterade flickan med ett orubbligt krävande ansiktsuttryck.

De utväxlade några meningar på hindi. Flickan gungade och skakade på huvudet lite nervöst och försvann sedan in i ett angränsande rum.

"Vad sa du till henne?" frågade jag.

"Att det är illa för Indien att inte kunna erbjuda bästa manikyren när vi får fint besök från utlandet."

"Nu förstår jag inte."

"Jag förklarade att du inte är vilken simpel turist som helst utan en viktig diplomatisk kulturpersonlighet från Skandinavien som hört så mycket gott om den här fina salongen och därför väldigt mycket skulle uppskatta en manikyrisk behandling."

"Men det är ju lögn!"

"På vilket sätt?"

"Jag är ingen diplomat!"

"Det sa jag inte. Jag sa att du var en diplomatisk kulturpersonlighet."

"Men det är jag inte heller!"

"Det kan man inte så noga veta, mr Gora. Det beror helt och hållet på vad man väljer att lägga i ordens vackraste betydelse. Du vet till exempel hur man uttrycker sig diplomatiskt, se bara så bra du kommer överens med högst älskade amma! Sedan har du ju berättat för mig om kulturartiklarna du skriver, och du är också en personlig vän till mig. Alltså kan du mycket väl vara en diplomatisk kulturpersonlighet."

Jag hade ingen lust att trassla in mig i ännu en diskussion med Yogi, en diskussion som jag ändå var dömd att förlora. Flickan kom tillbaka och välkomnade oss båda två att följa med henne in i själva salongen, där en städerska redan höll på att svabba av golvet. En kvinna som såg ut att vara knappt fyrtio, klädd i en sobert mörkblå kostym, kom emot oss. Hennes svarta hår var samlat i en stram knut i nacken och de bruna ögonen gnistrade som bärnsten. Hon var vacker på just det där oregelbundna sättet som jag gillade, med en klädsam smilgrop på ena sidan om munnen och en näsa som var en liten aning sned. För att vara indiska var hon ovanligt lång, säkert upp emot en och sjuttio.

Hon presenterade sig som Preeti Malhotra, ställets föreståndare. Yogi log och lovprisade den fantastiska salongen, som var så omtalad att dess rykte till och med hade nått Skandinavien och den berömda intellektuella diplomatiska kulturpersonligheten mr Gora Borg, som var på besök i Indien för att träffa andra viktiga kulturpersonligheter och skriva intressanta kulturartiklar om landet som han redan lärt sig att älska så djupt.

Det fanns ingen anledning för Yogi att fläska på nu när vi redan kommit över tröskeln, men han hade fått upp ångan ordentligt och njöt av att lägga ut texten. Jag kände mig som en fåntratt där jag stod i min svarta polotröja och försökte motsvara bilden som Yogi målade upp. Om det funnits en fallucka som jag kunnat försvinna ner genom hade jag utan minsta tvekan dragit i spaken.

"Tyvärr har våra manikyrister gått hem för dagen, men om ni kan hålla till godo med mig och min assistent här ska ni naturligtvis få er behandling", sa Preeti Malhotra vänligt.

Yogi tackade och bugade belevat innan han satte sig i en stol, där flickan från disken redan stod beredd att ta sig an honom, medan Preeti ledde mig till platsen mittemot. Hon fyllde varmvatten i ett handfat och tvålade in mina händer. Jag tyckte fortfarande att situationen var pinsam, men kunde samtidigt inte värja mig mot den behagligt pirrande känslan i magen som tvållöddret och beröringen framkallade.

"Är det här ert första besök i Indien?" sa hon efter ett par minuter.

"Ja."

Mer lyckades jag inte pressa fram, förutom en viss rodnad på mina kinder.

"Tycker ni om landet?"

"Ja", sa jag.

"Och ni arbetar alltså som kulturjournalist?"

"Ja."

"Det låter intressant."

"Ja."

"Har ni hunnit skriva några artiklar om Indien än?"

"Ja."

"Vad handlar de om?"

"Lite av varje."

Därefter dog vår "konversation". Preeti klippte och filade mina naglar minutiöst. Själv satt jag tyst och förbannade två ting:

1. Att jag hade drabbats av den värsta tunghäftan sedan jag som blyg och fjunig fjortis tilltalades av Louise Andersson, pluggets snyggaste tjej, på en skoldans.
2. Att det stod Mrs och inte Ms framför skönhetssalongsföreståndarinnan Preeti Malhotras skönklingande namn på namnskylten.

När hon smorde in mina händer med en mjukgörande kräm fattade jag ändå mod till mig och öppnade munnen för att säga någonting. Men orden ville inte komma ut. En kommunikatör utan förmåga att kommunicera. Kunde det bli mer pinsamt än så? Ja, det kunde det. För till sist sa jag:

"Vad är klockan?"

"Halv nio", svarade Preeti. "Och er tid är ute nu, mr Borg."

18

Det var ju inte så att jag hade levt i celibat sedan Mia lämnade mig. Jag hade haft några kortare romanser och till och med ett lite längre förhållande med en förskollärare vid namn Lena. Hon var en bra kvinna i min egen ålder. Vi träffades två år, nio månader och tjugofyra dagar efter skilsmässan från Mia. Jag tyckte verkligen om henne. Mina barn rent av älskade henne.

Vi bodde var och en på sitt håll, men sågs regelbundet varje helg och minst två vardagar i veckan. Efter drygt ett år föreslog Lena att vi skulle flytta ihop. Jag tyckte det lät som en vettig idé och vi började leta efter en större, gemensam lägenhet. Lena hittade en fyra på tredje våningen i Rörsjöstaden i centrala Malmö som vi slog till på. Högt i tak, stuckatur, två fungerande kakelugnar, fransk balkong med utgång från sovrummet mot den pittoreska innergården. Visserligen ingen hiss, men herregud, vi var ju inte lastgamla och lite motion i trapporna skulle bara göra oss gott.

Lenas lillebror och ett par av hans kompisar hjälpte till när flyttlasset gick. Min egen son John ställde också upp. Alla gjorde tummen upp för oss. Vi passade ju så bra ihop.

Den första kvällen i vår nya lägenhet åt Lena och jag hämtpizza och delade en flaska rödvin framför kakelugnen, med flyttlådorna som stolar och bord. Lena tog en klunk och såg mig djupt i ögonen.

"Göran", sa hon och smekte försiktigt min orakade kind. "Jag tror att jag vill bli gammal tillsammans med dig."

Det var ju egentligen mycket fint sagt, och vältajmat. En kärleksförklaring i romantiskt brassken som skulle få vilken normalt funtad medelålders man som helst att bli varm om hjärtat. Men jag blev istället iskall. Jag såg framför mig hur jag och Lena kasade fram i våra filttofflor i någon servicelägenhet utan trösklar men med hiss, som vi tvingats flytta till när benen inte orkade transportera oss uppför trapporna längre. Köttfärslimpa och fruktkräm. Stångkorv och mandelkubbar. Kalvsylta med rödbetor. Thor Modéen-filmer och Calle Jularbo. Kokkaffe på fat med en sockerbit fastkilad i tandprotesen. Prostatacancer och inkontinens.

Det fanns ingen som helst logik i dessa mina skräckbilder av ålderdomen, möjligen med undantag av prostatacancern och inkontinensen. Jag hade aldrig ätit stångkorv och tyckte inte om mandelkubbar, så risken för att jag plötsligt skulle börja konsumera dessa utrotningshotade livsmedel när jag själv blev gammal var mikroskopisk. (Jag skulle förmodligen knapra på mjukgräddade pizzabitar eller en falafel utan bröd men med massor av vitlökssås.)

Det fanns inte heller några personligt relaterade pensionärsreferenser till gamla pilsnerfilmer eller dragspelsmusik. Pappa dog knall och fall i en hjärtattack när han sextioett år gammal sjöng Frank Sinatras "My way" på en blöt firmafest på Finlandsfärjan, och min idag åttiotvååriga mamma levde fortfarande i högönsklig välmåga tillsammans med en fem år yngre man som hon dansade tango och salsa med när de inte spelade golf eller gick på teater.

Men logik är en sak, känslor någonting helt annat. Det var, hur urbota dumt det än kan låta, kört för Lena och mig efter att hon uttalat att hon ville bli gammal tillsammans med mig. Två veckor senare gjorde jag slut och flyttade tillbaka till min ungkarlslya vid Davidshallstorg. Min son John idiotförklarade mig och Lenas lillebror ringde hotfulla samtal på nätterna. Till och med Erik tyckte att jag var mer än lovligt knäpp.

Jag ägnade en hel del tankemöda åt att försöka förstå vad det var som fick mig att reagera så irrationellt och den enda förklaring som jag kom fram till var att det någonstans i mitt bakhuvud grodde en liten förhoppning om att Mia skulle inse sitt misstag, lämna Max och komma tillbaka till mig. Och att allt åter skulle bli som när vi var unga.

Nu satt jag i Yogis bil, på väg hem till den sena middagen med hans mamma, och gjorde ett nytt tankeexperiment. Hur skulle jag reagera om Preeti Malhotra hade sagt att hon ville bli gammal tillsammans med mig?

Jag kom fram till att jag skulle bli glad. Det var en svindlande insikt som rubbade det fundament på vilket hela min existens vilade. Å andra sidan kändes denna hastigt uppblossade passion utopiskt ofarlig. Ungefär som när min dotter Linda som tolvåring skrev kärleksbrev till Nick i pojkbandet Westlife.

För Preeti (vilket underbart namn!) hade inte sagt att hon ville bli gammal med mig utan att min tid var ute (vilken underbar röst!). Dessutom var hon gift och alldeles för vacker för mig (vilka ögon!) och från en annan kultur (vilket spännande land Indien ändå är!).

Jag höll på sådär, i en schizofren korsbefruktning mellan den unge Werther och Lill-Babs, tills Yogi blandade sig i.

"Vad tänker du på, mr Gora?"

Hans fråga överrumplade mig.

"Inget särskilt."

"Du är så tyst. Gillade du inte Delhis bästa manikyr?"

"Jo, det blev väldigt bra", sa jag och försökte se ut som om jag närstuderade mina nagelband.

"Gillade du den allra vackraste kvinnan som gav dig manikyren också?"

"Vad menar du?"

"Jag ser hur du får den vackraste röda chilifärgen på dina kinder. Jag har sett det på andra goras tidigare och det brukar betyda att ni antingen är mycket varma i er hud av för mycket solsken eller att ni är mycket varma i er hud av tanken på en kvinna. Du har inte varit ute i solen idag så jag tror att det är en kvinna som lockar fram färgen på dina kinder, och den enda kvinna som du har träffat ikväll är den vackra kvinnan som gav dig manikyr."

"Sluta!" protesterade jag. "Vad är det du yrar om? Dessutom är hon gift."

"Är hon?"

"Det stod Mrs på hennes namnskylt."

Yogi fick en bekymrad rynka mellan ögonbrynen.

"Då har du i sanningens namn rätt i att hon inte är någonting för dig. Glöm henne, mr Gora. Glöm henne!"

Jag gjorde verkligen mitt bästa för att glömma mrs Preeti Malhotra. Och jag hade alla de goda argumenten på min sida. För visst fanns det någonting bisarrt i att gå direkt från att vara en medelålders man och sjukligt besatt av sin exfru, fortfarande åtta år, fyra månader och femton dagar efter skilsmässan, till att helt plötsligt bli en medelålders man som gick omkring och tänkte på en gift indisk kvinna som han inte visste mycket mer än namnet på och inte hade sett på sex dagar, fem timmar och … 38 minuter.

Till en början sökte jag distraktion i mrs Thakurs sällskap. Men tjänsteflickan Lavanyas nervöst bjällerklingande fotsteg i väntan på tantens obligatoriska utbrott gjorde mig bara ännu mer hispig. Därför beslöt jag mig för att istället följa med Yogi ut på hans så kallade affärsärenden kors och tvärs i den indiska huvudstaden.

En stor del av tiden satt vi i Yogis Tata, som fungerade som rullande kontor. Härifrån skötte han alla inkommande och utgående telefonsamtal på omväxlande hindi, engelska och ryska. Det senare språket behärskade han till fulländning, efter att som ung och lovande student ha fått ett statligt stipendium som tagit honom hela vägen till Moskva och en ingenjörsutbildning där. Även om Yogi utelämnade detaljerna förstod jag av hans beskrivningar att han hade varit mer framgångsrik i det ryska sällskapslivet än i skolbänken, och att han inte heller hade saknat feminint umgänge under sin Moskvavistelse.

"Den ryska kvinnan är en sådan typ av vacker människa som man av alla sina slag i hjärtat gärna bjuder på rysk champagne. Om och om igen", förkunnade han.

Efter halva utbildningen hade Yogi hoppat av för att istället bli indisk affärsman med exportinriktning på den östeuropeiska marknaden, ett värv som alltså fortfarande sysselsatte honom. Minst en gång varannan månad flög han iväg till någon mässa i Moskva, Bukarest, Warszawa eller någon annan östeuropeisk metropol för att sälja indiska kläder och textilier, knyta nya kontakter med återförsäljare och kanske också dricka ett eller annat glas rysk champagne med en vacker kvinna.

På så sätt fick han även välbehövliga pauser från sin mor. För hur mån Yogi än var om henne var det också uppenbart att han både värdesatte och ömt vårdade det liv som hon inte hade någon insyn i. Det var också därför som han nästan alltid själv körde sin Tata. Bara undantagsvis använde han familjens chaufförskörda bil, en välhållen metallicfärgad Toyota Innova. Detta betydligt rymligare åk stod mestadels parkerat utanför huset i Sundar Nagar som ett utryckningsfordon, ifall mrs Thakur skulle få ett lika plötsligt som ovanligt infall att ge sig ut i staden, eller om hon – hemska tanke, som Yogi sa – behövde iltransport till sjukhuset.

"Delhis chaufförer är inte bara världens bästa chaufförer, de har också världens största öron och sladdrigaste tungor", förklarade han sitt val av bil.

Min rundnätte indiske vän var ständigt på väg någonstans. Så fort vi hade nått en plats började han genast planera nästa anhalt. Men av alla de stopp vi företog oss under en så kallad arbetsdag uppfattade jag att högst ett par var affärsrelaterade. Resten bestod i kafébesök, sociala träffar med gamla barndomsvänner, korta promenader i parker, rejäla luncher samt privata inköp av olika slag.

Därmed fick jag en kaloristinn, snabb och högst varierad guidning genom Delhi, som vid den här tiden mest liknade en gigantisk och kaotisk arbetsplats. Året därpå skulle Samväldesspelen gå av stapeln, och inför detta Indiens genom tiderna största internationella idrottsevenemang – ett mini-OS mellan de gamla brittiska kronkolonierna– genomgick staden en omfattande renovering. Hur man skulle hinna färdigt i tid framstod som en av mänsklighetens större gåtor.

Från botten av mäktiga schakt borrade sig tunnelbanan genom berggrund och lera, och tvingade fram snirkliga omdirigeringar av trafiken, som ständigt korkade igen. Väldiga vägbroar med spretande armeringsjärn sträckte sig som jättars giriga fingrar mellan stadsdelarna.

Svettiga asfaltarbetare i bara överkroppar lappade hål i gropiga gator och strävsamma kvinnor i färgstarka saris hackade oförtrutet upp den ena gamla trottoarstumpen efter den andra, så att det bildades stora mullvadshögar av grus längs med vägkanterna. Snoriga småungar sprang runt och lekte bland cementblandare och ångvältar, när de inte tiggde pengar av köande bilister.

Mitt i allt detta byggkaos hade de kringresande daglönarna från Bihar och deras familjer sina bostäder i form av rostiga plåtskjul, som förvandlades till bakugnar när solen stod på och till kylskåp när natten sänkte sig över Delhi.

En krockskadad och kraftigt överlastad passagerarbuss hade hittat fritt utrymme i vänsterfilen och blåste förbi oss i hög fart på insidan. Yogi girade vant undan och tryckte signalhornet i botten.

"Killer Line", väste han irriterat.

"Killer Line?"

"Den där busslinjen heter i sin officiella och falska beteckning Blue Line. Men eftersom över tvåhundra stackare blir mosade till döds av dessa bussar varje år kallar vi dödliga Delhibor linjen för Killer Line. De giriga ägarna hyr ut bussarna på ackord till chaufförerna, som sedan måste köra fortare än apguden Hanuman flyger över himlavalvet för att tjäna ihop lönen till chapatin, och då säger det förr eller senare smack!"

Yogi släppte ratten och slog ihop handflatorna för att illustrera sin berättelse, vilket fick till följd att Tatan krängde och var på vippen att ramma en cyklist.

"Mr Gora, du borde verkligen köpa nya kalsonger", sa han plötsligt.

"Varför det?"

"För att du heter som han den svenske kalsongmannen Borg, och för att det i vårt älskade moderland görs världens finaste kalsonger som går på export till hela världen. Jag har alltid med mig kalsonger till ryssarna och polackerna. De älskar billig indisk kalsong nästan lika mycket som de älskar billig rysk vodka."

20

Även om jag hade mina dubier beträffande indisk kalsongkvalitet fann jag ingen anledning att protestera. Yogi hade visat sig ha rätt förut, och dessutom hade efterdyningarna av min magsjuka skapat ett akut behov av fräscha underkläder.

Vi körde till Connaught Place, den jättelika rondellen mitt i rondellernas stad, med ett rikt utbud av klädbutiker. Yogi lyckades hitta en parkeringsplats och drog med mig in i den kilometerlånga arkaden med affärer, som löpte i en yttre krans runt hela Connaught Place.

När vi skulle korsa en gata uppenbarade sig en ung man i läderjacka och basebollmössa. Han pekade på mitt öra och sa på engelska att det var fullt med skräp i det.

"Säger du det?" svarade jag förvånat, och innan jag visste ordet av hade han stuckit in en liten viska i samma öra och vridit runt den med en snabb, borrande rörelse.

Jag blev så överraskad att jag inte hann värja mig, och när han var färdig kände jag hur marken gungade lätt under mina fötter. Rekommendation för presumtiva Indienbesökare: Inled aldrig konversationer med män som påstår att ni har skräp i örat.

"Sir, titta här vad jag fick ut!" utbrast öronrensaren och visade en vaxpropp som säkert mätte en gånger en centimeter. "Det är därför du känner sådan obalans nu."

Han tog fram ett svart anteckningsblock som han slog upp och stack under min näsa.

"Och titta här vilka bra saker som andra utlänningar har skrivit om min behandling! Låt mig ge båda dina öron en riktigt ordentlig rensning, sir, så kommer du att känna dig som pånyttfödd igen och höra mycket bättre. Det kostar bara fyrahundra rupier, sir. Per öra. Eller du kanske bara vill ha den korta behandlingen, sir? Den kostar bara tvåhundrafemtio rupier, sir. Per öra. Vilket land kommer du från?"

Den sista frågan kändes extremt oviktig att besvara. Däremot upplevde jag ett starkt behov av att återfå min balans och frågade oroligt Yogi vad jag skulle göra. Min vän plockade upp en femtiorupiesedel och sa någonting på hindi till mannen, som log ett inställsamt leende innan han stack in sin lilla viska i mitt andra öra och vred runt på samma sätt som tidigare. Som i ett trollslag återfick jag balansen. Basebollmössan försvann raskt från platsen och jag frågade Yogi vad han hade sagt till honom.

"Åh, mr Gora, det behöver du nödvändigtvis inte veta."

"Men jag insisterar."

"Okej. Jag berättade bara för den flinke öronrensaren att jag med mina otroligt skarpa ögon hade lagt märke till hur han med sina kvicka händer inte alls plockade ut den där stora vaxklumpen ur ditt öra utan istället från sin egen ficka. Och så bad jag honom att ta emot mitt lilla bidrag och genast återställa din balans om han inte föredrog att diskutera sin affärsverksamhet med herr konstapeln som står därborta", sa Yogi och pekade på en bister polisman med en lång bambukäpp en bit därifrån.

"Så han var bara en simpel skojare?"

"Så skulle man kunna säga om man absolut vill. Men han var samtidigt en skicklig skojare, det måste man ändå ge honom det allra bästa berömmet för."

När vi hade passerat ytterligare ett övergångsställe dök en skoputsare upp med sin låda och pekade på mina fötter.

"*Shoshine?*"

Jag tittade ner och konstaterade med förvåning att vänsterskon var nerkletad med koskit. Det fanns inget annat att göra än att ge skoputsaren de begärda tjugo rupierna för att få den ren igen.

"Någon som är i maskopi med honom måste ha smutsat ner min sko", sa jag irriterat efteråt.

Yogi log lite överseende och meddelade sedan högtidligt att vi nu var framme vid kalsongaffären. En uniformerad vakt öppnade dörren för oss, tog emot Yogis attachéväska och gav honom en liten nummerbricka i retur.

"Se så fint! En hel butik fylld med världens bästa indiska kalsonger!" strålade Yogi.

Han hade verkligen rätt. För det var inga obskyra fabrikat som fyllde vägghyllorna från golv till tak utan kända internationella märken. Alla tillverkade i Indien och sålda för en bråkdel av vad de skulle ha kostat i amerikanska och europeiska affärer.

Med hjälp av inte mindre än fyra butiksbiträden valde jag ut sju par i storlek XL. Bakom kassadisken satt ytterligare fyra män färdiga att ta sig an mitt köp. Den förste slog in alla artiklar i kassaapparaten och räckte över kvittot med två tillhörande kopior till den andre mannen, som kontrollerade att antalet kalsonger överensstämde med antalet på kvittot för att sedan spetsa en av kopiorna på en kvittonål och skjuta över originalet samt den resterande kopian tillsammans med hela högen av kalsongkartonger till den tredje mannen, som stoppade dem i en papperskasse. Herrunderklädesförsäljare nummer fyra hade till uppgift att överräcka kassen till mig tillsammans med kvittot och kopian, samt avsluta hela transaktionen med ett artigt *"Welcome back, sir".*

I dörren gav Yogi sin nummerbricka till dörrvakten och fick sin attachéväska. Jag följde efter honom ut genom dörren men hejdades av samme dörrvakt, som bad att få se på mina kvitton. Han behöll kopian och stämplade originalet, som han sedan lämnade tillbaka till mig, men först efter att nogsamt ha kontrollerat att det motsvarade innehållet i min kasse. Jag var så tagen av denna excess i onödiga sysslor att jag bara gapade.

"Vad var det där?" frågade jag Yogi när vi äntligen kommit ut på gatan.

"Det var världens bästa kalsongbutik."

"Jo, men vad sysslade försäljarna med? Och varför skulle dörrvakten ovanpå allt det andra kontrollera kvittot? Vi var ju de enda i butiken! Han stod två meter från kassan och såg att köpet redan var noggrannare genomlyst än handbagaget i en säkerhetskontroll på flygplatsen."

Yogi tittade på mig med ett storsint leende på läpparna.

"Du måste förstå att Indien är ett väldigt stort land med många människor, mr Gora. Och eftersom alla behöver jobb för att kunna tjäna ihop till chapatin måste det finnas många, många jobb. Dessutom är det inte kul för en dörrvakt att bara öppna och stänga dörrar dagarna i ända. Han måste ha lite av den bästa variationen, och då passar det ju bra att titta på ett kvitto och stämpla med en fin stämpel då och då. Kanske får han lite dricks också för besväret ibland. Du är glad för att du har köpt fina, billiga kalsonger och han är glad för att han inte bara ska öppna och stänga dörrar utan också titta på kvitton ibland. Varför klaga när alla är glada?"

Yogi plattade till håret och petade sig i näsan innan han utvecklade sitt resonemang.

"Tänk så många människor som du nu har försörjt bara under detta vårt korta men högst angenäma besök på Connaught Place: kalsongfabrikören, kalsongtillverkarna, kalsongförsäljarna, kalsongdörrvakten, öronrensaren icke att förglömma, och så förstås skoputsaren och inte minst skoputsarens kompanjon, som kastade avföringen från helig ko på din allra bästa sko. Alla är glada för att du har ordnat chapati åt dem och för detta har du anledning att känna dig på det bästa sättet nöjd!"

Yogis snåriga utläggningar och teorier om hur världen i allmänhet och Indien i synnerhet hängde samman innehöll alltid en överraskande slutkläm, som var hart när omöjlig att ana i förväg.

Men ännu svårare var det att förutse det möte som följde direkt därpå. I en stad med över femton miljoner invånare uppenbarade sig, mitt framför mina ögon, den kvinna som jag de senaste dagarna gjort allt för att glömma: mrs Preeti Malhotra.

"Mr Borg, vilket sammanträffande", sa hon.

Hon kom ihåg mitt namn, vilket fick min puls att snabbt stiga.

"Ni är också ute och shoppar, ser jag", fortsatte hon och pekade med sin egen papperskasse på min.

Jag drabbades av samma tunghäfta som sist. Men Yogi var inte svarslös:

"Han har handlat kalsonger, madam. Något som han verkligen behövde."

I det läget hade jag två alternativ:

1. Tiga och rodna som vanligt.
2. Öppna munnen och hoppas att det kom någonting vettigare ur den än senast.

"Indiska kalsonger är verkligen fantastiska, både till pris och kvalitet", sa jag.

Det var väl inte århundradets mest klockrena inledning på en charmoffensiv, men ändå tillräckligt avväpnande för att locka fram Preetis klädsamma smilgrop.

"Fast ännu bättre än indiska kalsonger var ju den fantastiska manikyr som ni gav mig häromdagen."

För ett ögonblick trodde jag att jag i min iver att framstå som artigt charmerande hade släppt garden för mycket, men Preeti log fortfarande.

"Så bra att ni är nöjd. Kundernas belåtenhet betyder allt för oss."

Ett standardsvar, tänkte jag. Formellt men ändå inbjudande. Hon avvaktar mitt initiativ.

"Det är så mycket behagligare att skriva på datorn nu när fingrarna är mjuka och naglarna hårda."

Det lät som någonting halvporrigt som Erik skulle kunna klämma ur sig. Jag rös åt mina egna ord, men Preeti fortsatte att le och hennes smilgrop var nu så tilltalande att jag inte kunde slita mina ögon från den.

"Hur går det med era kulturartiklar?" frågade hon.

"Jag har en intressant intervju inbokad", slingrade jag mig.

"Får man fråga med vem?" sa hon.

Nu var jag ute på riktigt hal is.

"Shah Rukh Khan", sa jag.

Det hoppade ur munnen på mig som en spänstig groda, detta det enda namn på en indisk kulturpersonlighet som jag kunde komma på i en hast.

"Shah Rukh Khan?!"

Preetis ögonbryn for upp i pannan.

"Är det sant? Han är min absoluta favoritskådespelare!"

Jag log fåraktigt och kände en svettdroppe rinna ner mellan skulderbladen.

"Då kanske ni kan ordna hans autograf åt mig?" fortsatte hon och jag undrade om hon skojade eller menade allvar.

"Självklart", sa jag.

"Ska ni träffas i Delhi eller Bombay?"

"Bombay, tror jag."

"Hemma hos honom?"

"Nej … eh … vi ska ses på hans kontor."

Yogi var för en gångs skull tyst. Jag såg på hans stora ögon att det snurrade runt ordentligt i skallen på honom.

"När då?" frågade Preeti och jag bad en stilla bön om att hon snart skulle vara färdig med sin skjutjärnsutfrågning.

"Om några veckor eller så. Datumet är inte riktigt fastställt än."

"Men då hinner ni ju fira holi med oss innan dess. Vi har en mottagning i vårt hus nästa onsdag, om knappt två veckor. Det börjar klockan elva på förmiddagen och vi håller på så länge vi orkar", sa Preeti. "Det skulle vara jättekul om ni kom!"

Jag hade inte en aning om vad holi var för någonting, men var rätt så säker på vad "oss" och "vi" betydde. Det hindrade mig dock inte från att genast tacka ja, både å mina och Yogis vägnar. Preeti plockade upp ett färgglatt inbjudningskort ur sin handväska och en penna som hon räckte över till mig. Hon bad mig att skriva dit våra namn och antecknade dem sedan själv på ett papper.

"Adressen med vägbeskrivning finns på kortet. Ni är hjärtligt välkomna!" sa världens allra vackraste och mest förtjusande indiska kvinna och tog farväl med ett mjukt handslag som sände vågor av välbehag genom min kropp.

श्र

Sent på kvällen samma dag satt jag med Yogi i trädgården i Sundar Nagar och drack masala chai. Mrs Thakur hade gått och lagt sig och Lavanyas bjällerklang hade tystnat. Luften var ljum och behaglig och doften av ruttna ägg inte alls lika påtaglig som tidigare. En ensam påfågel sprätte fram över gräsmattan med sina långa stjärtfjädrar i majestätiskt släp.

Yogi hade återfått talförmågan, men verkade inte riktigt kunna bestämma sig för vad han tyckte om min föreställning på Connaught Place. Han var nog lika chockad som jag över den plötsliga initiativkraften. Däremot tyckte min vän inte det var särskilt konstigt att vi sprungit in i Preeti. För trots sin storlek kunde Delhi ibland upplevas som en mycket liten stad, påpekade han. Den indiska över- och medelklassen hade sina givna tummelplatser där man shoppade, gick på kaféer och just sprang in i varandra.

"Men det var ett synnerligen fint party som du ordnade in oss på. I DLF Chattarpur, av alla ställen! Vet du vem vi ska till fest hos?" frågade han och höll upp inbjudningskortet.

"Till makarna Malhotra."

"Jovisst, men det är inte vilka Malhotras som helst. Vivek Malhotra är en av Delhis största affärsmän. Äger allt från teplantager i Darjeeling till lyxhotell i Goa."

Min vanliga tur, tänkte jag och suckade inombords, att jag går och kärar ner mig i frun till en mäktig indisk affärsman.

"DLF Chattarpur är bästa området för Delhis flottaste farm-house!"

"Jaså, det visst jag inte."

Jag pressade fram ett leende och drog fingrarna genom min håret-bakom-öronen-frilla.

"Betyder detta här med holifesten att du stannar ytterligare något längre i vårt vackraste Indien?" fortsatte Yogi.

"Ja, det gör det väl. Men jag kan ta in på ett hotell."

"Kommer aldrig på fråga! Ingen blir lyckligare än jag och lilla amma om du bor här hos oss."

"Tack, du är alldeles för vänlig."

Yogi log artigt tillbaka och vred sina händer.

"Det är den bästa av kvällar ikväll, eller hur?"

"Ja, verkligen."

"Månen är nästan full."

"Mm."

"Och temperaturen är den mest angenäma som man kan tänka på så här års."

"Underbar."

"Och lilla amma sover."

"Ja."

"Och stjärnorna lyser."

"Ja, det gör de faktiskt. Det har jag inte sett tidigare."

"Och du och jag sitter här i bästa natten."

"Ja."

"Och timmen börjar bli väldigt mycket sen."

"Är det någonting du försöker säga, Yogi?"

"Jag skulle nog kunna tro det."

"Men försök och gör det då."

"Det är den ödmjukaste fråga som jag vill ställa, mr Gora. Och jag hoppas att du inte förstår mig på ett felaktigt sätt."

"Kom till saken."

Yogi harklade sig och halade upp en bidi ur fickan som han tände fyr på.

"Hur har du egentligen tänkt göra med dina känslor för mrs Preeti Malhotra?"

"Jag har inga speciella känslor för henne."

Det kom lite för snabbt för att låta trovärdigt.

"Ursäkta, mr Gora, men det har jag ganska svårt för att med bästa förståndet riktigt förstå, när du ser så het ut för hennes skull."

"Herregud, Yogi, tror du jag är så dum att jag lägger an på en gift indisk kvinna? Du låter din fantasi skena iväg med dig."

"Men rödaste chilifärgen på kinderna, då?"

"Det är varmt! Kan du inte sluta någon gång med dina ständiga insinuationer?"

Yogi höll upp handflatorna i en ursäktande gest. Själv gjorde jag en snabbanalys av läget. Än så länge hade jag inte vecklat in mig i någonting som skulle bli svårt att veckla sig ur. Det enda som jag hade bestämt var ju att skjuta upp hemresan till efter holifesten. Sedan fick tiden och omständigheterna avgöra nästa steg. Det kändes ovant för en man som var van vid att planera allting in i minsta detalj, men också ovanligt befriande.

Yogi hade förklarat för mig att holi var en festival då hinduerna firade vårens ankomst genom att skvätta färg på varandra. Exakt under vilka former förstod jag inte av hans kryptiska beskrivning: "Det är som det trevligaste barnkalaset du någonsin kan uppleva som vuxen."

Han blåste ut den skarpa bidiröken i ett vitt moln som svävade förbi min näsa.

"Okej, mr Gora, då säger vi väl att så är fallet, att du inte har några särskilt heta känslor för mrs Preeti. Men nu när vi ändå ska på fest i hennes finaste hus måste du i alla fall förbereda dig så att alla nobla gäster förstår vilken viktig kulturpersonlighet du är."

Yogi tog en klunk te och nöp sig i sin lilla dubbelhaka.

"Först av allt måste du skaffa dig det bästa visitkortet", sa han eftertänksamt.

"Varför det?"

"Ska du göra stora intervjun med Shah Rukh Khan måste du ju ha ett visitkort med mycket guld och fina krumelurer på, som visar vilken fin kulturjournalist du är. Utan visitkort är man ingenting i Indien."

Först trodde jag att han skojade, men Yogi såg gravallvarlig ut.

"Det där med Shah Rukh Khan var ju bara ett dumt skämt som slank ur mig", sa jag.

"Det tror jag inte alls, mr Gora. Jag tror din allra bästa gud djupt inne i dig så gärna ville göra den där intervjun med Shah Rukh Khan och därför kom upp till ytan och sa åt dig att intervjua bästa Bollywoodstjärnan. Och man ska alltid lyssna på sin inre gud!"

Nu hade Yogi hittat den tråd han letat efter och reste sig ivrigt ur trädgårdsstolen. Han vankade av och an över terrassen medan han redogjorde för sina tankegångar.

Jag var alltså ingen lögnare utan en slumrande Shah Rukh Khan-intervjuare som äntligen vaknat till liv med hjälp av min inre gud (som han ännu inte visste vem det var, men det skulle alldeles säkert visa sig så småningom). Och för att få till stånd en intervju var jag tvungen att först ordna ett visitkort och någon form av presskort som jag kunde visa för Shah Rukh Khans manager, och kanske även använda mig av för att öppna ytterligare dörrar som annars skulle förbli stängda för mig. Min invändning att jag var i Indien som turist och saknade alla former av press-ackreditering avfärdade Yogi med att han hade de rätta kontakterna som skulle avhjälpa denna petitess.

På det hela taget tyckte han att det var en lysande idé som jag kommit på med Shah Rukh Khan. Jag skulle kunna bli festens kulturella medelpunkt och han själv skulle kunna sola sig i glansen som min vän.

Allting lät typiskt yogianskt genomtänkt, vilket jag vid det här laget hade lärt mig brukade innebära att det fortfarande fanns några små frågetecken att räta ut. Vad skulle jag till exempel säga om folk på festen började fråga ut mig mer i detalj om det kommande mötet med Shah Rukh Khan?

Yogi slog sig åter ner i stolen, tog en klunk te och tittade upp mot natthimlen. Efter en stunds tankearbete glimmade det till i hans ögon.

"Det är sant, mr Gora, att du har den allra minsta kännedomen om Shah Rukh Khan. Men det man inte vet kan man ta reda på! Jag ska be Lavanya köpa tidningar om bästa Bollywoodstjärnan. Det kommer du ju också att ha den största nyttan av när du sedan ska träffa honom i riktigaste livet."

"Men ärligt talat, Yogi. Jag ska inte träffa Shah Rukh Khan. Det är en befängd tanke att Bollywoods största superstjärna skulle ge en exklusiv intervju till en okänd svensk skribent utan någon bestämd uppdragsgivare."

"Nu blir jag lite arg, mr Gora! Du visar ingen respekt för din inre gud!"

22

Med den salvan från Yogi fick jag nöja mig tills vidare. Vi sa god natt till varandra och kröp till kojs. Ju längre tid jag låg i sängen och funderade över saken, desto mer kändes det som om jag ändå inte hade någonting att förlora. Den fördelen tillkommer i alla fall en man som redan befinner sig på botten.

Jag plockade fram festkortet från Preeti, som jag hade lagt i lådan i nattduksbordet, och studerade det noggrant ännu en gång. På utsidan såg det verkligen ut som en inbjudan till ett barnkalas, med färgavtryck av handflator, kulörta ballonger och texten *"Lets play holi!"*. Men när man vek upp kortet och läste vidare var tonen mer formell, med artiga tilltal som *"delighted to invite"* och *"most sincerely welcome"*.

Helhetsintrycket var ändå att det här var en förhållandevis lättsam tillställning, vilket passade mig bra. Det fanns väl bara ett uppenbart problem, som å andra sidan inte gick att lättvändigt sopa under mattan: Mr Vivek Malhotra.

Jag lade tillbaka kortet i lådan och släckte lampan.

"Gör dig inga illusioner, din gamle dåre", sa jag tyst till mig själv. Sedan tänkte jag på Preetis smilgrop och föll i sömn.

Två timmar senare vaknade jag med ett ryck. Någon slog hårt med en käpp i marken och blåste gällt i visselpipa precis utanför mitt sovrumsfönster. Yrvaket satte jag mig upp i sängen. Först blev jag rädd och trodde att det brann, men eftersom jag inte kunde känna någon röklukt och ljudet av visselpipan dessutom tonade bort, lade jag mig ner igen och lyckades somna om.

En timme senare väcktes jag av samma ljud som kom och gick. Den här gången började till på köpet en hund att skälla och efter ett par minuter genljöd hela kvarteret av ylande byrackor. Jag låg och vred mig irriterat i ytterligare en timme, tills visselpipan på nytt skar genom luften. Rosenrasande for jag upp ur sängen, slet upp fönstret och skrek *"Shut up!"* rakt ut i den mörka natten.

Visselpipan tystnade tillfälligt och i skenet från en gatlykta hann jag uppfatta skuggan av dess ägare, innan densamme snabbt försvann runt hörnet och började blåsa igen. Hundarna gav järnet medan jag själv gav upp alla planer på att försöka somna om. Nu gällde det bara att överleva natten med förståndet någorlunda i behåll.

När morgonen kom kände jag mig ungefär lika fräsch som efter en hård svensexa. Huvudet sprängde, ögonen var grusiga, ansiktet plufsigt, och mitt humör, som varit så lovande när jag gick och lade mig, kändes fullständigt kört i botten.

Vid frukostbordet i matsalen försökte jag ändå upprätthålla skenet och konverserade artigt mrs Thakur, som hade påbörjat sin dagliga maratonläsning av Dainik Jagran med förstoringsglaset. Till sist kunde hon inte hålla inne med det som jag sett att hon länge haft på tungan mellan mustuggorna på sin poori – en friterad brödboll som tillsammans med två matskedar av den kryddiga kikärtsröran chole utgjorde hennes samlade frukost. Hon riktade förstoringsglaset rakt mot mig, så att hennes öga blev stort och skräckinjagande som hos en cyklop, och utbrast:

"Ni ser fullständigt förfärlig ut idag, mr Borg!"

Vi hade nu blivit så pass bekanta med varandra att hon lagt bort en del av konvenansen oss emellan. Lavanya, som just höll på att hälla upp kaffe i min kopp, fnissade till, vilket fick till följd att hon spillde några droppar på bordsduken, vilket i sin tur föranledde husets envåldshärskare att läxa upp henne på en hindi som lät som om den var ordentligt späckad med svordomar. Tjänsteflickan sänkte underdånigt blicken och ursäktade sig.

Yogi, som var den ende runt bordet som verkade ha vaknat på rätt sida, försökte gjuta olja på vågorna.

"Seså, Lavanya, upp med din finaste haka. Du vet att söta amma inte menar någonting alls med det hon säger."

"Vad är det för struntprat?" protesterade mrs Thakur. "Jag menar vartenda ord!"

"En sak har lilla amma i alla fall lite grand rätt i", sa Yogi och vände sig mot mig. "Du ser inte ut som den mest perfekta av männen i morgonstrålarnas obarmhärtiga ljus."

Jag kunde inte annat än instämma och tog upp nattens visselpipsterror som förklaring till mitt härjade utseende.

"Vad var det egentligen för en galning som väckte liv i alla hundar?"

"Menar du nattväktaren?" frågade Yogi förvånat. "Störde han dig?"

"Hörde du inte själv hur det lät?"

Yogi tog en grabbnäve poori, som han lade på sin tallrik bredvid ett berg av chole. Med en van rörelse nöp han fast lite av kikärtscurryn i ett bröd och slök sedan hela paketet i en munsbit.

"När jag har lagt huvudet på min bästa kudde så sover jag", sa han och slickade sig om munnen. "Det är ju liksom hela vitsen med att gå till sängs. Och om jag skulle vakna till blir jag bara glad i hjärtat av alla de fina ljud som råkar finnas i min närhet. För då vet jag ju att jag inte är ensam."

"Men vad fyller den där nattväktaren för funktion egentligen?" frågade jag irriterat.

"Han går runt i kvarteret och ser till att inga tjuvar gör sig besvär att stjäla våra finaste bilar och andra värdefulla ting. Det är verkligen bra att han är tillbaka efter sin pilgrimsresa till

Varanasi. Nu kan vi alla sova tryggt igen."

"Men han motverkar ju sitt eget syfte!" invände jag. "Om han ska hålla efter tjuvar borde han inte göra så mycket väsen av sig. Då hör de ju exakt var han befinner sig och kan vänta med att sno vad de ska tills ljudet av visselpipan försvunnit."

Mrs Thakur lade ifrån sig sitt förstoringsglas och kisade belåtet med ögonen, som nu hade antagit formen av två russin.

"Det är slöfockarna i vaktkurerna som han är till för", sa hon.

"Vad menar ni, madam?" frågade jag.

"Mr Borg, har ni inte sett hur de fähundarna sitter och sover hela tiden? Om de nu inte spelar kort eller lyssnar på någon vämjelig cricketmatch på radio så att de glömmer vad de är till för, de oduglingarna!"

Jag blundade och masserade mina tinningar.

"Så nattväktarens huvudsakliga uppgift är alltså att väcka vakterna som sitter och sover i vaktkurerna?"

"Absolut!" svarade Yogi glatt. "Jag tror att du börjar förstå hur allting hänger samman i denna vår finaste indiska värld. Det är precis som med den där kompanjonen till skoputsaren som kastade avföring av helig ko på din bästa sko. Alla behöver varandra! Den patrullerande nattväktaren behöver vakterna så att han har någon att väcka. Och vakterna behöver den patrullerande nattväktaren så att de kan hålla sig vakna. Och vi som bor här i Sundar Nagar behöver dem allihop, plus de ylande hundarna, så att tjuvarna inte gör sig det stora, dumma besväret att stjäla våra bilar!"

Mrs Thakur fnös åt sin sons ord och återgick till Dainik Jagran med en väsning:

"Om du ändå kunde ta och gifta dig någon gång så att det blir lite ordning på dig!"

23

Dagarna fortskred, liksom nätterna med visselpipsterroristen, och efter ytterligare en vecka hemma hos Yogi och hans mor tvingades jag förundrat erkänna att det nog ändå stämde en smula, det där som jag tidigare avfärdat som trams: att människan är jordens mest anpassningsbara varelse. För även om det fortfarande kändes långt till ordet hemtam hade jag i alla fall vant mig så pass vid Delhis sus och brus att jag inte längre fick migrän av signalhornskonserterna som utbröt i bilköerna, eller panik när tvåhundra skolbarn plötsligt omringade mig för att hälsa och, framför allt, ta på mig. Jag vaknade inte ens av den patrullerande nattväktaren längre, och hade nästan börjat betrakta mrs Thakurs dagliga utbrott som en naturlag.

Lavanya hade efter en diskret order och ett generöst bidrag från Yogi försett mig med en hel hög engelskspråkiga veckotidningar innehållande diverse artiklar om Shah Rukh Khan. Jag läste i dem lite förstrött, för det mesta inne på mitt rum så att inte mrs Thakur skulle bli nyfiken och börja ställa frågor.

Även om en del av bilderna på den snart fyrtiofemårige megakändisen säkert var retuscherade, blev jag mäkta imponerad av hans sixpack. Och ju mer jag tittade på den muskulösa tvättbrädan, desto svartsjukare blev jag. För vid närmare eftertanke var det ju först när jag hade nämnt för Preeti att jag skulle intervjua honom som hon hade bjudit in oss till holifesten. Om det var någon som hade öppnat dörren på glänt in till hennes hjärta så var det Shah Rukh Khan. Inte Göran Borg.

Men jag försökte att inte fördjupa mig i just den delen av ämnet. Dessutom hade Yogi gett mig en hemläxa till som krävde viss tankemöda, nämligen att skissa på ett förslag till hur mitt visitkort skulle se ut.

Själv hade han flugit iväg på en hastigt påkallad affärstripp till Madras i södra Indien några dagar för att köpa in ett större parti sängöverkast, som han sa sig ha kommit över för en spottstyver. Under den tiden lät mrs Thakur mig storsint låna både bil och chaufför, så att jag mellan mina tesittningar med henne kunde fortsätta att utforska staden.

Med hjälp av familjens gravt uttråkade chaufför Harjinder Singh, en reslig sikh med ett tjockt gråsprängt skägg som han hade virat upp tillsammans med håret under sin lila turban, valde jag ut lämpliga utflyktsmål. Harjinder blev så upplivad av att plötsligt vara behövd att han raskt plitade ner en lång lista med platser i Delhi som jag absolut måste besöka innan jag reste hem till Sverige. Jag strök alla som i guideboken beskrevs med ord som "hektiska" och "myllrande", och fick på så vis ner antalet till ungefär hälften. Ändå hann jag bara med en handfull, av vilka jag fastnade särskilt för Khan Market i södra Delhi, med sina välsorterade bokhandlare, märkesbutiker, restauranger och kaféer. Det kändes som Indien Light. Och så gillade jag Edwin Lutyens Delhi, maktens centrum som de brittiska kolonisatörernas superarkitekt formade när huvudstaden flyttades från Calcutta till Delhi, med krigsmonumentet Indian Gate och det magnifika presidentpalatset i varsin ände av paradgatan Rajpath.

För att visa Harjinder min uppskattning lade jag även in ett besök i gurudwaran inte långt från Connaught Place, det stora sikhtemplet där han personligen visade mig runt i det gigantiska köket som gratis utspisade tjugotusen människor med mat varje dag. Jag sträckte mig så långt som till att smaka på en nygräddad chapati från den väldiga bakplåten. Men när Harjinder propsade på att jag även skulle äta den blötlagda, ljumma degklump som delades ut när man lämnade själva tempelbyggnaden, lyckades jag gömma den i handen och smussla ner den till de feta malfiskarna som gled runt i den stora bassängen på innergården.

"Det här är heligt vatten som gör en frisk till både kropp och själ", försäkrade Harjinder och tog en klunk av den gröngrumliga vätskan innan han uppmanade mig att göra detsamma. Jag skänkte schwarzwaldtårtan och den offentliga toaletten i Jaipur en nanosekunds tanke och det räckte mer än väl för att jag vänligt men mycket bestämt skulle tacka nej.

Av alla de ställen som Harjinder tog mig till fanns det en självklar favorit som jag åkte till varje kväll: Hotel Hyatt. Vid mitt första återbesök gick jag med röda kinder och dunkande hjärta raka vägen till skönhetssalongen. Min plan var att be om en hårklippning och sedan hoppas att den bedårande föreståndarinnan hade skickat hem alla sin ordinarie frisörer och därför var tvungen att själv hålla i saxen. Frisörerna var emellertid kvar medan Preeti själv verkade ha gått hem. I alla fall syntes hon inte till. Hur som helst hamnade jag i händerna på en fjollig manlig frisör, som blev väldigt entusiastisk över längden på mitt hår.

"En aning tunt är det visserligen, men det finns fortfarande massor med potential i det", sa han på gäll engelska med indisk accent och började dra med kammen genom håret på ett sätt som påminde farligt mycket om en tupering.

"Vi skulle kunna göra någonting i den här stilen", fortsatte han och visade mig bilder i en modetidning med manliga modeller som var yvigt klippta och hade blekta slingor som lockade sig ner i nacken. Det verkade som om han ville förgylla mitt utseende med en modern version av den gamla klassiska svenska hockeyfrillan. Jag kom undan med blotta förskräckelsen och en halv centimeter av mina kluvna hårtoppar, och gick ner till gymmet istället.

Förste gyminstruktören såg förfärad ut när jag klev fram till disken för att betala entréavgiften. Han började prata om att det här var en medlemsklubb som bara undantagsvis välkomnade utomstående gäster. Och nu var ju inte ens Yogi med. Kanske skulle jag också kolla mitt hjärta och blodtryck ordentligt innan jag började motionera igen?

Efter att ha försäkrat honom om att jag mådde hur bra som helst och framöver tänkte träna med mycket mer måtta och sans, gick han motvilligt med på att släppa in mig, på villkor att jag höll mig borta från löpbandet.

Jag återvände till gymmet varenda kväll under Yogis resa för att cykla på motionscykel, lyfta lite skrot och göra situps. Man kunde ju inte utesluta att det fanns ett litet sixpack någonstans därunder som väntade på att få visa upp sig för omvärlden.

Skönhetssalongen låg precis ovanpå gymmet, och vid två tillfällen slog jag en liten lov ut i vestibulen för att se om Preeti hade vägarna förbi. Det hade hon inte, och båda gångerna kom jag på mig själv med att pusta ut av lättnad. Mötet med henne mådde nog ändå bäst av att vänta till holi.

Efter varje träningspass tillbringade jag minst en halvtimme i spaavdelningen. Här stötte jag på utlandssvenskarna. Det fanns en hel koloni av dem i Delhi, hade jag hört, och på herrarnas spaavdelning uppenbarade de sig huvudsakligen i skepnad av män mellan trettio och fyrtio år. Av deras inbördes diskussioner förstod jag att de flesta jobbade för Ericsson. Ibland hade de med sig ett eller annat otyglat barn också, vars specialitet brukade bestå i att blöta ner parkettgolvet i omklädningsrummet så att det blev såphalt.

Eftersom jag aldrig pratade med dem visste de inte att jag var svensk. Det gjorde att jag likt flugan på väggen kunde tjuvlyssna på deras samtal om allt från jobb, familj och semesterplaner till amorteringar, försäkringar och smaklökars längtan efter herrgårdsost och Kalles kaviar.

"Hörde du att Jörgen på 3G redan ska åka hem till Sverige", sa en av Ericssonsvenskarna till en annan Ericssonsvensk en kväll.

"Ja, men hans resultat har också varit katastrofalt senaste året."

"Fy fan för att vara i hans kläder. Det finns inte en chans att Jörgen får en vettig placering efter det här."

"Nä, knappast i den åldern. Hur gammal är han egentligen?"

"Säkert femtio. *Emma! Låt bli den där flaskan! Det är rakvatten i den, bara för pappor.* Ungar."

Ericssonsvenskarna skakade unisont på huvudet i föräldramässigt samförstånd.

"Ja, ungar. Men du, om Jörgen är femtio så är han verkligen totalrökt. Jag läste precis en artikel i Dagens Industri om det där med mäns och kvinnors karriärmöjligheter. *Nej, Viktorgubben! De pinnarna är till öronen, inte näsan!* Jo, alltså, en kvinna har det såklart tuffare i början, med graviditet och mammaledighet och allt det där. Men om hon väl tar sig igenom detta stålbad har hon världens möjligheter att avancera efter femtio. För en man i den åldern handlar det i bästa fall om att hålla sig kvar på samma nivå."

"Menar du det?"

"Ja, alltså, en kvinna kan till och med kosta på sig ett par misstag och ändå fortsätta klättra mot toppen, stod det i artikeln. *Emma, kom hit så får jag borsta ut ditt hår!* Men en femtioårig man som dabbar sig sjunker som en sten. Han är rökt för all framtid."

"Då gäller det att hålla sig på topp."

"Ja, man vill ju inte sjunka som en sten. *Viktor, var har du gjort av din T-shirt?*"

"Nä, eller sluta som en rökt böckling."

Skratten hängde kvar som elaka ekon i omklädningsrummet när de hade gått. Om den där Jörgen på 3G var en rökt böckling var väl jag någonting i stil med en kremerad flintastek.

Försiktigt klev jag upp på vågen. När de digitala siffrorna hade blinkat färdigt stannade de på 92,4 kilo. Minus fyra hekto sedan igår, inte illa.

Jag ställde mig framför spegeln, ryckte ut ett par näshår, drog in magen och spände armmusklerna så att min antydan till gäddhäng försvann.

För att vara en kremerad flintastek såg jag trots allt ganska levande ut.

24

"Ursäkta, mr Borg, men detta här behöver på det bestämdaste sättet göras vackrare och med mycket mer av de bästa färgerna och titlarna", sa Yogi efter att noggrant ha synat skissen till visitkortet.

Min indiske vän var tillbaka i Delhi igen från sin tripp till Madras. Efter inmundigandet av en enkel tomatsoppa tillsammans med mrs Thakur, under vilken hon ljudligt klagat på hans ännu ljudligare sörplande, satt vi nu i Tatan på väg till företaget som skulle trycka visitkorten.

Jag hade gjort det ganska enkelt för mig och valt en vit bakgrund med mitt namn och titeln Cultural Journalist. Yogis absoluta krav på att det skulle finnas ett fint tidnings- eller byrånamn och en ännu finare logotyp på visitkortet, som visade att jag var en världsvan journalist, hade jag löst genom att utgå från mina initialer och forma dem som en jordglob. GB, som också fick ligga till grund för byrånamnet: GloBal Stories. Det var i all sin enkelhet ganska fyndigt, tyckte jag, och jag blev riktigt stött när Yogi rynkade på näsan.

"Vad är det för fel på det här?"

"Frågan kan vara helt fel ställd, mr Gora. Jag undrar istället vad som är rätt med det här? Det måste synas mycket bättre att du är en viktig kulturpersonlighet!"

"Nu är det du som får ursäkta", svarade jag irriterat. "För det första är jag ingen viktig kulturpersonlighet och för det andra är det jag och inte du som har arbetat med reklam och information i tjugofem år. Det här får duga!"

Yogi tog på sig sitt mest älskvärda leende och klappade mig vänligt på armen.

"Det är sant, mr Gora, att du är skickligaste reklammannen. Men är det du eller jag som är indier?"

"Vad har det med saken att göra?"

"Mycket mer än man kan tänkas tro. Jag vet vad som gäller i detta vackraste land. Du förstår, i Indien är visitkortet som spegeln av det allra bästa som finns i hela din person. Det är bara de minst viktiga personerna som nöjer sig med sitt namn och en enkel titel. Vill man visa att man betyder någonting måste man också ha det bästa visitkortet, som kostar lite mer att tillverka, med fint guld och vackra bokstäver och bilder på."

"Men jag är inte indier. Jag är svensk. Sverige är ett land där man dricker mellanmjölk."

"Nu förstår jag knappast dina ord. Mellanmjölk?"

"Glöm det. Det enda jag försöker säga är att svenskar inte har guld och vackra bilder på sina visitkort."

"Men, mr Gora, du är väl en smart svensk, och en smart svensk förstår nog när en indier berättar för honom vad som är smart att göra i Indien. Och något av det smartaste som man kan göra här är att skaffa sig ett visitkort med guld och vackra bilder på."

Vi stannade för rött ljus och Yogi stämde genast in i det hysteriska tutande som omgav oss.

"Måste du tuta?" sa jag irriterat.

"Varför skulle jag inte tuta?"

"Därför att det inte hjälper ett dugg när man sitter fast i en kö. Ingen kan ju ändå flytta på sig."

"Nej, inte just nu i denna direkta sekund. Men så fort det blir grönt ljus så kan allt möjligt börja hända och då är det bra att vi redan har börjat tuta på varandra, för då vet vi också på ett ypperligt sätt var vi har varandra."

"Det där lät så dumt att jag inte ens tänker kommentera det."

"Du ska inte vara på arga humöret, mr Gora. Här i Indien är vi glada för våra fina tutor och lika glada för att folk tutar tillbaka på oss."

Jag såg mig omkring bland alla tutande bilister och autorikshaförare i kön. Inte ett enda irriterat ansikte så långt ögat kunde nå. Signalhornen brölade konstant, men helt utan aggressiva undertoner. Tutandet till och med uppmuntrades. På baksidan av en lastbil framför oss stod det med stora, feta bokstäver: HORN PLEASE! Jag uppfattade det som en indisk regeringsförklaring.

Äntligen började kön röra på sig och efter några minuter hade Yogi tutat sig fram till en bra position i ytterfilen. Vi närmade oss Old Delhi, den del av huvudstaden som mer än någon annan beskrevs som "myllrande" och "hektisk" i min guidebok, och som hyste firman som skulle trycka mina visitkort. Jag var sur och varm och Yogi insåg att jag behövde muntras upp.

"Okej, mr Gora. Du kan det mesta om reklam och information och att skriva fint. Det är jag hundratrettio procent säker på. Vi låter ditt visitkort se ut som du har ritat, vi gör det! Men snälla, lite av det bästa guldet och finaste titeln kan vi väl ändå kosta på oss?"

Jag gick med på denna kompromiss. Yogi baxade in Tatan på en gata med dubbla led av parkerade bilar och hittade som vanligt en ledig plats. Jag förstod aldrig hur han bar sig åt, men det slog aldrig fel. Han vinkade till sig en cykelriksha, som vi båda hoppade upp på.

"Det går inte att ta sig fram på annat sätt i Old Delhis trånga gränder", förklarade Yogi och tände en ny bidi på den som han precis hade avslutat.

Rikshaföraren var en magerlagd man som målmedvetet trampade oss uppför lutningen mot den stora moskén Jama Masjid, som låg i början av Old Delhi. Trots sin tunga last och en temperatur på över trettio grader varken svettades eller stönade mannen. Det enda ljud han gav ifrån sig var när han med jämna mellanrum vred på huvudet och strilade ut en stråle röd saliv från paanbiten han tuggade på. Efter en snitsig båge landade betelsaften med en skvätt på gatan, mellan krymplingar med utsträckta tiggarhänder och fruktjuiceförsäljares rullande stånd.

Vi passerade fisk- och köttmarknaden. En skäggig man med muslimkalott på huvudet satt med en gasolbrännare i handen och svedde av håret på fårskallar som han hade staplat i en makaber hög framför sig. Kycklingar med fjäderlösa vingar sprattlade i trånga burar och brunprickiga getter med bjällror om halsen bräkte uppgivet. Feta, stinkande fiskar solade sina vita bukar i solgasset till spyflugornas stora förtjusning, alltmedan frityroljan fräste i de välbesökta gatuköken som låg mitt i all denna hantering av levande och döda djur.

"Där har du en av de allra bästa förklaringarna till varför jag vill att du ska fortsätta att äta den vegetariska kost som du nu har gjort till din bästa diet", sa Yogi och pekade på en ruttnande sörja av inälvor och köttslamsor som låg utslängd i ett prång mellan två slaktare.

"Man blir aldrig bra i sin mage av att äta andras magar."

Även om intrycken var överväldigande och framkallade ett lätt illamående kände jag mig ändå trygg uppe på rikshasätet bredvid min vägvisare. Vi fortsatte förbi en marknad med all världens reservdelar till bilar och generatorer, och sedan vidare in i smala gränder som var så överbefolkade att det tedde sig som ett smärre under att vi överhuvudtaget tog oss fram. Små skolskjutsar med cykelvagnar bågnande av skolbarn trängdes med rikshor, sataniskt tutande motorcyklister och tärda män med tungt lastade handkärror i det minimala manöverutrymmet.

När vi hade tråcklat oss igenom bröllopsbasarens orgie i färg och kitsch hamnade vi så småningom på en lite bredare gata,

där marknaden för trycksaker av olika slag låg. Yogi bad riksha-
föraren att stanna utanför ett hål i väggen. Vi steg av och gick
innanför den anspråkslösa fasaden, där ett helt litet tryckeri
med allt från moderna kopieringsmaskiner till dunkande gamla
tryckpressar bredde ut sig. Det luktade skarpt av sprit och tryck-
svärta i lokalen.

Yogi presenterade mig för innehavaren, en kutryggig äldre her-
re som var klädd i svartfläckig kurta pyjama och hade glasögon
tjocka som Coca-Cola-bottnar. Efter lite dividerande fram och
tillbaka gick jag med på att omsluta min jordglob med ett skim-
rande sken av guld, samt ändra titeln från Cultural Journalist till
Senior Correspondent, vilket enligt såväl Yogi som kurtamannen
var den mest respektabla titel som en skribent kunde inneha i
Indien. Byråns adress fick bli densamma som Yogis hemadress,
och telefonnumret gick också till huset i Sundar Nagar.

"Betyder det att din mamma blir min sekreterare?" frågade jag
Yogi, som tyckte att det var så roligt att han brast ut i ett gap-
skratt och dunkade mig hårt i ryggen.

Innehavaren försökte övertyga mig om att beställa minst två-
tusen visitkort eftersom de, som han sa, brukade gå åt i ett nafs
när man väl hade börjat dela ut dem. Men jag tyckte det lät i
överkant med tanke på att jag förmodligen skulle resa hem till
Sverige inom ett par veckor. Egentligen ville jag bara ha ett hund-
ratal, men så små beställningar gick inte att göra, så vi landade
till sist på femhundra visitkort till ett pris av ettusenfemhundra
rupier. I det ingick dessutom hemleverans, och tryckeriets ägare
lovade på heder och samvete att ha allting klart till kommande
tisdag, dagen före holifesten.

"Nu börjar det här likna någonting riktigt bra", sa Yogi när vi
åter satt i cykelrikshan.

Han bad föraren att fortsätta till kryddmarknaden.

"Vad ska vi göra där?"

"Ordna finaste presskortet."

"På kryddmarknaden?"

"Du anar inte allt man kan företa sig på bästa indiska krydd-marknaden."

25

Efter en kvart kom vi fram till en korsning där vi steg av.
"Nu går vi med våra användbara fötter", sa Yogi och
hastade iväg förbi doftande kryddstånd med drivor av
nötter, russin, färgstark curry och gurkmeja. Efter ett tag
började det sticka rejält i ögonen och halsen, och när Yogi
försvann in i en mörk passage märkte jag att nästan alla
runtomkring oss hostade och snörvlade. Jag fick upp en
gammal pappersservett ur fickan, som jag höll som ett
skyddande filter över munnen och näsan, och följde efter
honom uppför en brant trappa, där seniga kulier hukade
under tyngden av stora jutesäckar som de kånkade på.

När vi hade ålat oss igenom den värsta trängseln kom vi ut på
en loftgång i ett kringbyggt kvarter. På gården nedanför kryllade
det av ännu fler kulier med säckar och även på det våningsplan
där vi befann oss gick de fram och tillbaka med sin tunga last.

Innanför denna mänskliga myrstig låg ett pärlband av små
öppna rum, där betydligt kraftigare män uppehöll sig. Några satt
i stolar eller på säckar och pratade i mobiltelefon, medan andra
under livligt gestikulerande var inbegripna i direkta affärer. Det
knappades frenetiskt på miniräknare och bläddrades i tjocka se-
delbuntar. I och utanför rummen stod öppna säckar fulla med
torkad, röd chili som silades mellan köparnas granskande fingrar
innan uppgörelserna beseglades med rykande hett masala chai,
som springpojkar i flip-flop-sandaler levererade i små glas från
ett närliggande testånd. Tårar rann nerför allas kinder i mer eller

mindre strida strömmar. Hela kvarteret formligen ångade av den starka pepparväxten.

"Detta är bästa chilimarknaden som tänkas kan. Och det är mycket bra för hälsan att vara just på denna plats eftersom det rensar bort det onda som finns i våra luftrör", sa Yogi.

En hostande chiligrossist som såg allt annat än frisk ut fick mig att starkt betvivla hans ord.

"Vad gör vi egentligen här?"

"Kom med", sa Yogi och pinnade vidare över loftgången och sedan uppför ytterligare en mörk trappa. Utan att ha öppnat några dörrar befann vi oss helt plötsligt i ett rum som såg ut att vara en del av ett hem. Yogi gick hemtamt över mattan på golvet, drog undan ett draperi längst in i rummet och ropade någonting på hindi in i dunklet på den andra sidan.

Efter en rossling som lät som ett mindre jordskred uppenbarade sig en stor, skallig man med rödkantade ögon och plufsiga kinder i dörröppningen. Yogi böjde sig ner och vidrörde hans fötter innan han omfamnade honom. Mannen log och hostade och log igen, varpå han lyssnade koncentrerat på vad Yogi hade att säga. Efter att ha ställt några följdfrågor och fått svar som han verkade någorlunda nöjd med gick mannen fram till mig och hälsade med ett fuktigt handslag. Jag presenterade mig, och han presenterade sig som mr Kumaz.

"Så ni behöver ett indiskt presskort?" sa han.

"Tja, behöver och behöver … det är mest min vän här som …"

"Exakt, sir, han behöver väldigt mycket ett indiskt presskort", sa Yogi och gav mig en skarp blick. "Han ska intervjua Shah Rukh Khan."

Mannen såg på mig med skepsis i blicken.

"Har ni några referenser, kanske några artiklar på engelska att visa upp?" fortsatte han och snöt sig i en rödfläckig näsduk som nog hade varit vit en gång.

Det kittlade och sved i min hals och jag bröt ut i en lång host-attack. Mr Kumaz väntade tålmodigt ut den innan han upprepade sin fråga.

"Nej, jag har ju bara skrivit för svenska tidningar", snörvlade jag.

"Så ni har ingenting ni kan överräcka till mig?"

"Nej."

Mr Kumaz plutade med underläppen, vilket fick honom att likna en bister bulldogg.

"Och vad är det för ämnen ni har skrivit om?"

"Fotboll och kultur. Egentligen mest om hur de hänger ihop. Alltså fotbollen som kulturyttring, skulle man kunna säga."

Jag hörde själv hur löjligt pretentiöst det lät.

"Spelar ni cricket?" frågade han.

"Nej."

"Känner ni till spelets regler?"

"Nej"

"Då har ni en del att lära inför mötet med Shah Rukh Khan. Han äger nämligen ett helt cricketlag."

"Ja, det vet jag faktiskt. Kolkata Knight Riders."

Mr Kumaz höjde förvånat på ögonbrynen åt denna min specialkunskap, som jag hade hämtat ur en av tidningarna som Lavanya försett mig med.

"Shah Rukh Khan fick inte sitt cricketlag gratis", fortsatte han.

"Nej, det kostade väl en del."

"Allting kostar här i livet."

Yogi hade förflyttat sig så att han nu stod snett bakom mr Kumaz. Han fångade min blick med sin och gnuggade sedan högra handens tumme mot pekfingret. Äntligen gick det upp för mig vad bulldoggen var ute efter. Jag halade upp en femhundrarupiesedel ur plånboken och gav den till honom.

Mr Kumaz kastade ett kvickt öga på sedeln innan han stoppade ner den i sin byxficka med en min som skvallrade om att han ville ha mer. Yogi fortsatte att gnida fingrarna mot varandra, och först efter att jag hade överlämnat ytterligare tre femhundrarupiesedlar verkade mannen nöjd. Han tog fram ett litet block och en penna ur sina rymliga byxfickor och bad mig skriva ner mina personuppgifter. Yogi hjälpte mig med adressen och överräckte sedan blocket med en bugning till mr Kumaz, som därpå försvann in bakom draperiet.

"Vad händer nu?" viskade jag till Yogi.

"Schhh, visa nu lite av ditt allra bästa tålamod!"

Efter en stund var den skallige chilihandlaren tillbaka med en rossling och ett knallgult kort som det stod PRESS CARD på med stora röda bokstäver. Det var utfärdat till Senior Correspondent Goran Borg, Sweden, och hade en fin stämpel samt en stilig underskrift av mr Kumaz, som enligt kortet var "Presschief of ICTO". Ovanför mitt namn fanns det ett tomt utrymme för ett foto.

Jag tyckte det såg ofärdigt ut men Yogi nickade förtjust och tackade mr Kumaz innan han böjde sig ner och vördnadsfullt vidrörde dennes fötter.

Vi lämnade den märklige mannen med de plufsiga kinderna och gick tillbaka till rikshaföraren, som tålmodigt väntat på oss. På vägen tillbaka till bilen förklarade Yogi att det nu bara behövdes ett foto av mig som vi skulle fästa på kortet, som sedan kunde plastlamineras för ett par rupier och vips, så skulle vi ha "ett av Indiens allra bästa presskort".

"Vad betyder ICTO?"

"Indian Chili Traders Organization", svarade Yogi glatt.

Jag undrade hur i hela fridens namn de indiska chilihandlarnas sammanslutning kunde utfärda presskort.

"ICTO är en stor organisation med många fina underavdelningar. I Indien skrivs det tusentals artiklar om chili varje år och då är det inte alldeles konstigt att det också finns speciellt fina presskort för chilijournalisterna."

"Men var det inte meningen att jag skulle försöka få till stånd en intervju med Shah Rukh Khan? Vad har han med chili att göra?"

"En del, faktiskt. Mr Khan äger ett filmbolag som heter Red Chillies Entertainment."

"Men det är väl bara ett hett namn?"

"Okej, mr Gora, jag förstår din invändning. Och det där med chili behöver du i just detta sammanhang inte koncentrera dig för mycket på. Jag är övertygad av det mest bestämdaste slaget om att både Shah Rukh Khan och hans manager gillar chili, men betvivlar samtidigt att de vet vad ICTO står för. Var bara lycklig över att du nu är ägare till ett riktigt fint presskort, som är på alla sätt officiellt och stämplat på bästa viset."

"Du menar att den där Kumaz verkligen är någon sorts press-chef?"

"Absolut. Han skriver många av artiklarna i ICTO:s egen chilitidning."

"Så han lever inte bara på mutor?"

"Vad menar du med mutor, mr Gora?"

"Han fick tvåtusen rupier för presskortet."

"Så i Sverige är allting gratis?"

"Nej, men man kan inte köpa sig ett presskort."

"Jaså, hur går det till i Sverige då?"

"Först måste man vara medlem av Journalistförbundet och se-dan kan man ansöka om ett presskort."

"Och det kostar ingenting?"

"En liten summa i administration bara."

"Och det kostar ingenting att vara med i detta fina förbund för svenska journalister?"

"Man får förstås betala sin medlemsavgift."

Yogi tände en bidi och drog ett par snabba bloss.

"I mina öron låter det som om man måste köpa ett presskort två gånger i Sverige", sa han och höll upp lika många fingrar. "Och hur jag än räknar får min ekvation det till dubbelt så många gånger som i Indien."

"Det har ingenting med mutor att göra!" protesterade jag.

"Administration?"

"Just det."

"Men när indisk chilipresschef gör administration heter det muta?"

"Du vrider till allting, Yogi", suckade jag.

"Det, mr Gora, måste jag i alla fall ge dig en liten smula rätt i."

26

Klockan tio på onsdagsförmiddagen, just som vi skulle ge oss av till holifesten, levererades mina visitkort av ett cykelbud. Att beställningen anlände en dag senare än tryckeriets ägare lovat på heder och samvete, och först efter tre påminnelser från Yogi, var enligt min vän helt i sin ordning.

"Denna flexibilitet måste man ändå ta höjden för i ett så väldigt land som Indien, med så många leveranser av visitkort hit och dit. Och nu är vi bara lyckliga för i precis rätt sekund fick vi vad vi skulle ha. Och till och med på den färgrikaste helgdagen!"

Jag försökte öppna paketet som visitkorten låg i, men det var så starkt förseglat med tejp att det inte gick att forcera vare sig med händer eller tänder.

"Vi kan fixa till denna svåraste öppningen på vägen", sa Yogi.

Den reslige chauffören Harjinder Singh hade kört fram Toyota Innovan, som vi dagen till ära skulle transporteras i. Vi var ju bjudna på en flott fest i Delhis mest fashionabla förortskvarter, och då kunde man inte komma skumpande i en bucklig liten Tata. Dessutom gjorde Yogi klart för mig att han inte tänkte lämna tillställningen i "tusenprocentigt nyktert skick". Den överväldigande risk för spridning av skvaller som Harjinders närvaro innebar ändrade inte på det beslutet.

Vi hade klätt oss i enkla vita kurta pyjamas i rymliga storlekar, som Yogi införskaffat på en lokal marknad, eftersom det enligt honom bara var dårar som tog på sig någonting dyrt och fint till holi. När jag redan på vägen ut ur det inhägnade bostadskvarteret fick syn på en gul ko förstod jag lite vad han menade.

Yogi hade smugglat en halvflaska Blenders Pride, vatten och ett par glas förbi sin mors vaksamma förstoringsglas. Han blandade snabbt till två whiskygroggar, som vi tömde i ett svep, och sedan ytterligare en omgång som rann ner lika kvickt. Jag beslöt mig för att ta några styrketårar på färden i nervlugnande syfte och sedan ligga lågt med drickandet under själva festen, så att jag inte tappade kontrollen.

Yogi bad Harjinder att få låna dennes dolk, ett vapen som chauffören i egenskap av rättrogen sikh alltid bar med sig. När paketets försegling efter en hård knivkamp äntligen kapitulerade tog Yogi andäktigt ut det översta visitkortet och höll upp det framför oss.

"Det blev väldigt fint med allra bästa guldet! Vad var det jag sa, mr Gora!" utbrast han triumfatoriskt. "Det här strålar av viktig kulturpersonlighet!"

Även om visitkortet var i pråligaste laget för min smak fick jag ge honom rätt i att det ingav en viss respekt och alls inte var fult. Logotypen blev förvånansvärt lyckad i tryck och namnet var satt i ett stilrent typsnitt. Men så fastnade ögonen på en liten detalj som fick blodet att frysa till is i mina ådror: två små prickar. Eller snarare det som befann sig under dem.

På mitt nya, fina, guldskimrande visitkort, som jag skulle dela ut till alla de prominenta gästerna på festen och göra ett outplånligt intryck med, hette jag – Güran Borg.

Med ett tyskt ü istället för ett svenskt ö.

Det var som om min forne chef Kent hade förföljt mig hela vägen hit till Indien och nu hånleende stirrade mig rakt i ansiktet från mitt eget visitkort. Jag hörde hans vedervärdiga dialekt.

"Släng dem! Nej, bränn dem!"

Harjinder Singh blev så överraskad av kraften i min röst att han ryckte till, vilket fick bilen att kränga till, vilket i sin tur fick den öppna flaskan med Blenders Pride som stod på en avsats mellan våra stolar att falla i golvet. Kedjereaktionen fullbordades med att Yogi gapade i besvikelse över både de spillda dropparna och min oresonliga dom över visitkorten, som han ju hade lagt ner hela sin själ i.

Jag klargjorde bokstavsfadäsen för honom. Yogi gapade ännu mer. Sedan gick han till motattack och undrade hur en fullvuxen man från ett civiliserat land, som väl Sverige trots allt fick betraktas som, kunde bli så uppriven av denna futtiga lilla detalj, som ingen endaste indier ändå skulle upptäcka. Han försvarade till och med tryckaren med emfas, denne hedervärde yrkesman som i brist på svenska ö:n hade hittat detta fina tyska ü som var så snarlikt.

Jag insåg att det krävdes en mer uttömlig förklaring till min häftiga reaktion och började motvilligt berätta om Kents uppsägning av mig. Yogi lyssnade uppmärksamt och hans ansiktsuttryck svängde under tiden från kritiskt till medkännande. Även om han inte begrep det där med den nordvästskånska dialekten fullt ut förstod Yogi ändå att mannen vid namn Kent var av ond natur, och att sättet han talade på, med dessa tyska ü:n, väckte bittra minnen till liv hos mig.

Det betydde emellertid inte att han stödde min önskan att låta visitkorten försvinna i eld och rök. Tvärtom ansåg Yogi att jag skulle skatta mig lycklig över bristen på svenska ö:n i indiska tryckerier.

"Du vet, mr Gora, det finns en mening med allting i vår största värld. Precis som vi alla har en inre gud allra minst, ja vi har nog väldigt många fler när jag tänker närmare efter, har vi också våra värsta inre demoner. Och precis som vi ska låta den inre guden komma upp till ytan ska vi dra fram våra demoner i det skarpaste ljuset. För det är så här, mr Gora", sa Yogi och lade sin arm över mina axlar, "det är så att om demonerna kommer ut i det skarpaste solljuset försvinner luften ur deras uppblåsta bröstkorgar. Förstår du?"

"Inte riktigt."

"Jo, denna här Kent är som en väldigt otäck demon i ditt inre. Men för varje gång som du tar upp ditt fina visitkort i guld och ser onda bokstaven med prickar över, som får dig att tänka på honom och hans giftiga språk, blir Kents bröstkorg lite mindre. Och när du har visat guldkortet så många gånger att du inte orkar bry dig om prickarna längre sjunker bröstkorgen på den onda demonen Kent ihop så mycket att han ser ut som den vanligaste av jordens vanliga män. Och till sist går luften helt ur honom och då kan han inte andas med sin bröstkorg längre och då förlorar han all sin kraft att sprida det onda språket med tyska bokstaven."

Yogi plockade upp whiskyflaskan från golvet och hällde det lilla som fanns kvar i den i våra glas tillsammans med vatten innan han fortsatte:

"Men om du inte hade haft ditt visitkort av guld med den onda bokstaven på skulle du aldrig vänja dig vid den och då skulle den onda demonen Kent istället växa sig större och starkare så att han till sist blev lika mäktig och ond som värsta demonen Ravan, som kidnappade drottning Sita till Sri Lanka från högst ärade Rama. Förstår du nu?"

Jag nickade och log. Yogis sätt att blanda hinduiska hjälteepos med kognitiv beteendeterapi imponerade. En legitimerad hjärnskrynklare hade inte kunnat förklara vinsten med att konfrontera sina rädslor och tillkortakommanden på ett bättre sätt.

"För alla onda demoners död!" utropade min vän och höjde sitt glas i en salut.

Vi skålade och drack ur och jag kände mig lite lugnare igen.

Tills Harjinder bromsade in i en liten kö som bildats framför en stor port. Porten var försedd med en massiv järngrind och över-vakningskameror, samt bevakad av två beväpnade vakter.

"Vi är framme nu", sa Harjinder.

27

Innan Toyotan släpptes in genom porten öppnade vakterna motorhuven, genomsökte bilens bagageutrymme och synade även underredet med hjälp av en stor spegel. Jag var visserligen van vid liknande säkerhetsprocedurer från mina besök på Hotel Hyatt, men hade inte räknat med samma rigorösa kontroll i ett privat hem.

"Det är för att alla vi som kommer är bästa vip-gästerna", pöste Yogi nöjt när bilen fortsatte uppför en allé, som med sina täta rader av spikraka palmer såg ut som en pelargång.

"Och då ska ju inte otäckaste terroristen eller banditen förstöra festen för oss med någon lömskt insmugglad bomb", lade han till.

Uppe vid det palatslika huset öppnades bildörrarna av uniformerade vakter med långa, tvinnade mustascher och ståtliga turbaner. Två unga kvinnor hängde blomsterkransar kring våra halsar och tryckte varsin tilaka i pannan på oss innan vi lotsades vidare genom en blomstersmyckad port. Den ledde in genom en korridor till den gigantiska trädgården på husets baksida, med en gräsmatta som var stor som en fotbollsplan och lika välklippt som en golfgreen.

Jag räknade till minst trehundra vitklädda gäster som minglade runt bland de fyra barer som hade byggts upp i främre delen av trädgården. Mitt emellan barerna tronade en magnifik marmorfontän med springvatten som växlade i regnbågens alla färger. Livréklädda kypare i vita handskar gled runt och serverade cocktails och champagne från glänsande silverbrickor, och ur högtalare som var dolda inne i buskagen strömmade suggestiv sitarmusik.

Jag svepte runt med blicken för att hitta Preeti i folkhavet och fann henne vid en av barerna, där hon hälsade nytillkomna gäster välkomna. Vid hennes sida stod en stilig man i medelåldern med tjockt och mörkt vågigt hår och distingerade ansiktsdrag. Trots att han var klädd i samma enkla typ av kurta pyjama som Yogi och jag utstrålade han en enorm makt och elegans. Jag förstod genast att det var Vivek Malhotra, och den insikten gjorde mig knappast muntrare.

För om man ärligt lade alla korten på bordet såg det ju ut så här: Framför mina ögon stod den vackra kvinna som jag hade kärat ner mig i bredvid sin vackre och mäktige make i parets överdådigt vackra trädgård som var fylld med vackra gäster (nåja, de flesta i alla fall). Bara det här partyt måste ha kostat mer än fem av mina årslöner (från den tiden då jag lyfte så många fasta årslöner i rad, vill säga). Och så hade jag ändå inbillat mig att det pågick någon sorts hemlig flirt mellan mig och den vackra kvinnan. Jag suckade tungt och drog fingrarna genom håret.

Yogi verkade däremot vara på ett strålande humör. Han haffade två glas champagne från en kypares bricka och gav det ena till mig.

"Nu skålar vi för vår framgång och sedan hälsar vi på bästa värdparet och sedan gör vi affärer med gästerna."

"Affärer?"

"Visst! Alla visitkort vi delar ut och alla intressanta svar vi ger på alla artiga frågor som vi kommer att få är investeringar för framtiden", sa han.

Det får bära eller brista, tänkte jag. Vi tömde champagneglasen och gick bort till makarna Malhotra. När Preeti fick syn på mig log hon. Pulsen slog genast snabbare och kinderna hettade till. Ett äldre par som precis hälsats välkomna minglade vidare och det blev min och Yogis tur.

"Mr Borg och mr Thakur, så trevligt att se er här!" sa Preeti hjärtligt och presenterade oss för sin make.

Han tog min hand i ett snabbt men hårt järngrepp. Det på-klistrade leendet blottade en perfekt vit tandrad.

"Mr Borg är kulturjournalist från Sverige", fortsatte Preeti.

"Intressant. Välkommen till Indien och till vår fest", sa Vivek Malhotra.

Innan jag hunnit tacka hade hans blick redan sökt sig vidare till nästa gäst i kön.

"Låt oss prata mer senare", sa Preeti, varpå Yogi utbrast:

"Ja, verkligen! Om Shah Rukh Khan!"

Den lilla förhoppning jag hade närt om att få slippa fabulera var nu effektivt pulvriserad av min vän. Preeti presenterade mig genast för en rultig kvinnlig filmkritiker från Times of India innan hon försvann tillbaka till sin make. Jag kände marken gunga under fötterna och blev torr i munnen. Men så fick jag en idé om en taktik som efter sin lite trevande start fungerade alldeles utmärkt. Genom att spela nyfiken utländsk reporter som sökte kunskap om Shah Rukh Khan hos indisk auktoritet inom området, gjorde jag två vinster:

1. Jag slapp prata specifikt om den förestående intervjun (som ju ännu inte var någon intervju och väl knappast skulle bli det heller).
2. Jag gjorde den rultiga filmkritikern på väldigt gott humör.

Hon njöt av få briljera med sina kunskaper och välkomnade mig att ringa henne om det skulle dyka upp kniviga frågor som jag ville ha svar på.

Vi utväxlade visitkort och strax därpå var jag inbegripen i ett samtal med en filmintresserad bankdirektör. Han tyckte att det var väldigt trevligt att Shah Rukh Khans storhet nu hade nått så långt utanför Indiens gränser att svenska medier inte bara skickade sina kulturjournalister hela vägen hit för att intervjua honom, utan rent av posterade dem här.

Och på denna inslagna väg fortsatte jag mitt fraterniserande med Delhis societet, ivrigt uppbackad och sufflerad av Yogi. Vi pratade med allt från företagsledare och politiker till cricketspelare och fotomodeller. Den enda yrkeskår som det verkade råda en akut brist på var, till min stora lättnad, Bollywoodstjärnor.

När BMW:s tyske marknadschef i Indien undrade om jag hade turkiskt påbrå (med tanke på mitt namn, Güran) blev jag visserligen lite kallsvettig, men det var nog bara en nyttig del av den terapeutiska exponeringen av min inre demon Kent. I övrigt fungerade det guldskimrande visitkortet friktionsfritt, och efter mindre än en timme hade jag bytt ut över trettio exemplar av det mot lika många andra.

Avslutningsvis lade Yogi och jag våra egna visitkort i en stor glasskål som värdparet hade ställt ut på ett bord. Även Yogi hade samlat på sig en ansenlig mängd nya kontakter och var mer än nöjd med resultatet av det intensiva minglandet.

"Det här kan bli värt sin vikt i guld, så det är bäst vi lägger undan dem innan den finaste festen börjar på riktigt", sa han och stoppade ner de förvärvade visitkorten i ett kuvert som han förutseende nog hade i fickan.

Min vän vinkade sedan åt sig en kypare och bad denne att överräcka kuvertet till Harjinder Singh i lila turban, som väntade bland de andra chaufförerna på husets framsida. Efter det norpade Yogi åt sig ytterligare två glas champagne från brickan och tömde båda, eftersom jag inte ville ha. Hans salongsberusning var nu på väg att utvecklas till någonting väsentligt djupare, och när jag såg mig omkring bland de övriga gästerna upptäckte jag att Yogi inte var ensam om denna förvandling. I likhet med honom verkade många andra också vara sysselsatta med att stoppa undan saker och skicka iväg handväskor och andra personliga tillhörigheter med bud till sina chaufförer, som om de förberedde sig för ett sjöslag.

Det visade sig också vara precis vad de gjorde. Plötsligt hördes en kraftig smäll likt en kanonsalut och ett regn av konfetti singlade ner över gästerna. En mindre här av tjänstefolk rullade in stora vattenkar på hjul och bar fram väldiga fat med högar av färgpulver. Vattensprutor och vattengevär distribuerades ut.

Indisk etnodisco dunkade ur högtalarna tillsammans med den taktfasta uppmaningen *"Let's play Holi! Let's play Holi!"*.

Därefter utbröt ett kulört krig som bara skonade de försiktiga gäster som hade dragit sig tillbaka till en fredad vrå av trädgården.

Efter mindre än en kvart var jag insmord från topp till tå med en geggig sörja av färgpulver. Jag försökte identifiera Preeti bland alla andra färgstarka och lekfulla människor, men misslyckades. Yogi kom vinglande emot mig med ett glas med en grön vätska i, som han absolut tyckte att jag skulle dricka. Det var alls ingen alkohol i glaset utan bara en nyttig indisk hälsodrink, framhöll han.

Jag drack. Och sedan drack jag ett glas till för att det första smakade så gott och gjorde mig så glad, och sedan ytterligare ett av bara farten. Därefter bröt jag ut i ett hysteriskt fnitter tillsammans med två amerikanska damer i en av barerna. För en halvtimme sedan hade de båda varit gråhåriga men nu ståtade de med varsin chockrosa frisyr.

"Så här stenad har jag inte varit sedan college!" jublade den ena damen och så drack vi ännu mer av den gröna indiska hälsodrinken, som jag vid det här laget hade lärt mig hette bhang och innehöll ett rikligt mått av marijuana. Men det hindrade mig inte en sekund från att fortsätta dricka, eftersom kontrollen som jag varit så rädd för att tappa ju redan hade flytt all världens väg.

"Visst är underbaraste holi världens bästa … hihi … världens … allra … hihi … fest", sluddrade och fnittrade Yogi mellan klunkarna, och jag höll naturligtvis med honom.

"Hooooooliiiiii!" ropade han med vad som verkade vara hans sista röstresurser och sjönk sedan ner i en korgstol med ett lulligt leende på läpparna.

En ung man drog igång en vild dans mitt i den stora fontänen, som snabbt fylldes med andra rytmiskt gungande ungdomar. Plötsligt översköljdes jag med en spann vatten bakifrån. När jag vände mig om stod Preeti där.

"Har ni roligt, mr Borg?"

Hennes blöta kläder smet åt om den välformade kroppen. Ansiktet lyste av silver, guld och purpurrött. Det var nästan för bra för att vara sant. Nej, det *var* för bra för att vara sant. För efter den underbara bilden i motljus försvann jag in i ett kombinerat stadium av glömska och hämningslöshet. Jag tror att jag dansade med Preeti i fontänen. Och jag har ett vagt minne av att jag frenetiskt pricksköt med vattengevär mot mr Malhotras ögon och mun, så att han till sist fick kippa efter luft.

Men det enda som jag med säkerhet kom ihåg var att jag drack ofantliga mängder av den gröna hälsodrycken och att holifesten för mitt vidkommande slutade med att två vakter släpade ut mig till Toyotan, knuffade in mig i baksätet, som var täckt med ett plastöverdrag, och drämde igen bildörren. Sedan somnade jag.

28

När jag vaknade låg jag i sängen hemma hos Yogi. Det var mörkt men knappast natt, eftersom ljudet från teveapparaten i vardagsrummet hördes tydligt in till mig. Skottlossning, dramatisk knivhuggarmusik och kvinnoskrik i en cineastisk curry med alldeles för många smaker på en och samma gång. Mrs Thakur satt som vanligt och tittade på någon gammal actionfilm på hindi.

Jag tände sänglampan och noterade att inte bara handen utan hela armen såg ut som om den hade doppats i ett färgbad. Det tog ett par sekunder innan jag kopplade det till holifesten, men ännu utlöstes inga direkta panikkänslor. På förvånansvärt lätta ben reste jag mig och hittade mitt armbandsur på nattduksbordet. Klockan var halv tio.

Då har jag allt sovit några timmar sedan festens dimmiga slut, tänkte jag och gick in i badrummet som hörde till mitt rum. När jag fick syn på mig själv i spegeln hajade jag till. Allt utom de vita kalsongerna och den vita bomullströjan, som jag på något outgrundligt sätt hade fått på mig innan jag hamnade i sängen, var kulört. Huden skiftade från rött till mörkt lila, och mina i vanliga fall grånade tinningar var knallrosa. Till och med tänderna bar en tydlig nyans av rött, som om jag hade tuggat paan och somnat med munnen full av betelsaft.

En lite olustig aning om att allt inte stod rätt till började så sakta smyga sig på mig. Vad hände egentligen på festen?

Jag tog av underkläderna och gick in i duschen, tvålade in mig ordentligt och lät de varma duschstrålarna strila över kroppen. Vattnet som rann ner i avloppet var nästan svart, men den mörka lystern i skinnet satt ändå kvar. Det var som om färgpartiklarna hade krupit ner i varenda liten por och etsat sig fast i huden underifrån.

Först efter att jag hade skrubbat mig hårt med en tvättborste i tio minuter blev jag av med det mesta av den starka holifärgen, men fick i gengäld en rodnande, grisskär hy av den oömma behandlingen.

Suddiga bilder av mr Malhotra som kippade efter luft likt en strandad fisk fladdrade förbi. Min hals var snustorr och med ens drabbades jag av en våldsam törst. Det stod en halvfylld bringare med filtrerat vatten i badrummet. Jag tömde den i ett svep innan jag klädde på mig och försiktigt gläntade på dörren ut mot vardagsrummet.

Mrs Thakur satt på sin vanliga plats i fåtöljen och kisade mot den flimrande teveskärmen, medan Yogi halvlåg i soffan bredvid med ett plågat uttryck i ansiktet. Jag övervägde att vända om och krypa ner i sängen igen, men insåg att alla försök att somna om ändå skulle vara dömda att misslyckas. Dessutom hade tanten redan fått korn på mig och blixtsnabbt skruvat ner teveljudet med fjärrkontrollen.

"Han har vaknat!" väste hon, varpå Yogi for upp ur soffan som skjuten ur en kanon och kom emot mig med utsträckta armar.

"Mr Gora! Tack alla goda gudar för att du nu står på dina finaste ben igen!"

Han kramade om mig med en sådan innerlighet att jag själv blev orolig för mitt hälsotillstånd.

"Ta det lugnt, Yogi, jag har ju bara sovit lite", försökte jag med ett tafatt leende som stelnade i en troligen fåraktig min.

"Jaså, det säger ni, mr Borg? Att ni har sovit *lite*?"

Det var mrs Thakur som blandade sig i. Hennes röst var så elakt insinuant att jag förstod att min smekmånad med henne nu definitivt var över.

"Jag skulle tvärtom vilja påstå att ni har sovit väldigt *mycket*", fortsatte hon och riktade sitt förstoringsglas mot mig.

Yogi tog mig under armen och ledde mig försiktigt bort till soffan. Jag försökte känna efter om det fanns några brutna ben i min kropp som motiverade hans varsamma behandling, men den enda smärta jag upplevde var ångesttrycket som hade lagt sig som ett spännbälte över bröstkorgen.

Mrs Thakur följde oss hela vägen med förstoringsglaset och lade det ifrån sig först när jag hade satt mig ner i soffan, på armlängds avstånd ifrån henne. De ljudlösa tevebilderna av två gangstergäng som var involverade i en dödlig uppgörelse med automatvapen fungerade som en skrämmande, stum fond mot det täta kammarspel där jag själv spelade huvudrollen utan att veta vad som stod i manuset.

Tystnaden var så kvävande och olycksbådande att jag tacksamt välkomnade Lavanyas bjällerklang när tjänsteflickan uppenbarade sig i vardagsrummet med en bricka med tre koppar masala chai. Hon satte försiktigt ner dem på bordet, utan att spilla minsta lilla droppe. Man kunde riktigt se hur hennes spända ansiktsdrag slappnade av efter utfört uppdrag. Utan ett ord avlägsnade hon sig.

Bjällrorna tystnade. En fluga surrade runt det söta teet. Yogi petade sig nervöst i örat innan han tog upp sin kopp och sörplade i sig en klunk. Mrs Thakur gjorde en ansats till att tillrättavisa honom men hejdade sig. Det var uppenbart att hon njöt av den laddade stämningen och såg fram emot fortsättningen.

"Vi kanske ska gå ut i trädgården, Yogi?" föreslog jag i ett desperat försök att komma undan hennes vassa tunga.

"Det tror jag inte är särskilt lämpligt, mr Borg, eftersom trädgårdsmästaren just nu håller på att spruta insektsgift mot myggorna", knarrade tanten.

Jag såg på Yogi. Han nickade kort och gav mig en blick som sa att jag var tvungen att möta mitt öde här och nu. Mrs Thakur skulle inte nöja sig med mindre.

29

"Du har verkligen sovit länge, mr Gora", sa Yogi. "Det är inte den vackraste onsdagskvällen nu, det är den vackraste torsdagskvällen. Du har sovit i över ett dygn. I ett sträck."

Mrs Thakur satte sig upp i fåtöljen med ett sataniskt leende på sina skrovliga läppar.

"Men hur …?"

"Ni undrar hur det är möjligt att sova så länge? Det ska jag berätta för er", sa hon och sköt fram hakan så att underbettet i tandprotesen blev synligt. "Det är för att ni har druckit enorma mängder bhang och deltagit i den bortskämda överklassens omoraliska orgier!"

"Och inte nog med det", fortsatte hon med sitt krokiga pekfinger i luften. "Ni har förlett Yogendra så att han också har berusat sig och skämt ut sin familj!"

Vore det inte för att hela situationen var så grandiost pinsam skulle jag ha protesterat. För om det var någon som hade blivit förledd var det väl jag, som varit helt ovetande om den narkotiska styrkan i "hälsodrycken" som Yogi hade försett mig med. Men min vän förekom mig.

"Nu räcker det, amma!"

Det var första gången som jag hörde honom höja rösten mot sin mor, och det hade en omedelbar effekt. Tanten tystnade, lutade sig tillbaka i fåtöljen och knäppte den översta knappen i sin noppiga kofta, trots att det var kvävande hett i rummet.

"Jag är en vuxen människa och kan själv ta vara på min person! Dessutom ska söta amma inte tro på allt som Harjinder säger. Han sitter för det mesta tyst i bilen och har det som allra tråkigast, så när han äntligen får chansen att prata rinner allting ur honom som vattnet i Ganges utflöde. Så farligt var det inte."

"Jaså inte? Så du tycker det är normalt att två vuxna män blir burna in i huset av vakterna mitt på blanka dagen, så att alla grannarna ser det?!"

"Det var holi, amma. Hela Indien firar denna glada festival på gladaste viset."

Jag satt tyst och lyssnade på Yogis redogörelse för vad som hade utspelat sig under festen. Hans försök att censurera valda delar resulterade bara i att mrs Thakur fick chansen att komplettera med det skvaller som hon pumpat ur den synnerligen lättövertalade Harjinder Singh. I stora drag hade följande hänt:

Jag hade mycket riktigt blivit kraftigt påverkad och inte bara dansat med Preeti utan även med hennes man, som jag utöver att ha skjutit på med vattengevär även hade hällt ett helt fat med färgpulver över.

När ett bord med sötsaker hade rullats in hade jag lagt beslag på en skål med gulab jamun, de ljumma små kulformade kakorna i sockerlag, som jag sedan kastat på gästerna medan jag fortsatt att stjälpa i mig bhang. Till sist hade såväl Yogi som jag slocknat och burits ut till den väntande bilen, vars klädsel Harjinder förutseende nog hade täckt med ett plastöverdrag.

Hemma i Sundar Nagar hade vi burits in i huset av vakterna här, och kocken Shanker hade fått det tvivelaktiga nöjet att dra av mig mina dyngsura kläder och sätta på vita underkläder innan jag stoppades i säng.

Yogi hade vaknat på onsdagskvällen med en sprängande huvudvärk och fått en rejäl utskällning av sin mor, medan jag hade fortsatt att sova djupt. När jag imorse fortfarande inte visade några tecken på att vakna ur mitt komaliknande tillstånd hade

Yogi tillkallat familjens läkare, som ordinerat fortsatt sömn, eftersom ett för tidigt uppvaknande under rus enligt honom skulle kunna utlösa en haschpsykos.

Därefter hade Yogi gått till det lilla familjetemplet, som var inrymt i ett av de många sovrummen, och offrat blommor och tänt rökelse till alla gudomligheter i allmänhet och till hälsans och den indiska naturmedicinens supergud Dhanvantari i synnerhet, för att det skulle gå mig väl.

”Och det gjorde det ju! Så på det hela taget har inget allvarligt fel begåtts. Genom det som hänt har vi lärt oss inför den ljusaste av framtider. Mr Gora har bara tagit en liten paus i sin mest kreativa period och ska nu fortsätta att planera största intervjun med Shah Rukh Khan.”

”Jag förstår inte varför alla svärmar för den uppkomlingen”, muttrade tanten och skruvade upp ljudet på teveapparaten. Hon verkade ha fått sitt lystmäte av skandalscener och ville nu se slutet på filmen.

”Där har ni en riktig skådespelare!” utropade hon och pekade med fjärrkontrollen på en manlig aktör som med vredgad röst och ögon gnistrande av hat och hämndlystnad läste en monolog över en stupad kamrat.

”Det har amma i allt väsentligt rätt i. Amitabh Bachchan är också en alldeles fantastisk skådespelare”, sa Yogi.

”Inte bara fantastisk, han är oöverträffad! Shah Rukh Khan når inte ens upp till anklarna på Big B!”

Kvällens tortyrsession var över. Jag hade återvänt till livet efter i runda slängar trettio timmars narkotisk dvala, ställts vid skampålen av mrs Thakur och efter avtjänat straff befunnits så pass människovärdig att tanten bevärdigade mig med en lätt nickning innan hon drack en klunk av sitt te och sedan lät sig uppslukas av den spännande finalen på actionfilmen, där Big B visade att han inte bara kunde ryta argt utan även utdela karatesparkar som trots att de aldrig träffade motståndarna ändå fällde dem.

En timme senare sov tanten och Yogi och jag satt i trädgården, som fortfarande luktade starkt av insektsmedel, och försökte oss på en summering av de gångna dygnen. Jag vidhöll att katastrofen var ett faktum och att Yogi bar en del av skulden eftersom han inledningsvis inte hade upplyst mig om att det fanns marijuana i den gröna "hälsodrycken". Han å sin sida tyckte att festen varit väldigt lyckad och att mammans utbrott över vårt omoraliska beteende inte var någonting att fästa sig vid eftersom det var lika traditionstyngt som holifirandet.

"Det är som den bästa gamla Bollywoodfilmen som visas i repris om och om igen. Varje år skvallrar Harjinder och varje år skäller amma. Strunt i det och var gladast av alla ikväll, mr Gora, för att du har vaknat upp och är frisk som en ung viril man. Och om det nödvändigtvis behöver sägas försökte jag faktiskt ransonera ditt intag av bhang, men på det örat hörde du ingenting alls."

"Det kan kvitta. Jag har hur som helst gjort bort mig så mycket det går. Det enda som känns bra just nu är att jag har en flygbiljett hem till Sverige. Jag ska försöka boka en plats till på söndag."

"Men det är omöjligt! Tänk på intervjun med Shah Rukh Khan som du ska göra! Och tänk på den vackra skönhetssalongsföreståndarinnan!"

"Det är just det jag gör. Efter det som hände på festen kommer hon aldrig att vilja se mig igen."

"Tvärtom! Du har inte gjort bort dig, du har gjort succé! Titta här vilket vackert meddelande jag har fått från henne. Vi lämnade ju våra finaste visitkort, och eftersom ditt med mycket guld på inte innehöll något mobilnummer har hon skickat sin mest älskvärda hälsning till dig genom mig."

Yogi tog fram sin mobiltelefon och bläddrade fram ett sms med följande text:

"Käre mr Thakur. Hälsa mr Borg så gott från mig. Ni båda bidrog till en holi som jag sent kommer att glömma. Preeti."

Jag läste meddelandet om och om igen för att försöka tolka dess innebörd. Även om jag inte delade Yogis syn på det som en öppen invit fick jag tillstå att det lät allt annat än avvisande.

"Du borde skriva ett svar till henne. Det verkar som om hon vill träffa dig."

"Tror du?"

"Försök inte luras igen, mr Gora, för jag har förstått att du hyser de hetaste känslorna för Preeti Malhotra. Det är inte bara dina varma chilikinder som avslöjar det. Hela din kropp strålar när någon uttalar hennes vackraste namn."

"Men hon är ju gift."

"Det har du fortfarande alldeles väldigt mycket rätt i. Och gifta kvinnor ska man under de mest normala omständigheterna sky så som man undviker dödsgudinnan Kali när hon utslungar sina förbannelser. Men det finns alltid undantag från denna gyllene regel."

Jag påminde Yogi om hur han tidigare uttryckt sitt ogillande över den höga skilsmässofrekvensen i västvärlden, men den ståndpunkten kolliderade på intet sätt med hans nya hypotes. För det kunde ju mycket väl vara så att jag och Preeti hade varit gifta i ett tidigare liv men av olyckliga omständigheter skilts åt. Det skulle tids nog visa sig om så var fallet, bara jag gav mig till tåls och gjorde min puja varje morgon eller åtminstone varje fredag.

Yogis förmåga att snickra ihop egna lösningar på religiösa och moraliska problem svek honom aldrig, men fortfarande återstod två avgörande frågor som inte hade fått några svar:

1. Hur kunde jag vara helt säker på att mina känslor för mrs Malhotra var besvarade? Jag hade ju inte varit vid mina sinnens fulla bruk när jag träffade henne senast.

2. Och om det verkligen var så att hon gillade mig, vad skulle jag då ta mig till med hennes man?

"Ni västerlänningar förnekar er aldrig", suckade Yogi och skakade irriterat på huvudet. "Ni ska ha svar på varenda världslig fråga på det mest omedelbara viset. Har ni aldrig i livet hört talas om det underbara ordet tålamod? Tänk på att högst ärade Lord Rama levde fjorton år i exil i djungeln och att han gick runt och letade efter sin bortrövade hustru Sita i över ett år innan apguden Hanuman hittade henne åt honom hos demonen Ravan på Sri Lanka. Då kan du väl åtminstone ha det bästa tålamodet ett litet tag till. Eller är detta en alldeles för mycket begärd önskan?"

30

Jag följde Yogis råd och skickade dagen därpå ett meddelande till Preeti från hans mobil där jag frågade om hon hade lust att träffas. Svaret kom fyra timmar, tretton minuter och tolv sekunder senare:

"Jag är upptagen närmsta tiden. Men vi kan ses i Lodi Garden onsdag kväll om två veckor, 25 mars. Halv sju vid ingången från South End Road. Om du inte är iväg på din intervju då, förstås."

Hennes undran om en viss resa till en viss Bollywoodstjärna förtog på intet sätt glädjen över det otroliga som inträffat: Jag hade fått min dejt! Visserligen först om två veckor, men ändå. På något mirakulöst vis hade det som jag först klassat som en svårslagen katastrof vänts till någonting som åtminstone på mobiltelefonens display liknade en triumf.

Att Yogi i egenskap av ägare till sagda mobil blev direkt involverad i min sms-korrespondens med Preeti fick mig att genast inhandla en egen nalle med tillhörande kontantkort. Nu hade jag tillgång till en ostörd linje som gick direkt till skönhetssalongsföreståndarinnans mobil.

Jag skickade några trevande meddelanden för att testa hållfastheten i vår sms-förbindelse, och märkte till min otyglade glädje att hon besvarade dem med en stigande frimodighet. Hon tyckte om Lodi Garden för att parken var "så vacker i skymningen", hon "såg fram emot vårt möte", och hon skickade en smileygubbe när jag berättade om mina rosafärgade tinningar.

Hela situationen var så hoppingivande att jag fattade ett med mina mått mätt mycket radikalt beslut. Jag tänkte stanna i Indien! Göran Borg, mannen som hade gett trygghetsnarkomanin ett rundnätt ansikte, tänkte bryta upp från sin hemstad, som han alltid bott i, och slå sig ner i det myllrande Delhi. Nu gällde det bara att hitta ett eget krypin, där jag slapp mrs Thakurs groteska cyklopöga och kunde bjuda hem vem jag ville.

Mitt beslut hade inte bara med Preeti att göra. Jag började tycka allt mer om Indien och den välkomnande, nyfikna attityd som jag mötte hos människorna här. Och vad skulle jag ta mig till utan min ständige följeslagare Yogi? Trots att vår bekantskap var ny betraktade jag honom redan som en kär gammal vän.

Kanske skulle jag också kunna börja arbeta lite som den Senior Correspondent jag ju var, enligt såväl ü-visitkortet som chilipresslegitimationen. Avgångsvederlaget från Kommunikatörerna skulle inte räcka i evinnerliga tider, även om Indien var ett billigt land. Men om Erik tog med sig min laptop på sin nästa resa hit skulle jag kunna skriva en eller annan artikel härifrån och sälja till svenska tidningar, och därmed förtjäna något av mitt uppehälle.

Yogi tyckte naturligtvis det var en lysande idé att jag skulle bli Delhibo, eller *dilliwala*, som han sa. Men han ville absolut att jag skulle stanna kvar hemma hos honom i Sundar Nagar. Jag förklarade så fint jag någonsin kunde att det skulle innebära lite för stora påfrestningar på min redan något ansträngda relation till hans mor, och det var ett argument som han hade en medfödd förståelse för. Yogi lovade att genast höra sig för bland sina kontakter om det fanns en lämplig lägenhet någonstans som jag kunde hyra till ett rimligt pris.

Själv ringde jag hem till Sverige för att meddela mitt beslut till i tur och ordning mammas telefonsvarare, Eriks röstbrevlåda, Richard Zetterströms sekreterare, min dotter Lindas kompis

Steffi (som av någon anledning hade lånat hennes mobiltelefon) samt min son Johns voicemail på Skype. Kommunikationssamhället har onekligen sina kommunikationsproblem.

Den enda som svarade personligen var min exfru. Det kändes overkligt att prata med Mia utan att drabbas av det där bittra trånandet som hennes röst automatiskt framkallat hos mig alltsedan skilsmässan för … ja, hur länge sedan var det nu? Jag hade tappat räkningen, och det var i sig en så omtumlande upplevelse att jag knappt trodde det var sant.

Mia lät lika självsäker som vanligt under inledningen av vårt samtal. Hon berättade om den lyckade resan till Thailand och sina långt framskridna planer på att utöka sitt lilla affärsimperium. Mia drev en postorderfirma, som sålde idrottsmedicinska artiklar såsom stödförband och sportbandage, samt ett litet reseföretag som arrangerade exklusiva golf- och skidresor. Nu tänkte hon öppna en friskvårdsmottagning tillsammans med en gyminstruktör, en massör och en naprapat. Aktiebolaget Rundsmörjning. Namnet var registrerat och finansieringen klar. De letade bara efter en lämplig lokal, och om allt gick i lås skulle verksamheten dra igång till hösten. Mia hade redan bokat upp flera företagskunder som köpt in hennes personalvård i förskott.

Jag misstänkte starkt att teflonkostymen Max med sina ekonomiska muskler och sitt stora kontaktnät inom näringslivet bidragit med både det ena och det andra, men det var ingenting som Mia nämnde med ett ord. Hon utstrålade bara den där positiva självkänslan som jag en gång hade plockat fram hos henne.

Jo, faktiskt. Sedan minst ett decennium tillbaka omgavs jag visserligen av ett grundmurat rykte som obotlig pessimist, men i början av vårt förhållande var det ingen mindre än Göran Borg som i glädjen över att ha blivit tillsammans med Mia Murén stod för framtidstron och optimismen i det lilla radhuset i Djupadal. På den tiden var Mia lätt stukad efter några misslyckade relationer och ett förlorat jobb i Stockholm. Men genom att hela tiden bekräfta henne och samtidigt föregå med gott karriärexempel som skicklig copywriter på Smart Publishing fick jag Mia att sakta men säkert börja tro på sig själv igen. Så småningom lyfte hon ordentligt och flög högt över min nivå.

Om jag ska försöka mig på en sportslig jämförelse skulle man kunna likna mig vid backhopparen Jan Boklöv, som med sina spretande skidor i V-formation flög så långt att hans skeptiska medtävlare av rena överlevnadsskäl tvingades kopiera tekniken. För att ganska snart vidareutveckla den. Ett par år senare var Boklöv hopplöst distanserad och förvandlad till en liten fotnot i sportens historieböcker, medan de konkurrenter som tidigare fnyst åt hans kråkhopp vann nya, bejublade titlar med samma stil.

Mia, min Mia. Hon var som en sådan där snyltande backhoppare. Svävade ovan molnen. Red på framgångsvågen. Surfade på räkmackan. Hade fått allt som hon rimligen kunde drömma om: kärlek (om än till en teflonkostym), pengar, två friska och välartade barn och en karriär som framgångsrik egenföretagare. Hon borde med andra ord ha kunnat unna mig den lilla glädje och stolthet som jag kände när jag berättade för henne att jag tänkte stanna i Indien.

Istället blev det knäpptyst i luren. Och när hon äntligen började prata igen var det med den där gnällbältesdialekten som hon ärvt av sin ättikssura mamma från Örebro, men bara använde undantagsvis. Jag kunde inte minnas när jag hade hört den senast.

”Indien? Är inte det ett land för investerare och it-ingenjörer? Vad ska du leva av där?”

”Det finns massor med intressanta ämnen att skriva om, och

bara en handfull svenska journalister på plats. Jag tror ärligt talat att jag inte hade kunnat välja en bättre plats att flytta till just nu. Här avhandlas allt från mystiska religiösa festivaler till världspolitik. Det händer alltid någonting."

Mia bytte spår:

"Ska du bli katastrofreporter?"

"Vad menar du?"

"Jag tänker på det där hemska terrordådet på två hotell i Bombay härförleden. Och all fattigdom och alla tiggare. Och det fruktansvärda klimatet som leder till torka på vissa ställen och översvämningar på andra."

"Värst vad du låter uppmuntrande."

"Jag vill bara att du ska tänka dig för. Du är ingen tjugofemåring längre, Göran. Om du frågar mig så tycker jag det var dumt att du sa upp dig från Kommunikatörerna."

För en gångs skull hade jag lust att säga att jag gav fullständigt fan i vad hon tyckte. Men samtidigt kände jag en så stor lättnad över att hon inte visste om att jag hade fått sparken att jag lät gnället passera.

"Jag trivs inte i Malmö längre", sa jag. "Vintern är för lång och kostymen lite trång."

Det var egentligen ett snyggt citat. Snott direkt från Tomas Andersson Wijs låt "Mellanstora mellansvenska städer". Men i min mun lät det som ett dåligt Tomas Ledin-rim. Mia fnissade till.

"Men Göran, du äger ju inte ens en kostym. Bara en massa slitna manchesterkavajer."

Inte gå i fällan, intalade jag mig själv. Skoja bort henne.

"Det behövs inga kostymer här. Det är en bra bit över trettio grader i Delhi och då är det ändå bara tidig vår", sa jag, och det citatet var jag i alla fall jävligt nöjd med.

Mia bytte spår igen:

"Tänk åtminstone på barnen."

Nu lät hon som ett eko av mig från gamla tider, i ett sista desperat utspel för att så tvekan hos motparten. Det var länge sedan Mia hade behov av mig som den där positivt flaxande Jan Boklöv-typen som visade vägen. Nuförtiden var hon snarare beroende av att jag förblev den misslyckade ungkarlen som genom sitt trånande gav henne näring. Ungefär som när spindelhonan efter parningsakten äter upp hanen.

"Varför ska jag tänka på barnen?"

"Därför att det råkar vara just dina barn och för att de kanske behöver sin far då och då."

"Jag har inte flyttat till månen. Barnen kan komma hit och hälsa på och jag kan flyga hem till Sverige ibland och träffa dem."

"Och hur ofta hade du tänkt att det skulle ske? Det blir ju ingen kontinuitet i ett sådant umgänge."

"Men snälla Mia, varför detta plötsliga intresse för min relation till barnen? Linda och John är vuxna. Det är länge sedan vi sågs regelbundet."

"Ja, det ska gudarna veta. Du har ju inte ansträngt dig för att bygga upp någonting där, precis."

Även om Mia hade en poäng surnade jag till.

"Så nu ska jag ha dåligt samvete också för att du lämnade mig och tog barnen."

"Jag har inte tagit några barn ifrån dig! Jag har tagit hand om dem eftersom du inte visade något intresse, gubbe!"

Ska en medelålders kvinna kalla en medelålders man för gubbe och komma undan med det måste hon tänka på tre saker:

1. Först och främst ska hon välja rätt gubbe, en som inte har för kort stubin och som sväljer det mesta som hon säger med ett underdånigt, alternativt överseende, leende.

2. Sedan ska hon välja rätt sammanhang och ämne. Gärna lite skämtsamt. Absolut inte någonting som träffar en inflammerad nerv.

3. Det är en klar fördel om hon själv inte befinner sig i affekt.

Om kvinnan har alla tre sakerna rätt kommer hon alltid undan. Om hon har två rätt av tre klarar hon sig i regel också. Även vid blott ett rätt av tre, men då måste det vara punkt 1, kan det gå vägen.

I normala fall skulle Mia ha klarat sig på just det halmstrået, att hon hade valt rätt gubbe. Men den här gången var inget normalt fall. Mia hade fel, fel, fel, och gubben med det vanligtvis underdåniga alternativt överseende leendet var så arg att han exploderade.

"Gubbe? Har det någonsin föresvävat dig att det är ni kvinnor som gör oss män till gubbar? Och sedan skyller ni all världens ondska på oss! Ni ältar om kvinnoförtryck och att ni inte får tillräcklig uppskattning för det ni gör. Och så är det ju så jobbigt för er små stackare under graviditeter och förlossningar! För att inte tala om när ni hamnar i klimakteriet! Det är liksom synd om er hela tiden! Som om vi män skulle ha det enklare. Är det ett privilegium för oss att vi dör tidigare än ni? Och räknas inte prostatacancer som en sjukdom? Idag är det fan i mig medelålders män som marginaliseras när kvinnorna skriker sig hesa och könskvoteras in på det ena toppjobbet efter det andra. Och lyckas ni inte med det så raggar ni upp någon rik snubbe och gifter er med honom så att ni kan förverkliga era företagardrömmar!"

Jag var alldeles svettig i pannan efter min urladdning. Ilskan måste ha legat och sjudit därinne i mig likt kokande, svavelbubblande lava som efter år av inneslutning i jordskorpan till sist pulserar ut genom en spricka i ett sällan skådat vulkanutbrott.

Visst hade Mia och jag bråkat förr, men aldrig med någon egentlig hetta. Nu slogs vi med blanka vapen i en fräsande könskamp.

"Vad fan är det du säger! Påstår du att jag har knullat mig till mina framgångar? Du är så genomsexistisk att talibanerna framstår som feminister bredvid dig! Och vad är det för skitsnack om att medelålders män marginaliseras? Är det därför ni sitter på alla vd-stolar och befolkar alla styrelserum och startar alla krig? Att du inte har kommit längre än till ett darrigt skribentjobb i ett skitigt u-land beror uteslutande på din egen bristande talang! Prostatacancer? Är det verkligen det bästa du har att komma med? När flickor aborteras och mördas i Indien bara för att de inte är lika mycket värda som pojkar! Skriv om det, gubbe!"

"Behåll dina koloniala fördomar för dig själv, kärring!"

Mia slängde luren i örat på mig och jag tänkte att att nu, nu finns det ingen återvändo. Nu finns det bara en väg – framåt.

अ

Jag gick verkligen in för min sms-flirt med Preeti. Inte så att jag överöste henne med meddelanden, men varje ord vägdes på guldvåg innan det knappades in på displayen. Jag försökte framstå som genuint intresserad utan att verka påflugen, och till min hjälp formulerade jag två kompromisslösa grundregler:

1. Nämn inte ett ord om Preetis mäktige man industrimagnaten Vivek Malhotra.
2. Håll dig inledningsvis en bra bit ovanför bältet och på behörigt avstånd från hennes rödmålade läppar.

Det verkade som om jag hade lagt mig på precis rätt nivå. Preeti befann sig på en skönhetsmässa i Bangalore, som jag förstod var väldigt hektisk, men tog sig ändå tid att svara på mina meddelanden, och vid ett par tillfällen initierade hon till och med själv konversationen.

Så fort mobiltelefonen vibrerade steg min puls. För det mesta sjönk den snabbt igen eftersom det oftast var reklammeddelanden från mobiloperatören, men några gånger om dagen fick mitt hjärta anledning att slå små glädjevolter. En enkel fråga från Preeti som "Vad gör du nu?" räckte för att försätta mig i ett bubblande kärleksrus.

En enda gång tidigare i mitt liv hade jag sms-flirtat. Föremålet för mina digitala svärmerier var vid det tillfället en kvinnlig

gympaledare på Friskis & Svettis som hette Eva och som extra-
knäckte som optimistkonsult (jo, hon kallade sig så, på fullaste
allvar). Min förre chef Jerker på Kommunikatörerna, som var
en mycket behagligare man än Kent men extremt konflikträdd,
hade hyrt in henne till en kickoff på en kursgård i Skanör. Evas
uppgift var att under en heldag sprida positiva vibrationer och
frammana vi-känslor i den något splittrade personalgruppen.
Det var på den tiden då små och medelstora företag fortfarande
ansåg sig ha råd med den typen av flummiga investeringar i "hu-
mankapitalet".

Eva inledde med en powerpointpresentation där hon visade
bilder på glada människor som gjorde "positiva saker" tillsam-
mans, ackompanjerade av musik. Några promenerade i natu-
ren till tonerna av Griegs "I Bergakungens sal", andra svettades
och log under ett spinningpass på motionscyklar (naturligtvis i
Friskis & Svettis regi), ivrigt påhejade av George Michael och
"Wake me up before you go-go".

Sedan kom en serie bilder på ett ungt, vackert par som lagade
god och sund mat inspirerade av Bruce Springsteens "Hungry
heart". Maten sköljdes ner med ett (men endast ett) glas rött
vin vardera, ledsagat av Édith Piafs "La vie en rose". Därpå åt
de mörk choklad och lyssnade på Umberto Tozzis "Ti amo", el-
ler om det var Eros Ramazzottis "Più bella cosa", innan de av-
slutningsvis låg med varandra. (Just den bilden visade två par
fötter i missionärsställning som stack fram under ett täcke, och
musiken som spelades var "Teach me tiger" med April Stevens.)
Alla dessa aktiviteter hade enligt optimistkonsulten Eva en ge-
mensam nämnare: de frigjorde endorfiner som fick människor
att må bra.

Det var inte alldeles enkelt att se kopplingen mellan den
kakaoeggade herdestunden under täcket och en god stämning
på vår arbetsplats, vilket någon också påpekade lite spydigt. Men

det bekymrade inte Eva ett ögonblick. Hon sa bara att vi skulle ta av oss våra tunga ryggsäckar fyllda med intellektualiserat gods och istället släppa fram de fria, lätta tankarna och känslorna.

Därefter fortsatte hon raskt med ett "gruppdynamiskt grupparbete". Vi delades in i två jämnstora grupper, där vi fick säga vilka djur vi tyckte de övriga gruppmedlemmarna påminde om och vilka karaktärsegenskaper dessa djur besatt. Det var det optimala sättet att teambilda på, underströk hon.

Eva hamnade i min grupp, där det förekom en hel del ironiska elakheter, framför allt mellan mig och en betydlig yngre kollega vid namn Christoffer, som var en utstuderad streber. Jag liknade honom vid en hyena ("de är ju briljanta på att arbeta i grupp men samtidigt väldigt självfokuserade när bytet ska delas") medan han i mig såg ett vietnamesiskt hängbuksvin ("de lär vara mycket tillgivna och mycket matglada och så gillar de att sova").

När det blev Evas tur tyckte hon att Christoffer påminde om en hjort ("snabb, muskulös och med vassa horn") medan jag var en tiger ("stark, självständig och livsfarlig under den lugna ytan").

Eftersom tigern äter hjortar till lunch och eftersom tigern är själva sinnebilden för manlig potens (tänk på kineserna som betalar fyrtiotusen spänn för en ljummen soppa gjord på hackad tigerpitt), och eftersom Eva inte bara hade spelat "Teach me tiger" till bilderna av de kopulerande fötterna utan också sett lite djurisk ut när hon sa att jag var som en tiger, kände jag mig oerhört smickrad och kontrade med att hon var lika vacker och fri i sin själ som en vildhind.

När vi kom till den gamla beprövade tillitsövningen från tidigt sjuttiotal, där man ska falla handlöst baklänges och fångas upp av personen som står bakom, parade hon ihop sig själv med mig. Hon föll och jag höll henne i ett stadigt grepp länge. Jag föll och hon höll mig i ett ännu stadigare grepp ännu längre (hon var som sagt gympaledare och mycket stark och vältränad).

När dagen var slut tackade jag Eva för det otroligt inspirerande programmet. Hon log och sa att det var ett nöje att arbeta med en så mottaglig man. Sedan tryckte hon diskret en lapp med sitt mobilnummer i handen på mig och försvann från kursgården med en blinkning.

Jag tror att manliga soffpotatisar utövar en speciell dragningskraft på vältränade kvinnor. Ungefär som när sjuksköterske-typerna faller för missbrukare. Det handlar om kvinnors behov av att försöka rädda och omvända förtappade själar.

Ett par dagar senare ringde jag Eva. Hon lät uppriktigt glad och bjöd genast in mig till ett av sina gympapass, svårighetsgrad lätt. Det var jag och tre gravida kvinnor samt en skakande man i sjuttiofemårsåldern, som måste ha befunnit sig i förstadiet till Parkinsons sjukdom. Det kändes lite förnedrande, men Eva sa att man måste börja försiktigt när man tränar, och inte trötta ut sig, för då tappar man bara motivationen. Sedan gick vi hem till henne och åt en näringsrik spenatlasagne, som vi sköljde ner med slånbärsjuice istället för vin eftersom det var mitt i veckan. Jag hade ändå räknat med lite choklad och sex under täcket, men det blev morotskaka och örtte framför teven istället.

Vi träffades flera gånger och konceptet var ständigt detsamma. Först lättgympa och sedan lättmat. Inget vin och inget sex. Det där djuriska intrycket som Eva gjort på mig under kursdagen i Skanör såg jag inte röken av. Förrän jag började sms:a till henne. Då förvandlades hon helt plötsligt till en Friskis & Svettis-variant av Anaïs Nin, och skrev långa textmeddelanden om allt från kaloriförbrukning vid samlag till gymnastiska sexställningar som var speciellt endorfinfrigörande.

Jag tänkte att nu jäklar bjuder hon äntligen upp till dans, och replikerade med utmanande sms där jag inte bara prisade hennes vältränade kropp, om man säger så. Nästa gång vi sågs försökte jag omsätta Evas teorier i praktik, men kom inte längre än till tjugo sekunders smek utanpå hennes kläder i tevesoffan innan hon reste sig och gick ut i köket för att koka örtte.

Vi sågs allt mer sällan men fortsatte att sms-flirta. Och där glödde det fortfarande. Det var det som var så sjukt, att vi kunde skriva nästan vilka snuskigheter som helst till varandra då vi sms:ade, för att sedan bara sitta och hålla handen och titta på "Så ska det låta", Evas absoluta favoritprogram, när vi träffades.

Ju längre tiden gick mellan våra fysiska träffar, desto mer övertygad blev jag om att förhållandet var på väg att självdö. Men så en kväll ringde det på dörren och utanför stod Eva med en halvflaska mousserande vin i handen och en röd ros, som hon räckte över till mig med ett leende som försökte vara skälmskt men mest såg skrämt ut. Det var sista chansen, jag tror att vi båda insåg det.

Och det var kanske därför som det gick åt pipan. Efter vinet drog vi oss pliktskyldigt in i sovrummet och försökte vara lite djuriska. Men tigern i mig svek. Jag klarade inte av att få upp den, och Eva gjorde inga allvarligt menade försök att hjälpa mig på traven. Så vi hamnade framför teven som vanligt. Men den här gången drack vi i alla fall kaffe. Efter sena *Rapport* gav hon mig en puss på kinden och gick hem. Det var sista gången jag såg henne.

Jag vet fortfarande inte vad det var som gick snett mellan oss. Kanske var jag för het på gröten i början. Kanske var hon bränd efter någon tidigare relation eller händelse, och jag var för okänslig för att känna av det.

Skulle jag ha gett henne stora fång med röda rosor? Sagt att jag älskade henne? (Vilket hade varit en lögn, men det skulle jag ha kunnat leva med.) Klätt mig i någonting annat än en urtvättad T-shirt och ett par för korta shorts när jag gick på hennes lättgympapass?

Eller skulle jag ha låtit Eva försöka omforma mig? Kanske hade hon en plan som gick ut på att först träna upp och banta ner mig till en riktig hunk innan det var dags för oss att idka djuriskt sex. Men jag gick inte ner ett gram i vikt under vår så kallade romans. Mellan de lusiga gympapassen struntade jag fullständigt i hennes motions- och kostråd. Någonstans i bakhuvudet malde säkert Mia också, även om jag aldrig ville erkänna det.

En sak lärde jag mig i alla fall av mitt sms-sex-förhållande med optimistkonsulten, och det var att aldrig övertolka en kvinnas djuriska inviter och att aldrig själv snacka och skriva om sex innan kläderna har fallit.

Den här gången skulle jag också försöka dra lärdom av den tidigare oförmågan att gå ner i vikt. Inte för att Preeti nämnt någonting om mina överflödskilon, men jag tänkte förbättra mina odds så mycket det överhuvudtaget gick nu när jag för första gången efter Mia var kär på riktigt. Lämna så lite som möjligt åt slumpen. Finslipa detaljerna som en romantikens Gunde Svan.

Mina träningsrutiner hade tyvärr rubbats en aning i samband med den vilda holifesten. Å andra sidan hade det fortsatt låga intaget av uteslutande vegetarisk föda gjort underverk med figuren. Koma, förälskelse, värme och avsaknad av Ben & Jerry's är en bra bantningskombination, konstaterade jag när jag stod framför spegeln och betraktade min kropp.

Jag försökte mig på en ärlig analys. Kunde jag gå ner ytterligare sex eller sju kilon genom träning och kostkontroll skulle jag nästan se normalviktig ut. Och det vore i så fall ingen dålig bedrift av en man som burit på en lönnfetma i minst tio år.

Yogis motionsiver störtdök emellertid redan efter vårt första besök på Hotel Hyatts gym. Min vän hade istället börjat ägna sig åt stillasittande yoga tio minuter varje morgon, vilket han påstod var den bästa metoden för att kontrollera såväl kroppsvolymen som aptiten, enligt devisen att andlig spis också gör en mätt.

Det märktes ännu inte, vare sig vid matbordet eller på hans midjemått. Men Yogis rondör var av det klädsamma slaget. Liksom det finns vackert voluminösa kvinnor finns det män som bär sin övervikt med ackuratess. Yogi tillhörde den gruppen.

Själv tillhörde jag numera den förvirrade samling av förälskade medelålders män som inte kan somna på grund av alla tankar och känslor som bombarderar dem. När jag sent på måndagskvällen låg i sängen och vred mig i mina svettiga sängkläder kom det ett sms från Preeti.

"Good night."

Två små ord som utlöste en stor fet endorfinkick. När visselpipsterroristen gick förbi utanför mitt sovrum steg jag upp ur sängen och öppnade fönstret.

"Good night!" ropade jag ut i mörkret, varpå hundarna började yla. Ett mycket brett leende spred sig över mitt ansikte.

32

Vårvärmen hade kommit till Delhi. För en ovan nordbo framstod den snarare som rena ökenhettan. Termometern klättrade upp över trettiofemgradersstrecket mitt på dagen, och från Rajasthan blåste det in en knastertorr vind som förde tankarna till en hårtork.

Alla luftkonditioneringsapparater som stått avstängda i månader skulle plötsligt börja arbeta för högtryck, vilket överbelastade elnätet i området så att strömmen gick i parti och minut. Varje gång slogs reservgeneratorn på automatiskt och fick hela huset att vibrera, samtidigt som dieselröken sipprade in genom gliporna i fönstren. Inne på min toalett, som låg just innanför det oljestinkande plåtschabraket, luktade det som i maskinrummet på ett fartyg.

I vardagsrummet, där den ständigt frusna mrs Thakur framlevde sina dagar, var dock såväl luftkonditioneringen som fläktarna i taket alltjämnt avslagna. Det var först när temperaturen steg till fyrtio grader som tanten behövde lite svalka, förklarade hennes son. Hon bar fortfarande sin noppiga kofta men hade lagt undan de handkardade ullstrumporna till förmån för ett par sandaler, och det var enligt Yogi ett av de säkraste vårtecknen i Delhi.

Ett annat var apornas ökade hunger. Yogi hade som rutin att ett par gånger i månaden åka in till kvarteren runt parlamentet och försvarsmaktens byggnader i centrala Delhi för att mata de skränande rhesusapor som uppehöll sig där. Nu var det åter dags, och han propsade på att jag skulle följa med.

Jag hade egentligen planerat för en eftermiddag med motionssim i Hotel Hyatts sköna swimmingpool, men lät mig övertalas av Yogi när han sa att det var av största vikt att jag visade aporna respekt inför mitt möte med Preeti nästkommande kväll.

"Bada kan du göra imorgon. Aporna behöver oss idag eftersom det är så varmt att inga andra orkar mata dem. Och du behöver aporna så att dina stjärnor på himlavalvet lyser som gynnsammast över dig. För det vet du ju vid det här laget, mr Gora, att det var apguden Hanuman som hjälpte högt ärade Rama att hitta sin älskade Sita som hade kidnappats till Sri Lanka av den fruktade demonen Ravan", rabblade Yogi i den formel som jag uppfattade som hans religiösa mantra.

"Men först måste du försöka ordna till bästa intervjun med Shah Rukh Khan. Det är hög tid nu", fortsatte han.

Yogi hade gjort det inledande förarbetet och lokaliserat Bollywoodstjärnans produktionsbolag. Via husets nyckfulla internetuppkoppling lyckades jag skicka iväg ett mejl med en artig förfrågan om en intervju. Jag hyste inga större förhoppningar om ett positivt svar, men det kändes ändå bra att ha gjort ett första, någorlunda allvarligt menat försök.

På grund av värmen bytte jag ut mina långbyxor mot ett par luftiga bermudashorts, som jag hade haft med mig hemifrån. När Yogi fick se mig i dem skrattade han till.

"Vad är problemet?" sa jag.

"Det är väl på det hela taget inga större problem men om det finns något problem så är det i alla fall inte mitt", sa han och pekade glatt på mina kortbyxor.

"Vad är det som är så roligt med dem?"

"Allt, skulle man kunna säga. Men framför allt längden. Om du nödvändigtvis ska bära denna typen av byxor krävs ett par rejäla knästrumpor till, så att du åtminstone ser lite engelskt kolonial ut. Nu blir det liksom varken fågel eller fisk."

"Byxorna är för långa, menar du?"

"Snarare för korta. Du vet, mr Gora, här i Indien är det bara småpojkar och män från söder med sina lungikjolar som inte har vett att klä sig i riktiga byxor med ben."

"Så du tycker jag saknar vett?"

"Inte alls. Du är ju en gora, mr Gora, och som sådan har du inga obligationer att följa det indiska klädmodet för fullvuxna män. Men om du ändå frågar mig om ett råd tycker jag att du ska välja byxor med ben. Det är också så oändligt mycket skönare i den här värmen."

"Det kan det väl ändå inte vara?" protesterade jag.

"Absolut! Med den långa byxans hjälp skyddar du dina ben undan solens obarmhärtiga hetta. Allra bäst är såklart en sval kurta pyjama, men det är en dräkt som ger ett något farbroderligt intryck. Som den moderna man du ändå är väljer du säkert någonting mera ungdomligt."

Jag orkade inte protestera mer utan bytte till långbyxorna igen. Därefter gav vi oss iväg på en förvånansvärt svalkande rundtur i Tatan, som trots sina många bucklor var utrustad med en välfungerande luftkonditionering. Så småningom hamnade vi på den stora folkliga marknaden i stadsdelen Sarojini Nagar.

"Den fina apmaten ligger ibland under den fula apmaten", sa Yogi och klämde och lyfte på frukterna i stånden med kritisk kännarmin. Bara det bästa var gott nog åt hans vänner.

Jag var inställd på att vi skulle köpa några klasar bananer, men det blev inte mindre än fyrtio kilo frukt, och Yogi var mycket noga med att jag betalade hälften. Vi stuvade in kassarna i baksätet och fortsatte vår färd.

När vi kom fram till en av kolonierna med apor bakom presidentpalatset blev Tatan snabbt begravd under ett berg av tjattrande primater. En uniformerad vakt med bambukäpp nickade igenkännande åt Yogi och vände sedan på klacken och gick därifrån.

"Egentligen är det förbjudet att mata dem", sa Yogi.

"Varför det?"

"Därför att vår vice borgmästare i salig åminnelse, som bodde alldeles här intill, dog för en tid sedan när han skrämdes av aporna och föll ner från sin balkong. Det var ju synd om honom men knappast apornas fel. De ville honom inte det minsta ont utan bara se hur flott han bodde, det är jag hundraåttio procent säker på. Så alla goda vakter vet att titta åt det andra hållet när jag kommer. Bara dårar trilskas med gudar."

Yogi öppnade dörren och lassade ut två kassar med frukt på gatan. Efter mindre än en halv minut fanns bara bananskalen kvar.

"Se så hungriga de stackarna är. Och det finns många fler i kvarteren runtomkring så jag tror vi måste köpa lite bröd åt dem också."

Lite bröd var i detta sammanhang detsamma som trettio limpor skivad formfranska, som vi inhandlade i en affär i närheten. Sedan cirklade vi runt i området under en timme och utfodrade aporna med frukt och bröd.

På vissa ställen satt djuren i stora klungor på trottoarerna och väntade på oss, medan Yogi på andra platser fick locka fram dem med ett rop som lät som om det kom ur halsen på en brunstig gorilla. Jag hade varnats i min guidebok för att Delhis apor kunde vara aggressiva, men inför Yogi visade de inte några sådana tendenser. De verkade förstå att de skulle få sin mat utan att behöva rycka den ur händerna på den knubbige mannen med de stora snälla ögonen. Och eftersom jag var tillsammans med honom betraktade de uppenbarligen även mig som en vän.

"Nu har vi gjort en av dagens bästa insatser", sa Yogi när maten var slut och aporna mätta och belåtna. "Samtidigt har vi visat den största respekten för gudarna, så att det må gå oss väl i våra nuvarande liv och alla de andra liv som därpå ska följa."

Jag gillade Yogis praktiskt tillämpade gudstro, där ett offer till Hanuman blev en brakfest för utsvultna apor. Men det fanns någonting i hans religiositet som ibland störde mig, som det där att det alltid skulle följa en belöning på en god gärning. Och även om det var synd om de undernärda aporna fanns det ju samtidigt massor med fattiga och hemlösa människor i Delhi. Vore det inte bättre att utfodra dem istället?

Innan jag hunnit ställa frågan gav Yogi mig sitt svar. Vi körde vidare till Old Delhi, där han köpte tvåhundra portioner grönsakscurry och chapati från ett gatukök som vi sedan delade ut till hungrande människor som hade samlats utanför ett tempel. Det visade sig vara byggt till just apguden Hanumans ära. Jag var stum av förundran.

"Det hör ihop", sa Yogi när vi åter satt i bilen. "Man kan inte skilja djur från människa och människa från gud och gud från djur. Allting hör ihop och går runt i största och rundaste cirkeln. Och det är bara genom att göra det bästa vi kan mot varandra som vår karma kan växa sig så stark att vi kan återfödas i en renare form."

"Jag tror inte riktigt på det där med karma och återfödelse", sa jag.

"Det kommer du att göra så småningom."

"När då?"

"Tja, om inte förr så i ditt nästa liv", sa han med ett finurligt flin. "Men låt oss inte gå händelserna i förväg, mr Gora. Jag vet att det även bland er goras finns många intelligenta filosofer och poeter som på det allra bästa sättet har skrivit och berättat kloka saker. Som carpe diem, till exempel."

"Fånga dagen."

"Absolut! Och kom ihåg att det bara är den som kan fånga en dag och leva i stunden som kan göra gott och växa i karma. Aporna är hungriga idag, liksom människorna här utanför templet. Det är vad du gör idag som du får igen imorgon. Det är endast när …"

Yogi hejdade sig mitt i sitt mässande och ryckte på axlarna.

"Här sitter jag och låter som en skenhelig swami", sa han och öppnade handskfacket med sin patenterade enhandsrörelse. "Lite Blenders Pride skulle inte skada för att balansera det hela."

Jag hällde upp varsin whiskygrogg åt oss, som vi drack medan Yogi med en hand på signalhornet anslöt sig till en stillastående kö. Bredvid oss stod tre idisslande kor och lite längre fram stack ryggen på en elefant upp över biltaken.

"Carpe diem", sa Yogi och smackade med munnen allt medan den rödgula solen sänkte sig över staden och alla dess människor och djur och tutande fordon – medelålders förälskade män icke att förglömma.

Yogis ord ringde i mina öron: "Det är vad du gör idag som du får igen imorgon."

För säkerhets skull vevade jag ner rutan och gav korna några kex att tugga på.

33

Klockan var kvart över sex på onsdagskvällen den 25 mars
när en svartgul Hindustan Ambassador med fransiga gar-
diner i bakrutan äntligen dök upp på gatan utanför huset
i Sundar Nagar. Yogi hade erbjudit sig att köra mig till
Lodi Garden, men eftersom det kändes lite som att bli
skjutsad av sin pappa till en tonårsdejt hade jag tackat nej
och istället ringt efter en taxi. Att nyttja den skvallrige
chauffören Harjinder Singhs tjänster var fullständigt ute-
slutet med tanke på aftonens känsliga natur.

"Hur ser jag ut?" frågade jag Yogi nervöst och kastade
en sista blick i hallspegeln.

Jag var klädd i beigea linnebyxor och en mörkblå, långrandig
skjorta som jag hade köpt tidigare på dagen i en trendriktig bu-
tik i Greater Kailash. Flickan som sålde den hade sagt att den
fick min figur att smalna av. Jag kunde inte bestämma mig för
om jag skulle ta det som en komplimang eller en förolämpning.

"Du ser strålande ut! Som den mest virila av alla virila män",
svarade Yogi och knäppte upp en knapp till i halsen så att ytter-
ligare ett par centimeter av min håriga bringa blottades.

"Indiska kvinnor gillar riktiga män", förklarade han och gjorde
tummen upp.

Jag tog farväl av min vän med ett fuktigt handslag och hastade
ut till taxin. Eftersom den anlänt femton minuter för sent bad
jag chauffören att gasa på, en vädjan som han genast hörsamma-
de utan att ta minsta hänsyn till de farthinder som var avsedda

191

att hålla hastigheterna nere i Sundar Nagar.

Vad bilen anbelangade innebar det inga som helst problem. Den indisktillverkade Ambassadorn såg fortfarande likadan ut som när den introducerades på femtiotalet, och var med sin fantastiska fjädring och generösa chassihöjd som gjord för att klara av landets gropiga grusvägar. Några små vägbulor utgjorde inga hinder.

Då var det värre med mig. Jag studsade upp och ner som en gummiboll i det mjuka baksätet så att huvudet slog i taket gång på gång. Eftersom detsamma var klätt i mjuk filt klarade jag mig undan skallskador, men min minutiöst bakåtkammade frisyr förlorade däremot all fason.

När vi kom ut på den stora vägen hann vi inte mer än ett par kvarter förrän vi fastnade i en bilkö. Nerverna i kombination med värmen fick svettpärlor att tränga fram i pannan.

"Put on the AC, please", sa jag.

"No AC, sir", svarade chauffören kort, och det är exakt det man minst av allt vill höra när man sitter i en kokhet taxi i en bilkö i Delhi på väg till en dejt.

Jag vevade ner båda rutorna i baksätet för att försöka frammana lite tvärdrag, men luften stod alldeles still. En polioskadad tiggare hivade in sin förtvinade arm genom fönstret så att den lade sig som en repstump i mitt knä. Jag lyckades prångla fram en tiorupiesedel som jag gav till honom och sedan vevade jag raskt upp båda rutorna igen.

Nu var paniken nära. Svettpärlorna antog formen av droppar som började rulla nerför tinningarna. Min nyinköpta skjorta kändes plötsligt lika tät och varm som en grodmansdräkt och rumpan var redan svettfuktig av närkontakten med galonklädseln.

Samtidigt slog det mig att jag inte visste någonting om Preeti mer än att hon var gift med en mycket rik och mäktig man och jobbade på en skönhetssalong. Vår sms-trafik hade visserligen varit lovande, men ganska ordknapp. Vi hade inte pratat mer än sammanlagt några minuter öga mot öga och mina minnen från holifesten var alldeles för fragmentariska för att tjäna som underlag för någonting annat än en ytlig beskrivning av henne.

När jag satt där i den ofrivilliga bastun började jag också tvivla på om fnurran på tråden mellan Preeti och hennes man, som jag nästan tagit för given, verkligen existerade. Hennes intresse för mig kunde ju lika gärna bottna i en så simpel och lögnaktig sak som att jag skulle intervjua hennes idol.

En grundläggande förutsättning för att kunna ta reda på hur det förhöll sig med den saken var naturligtvis att träffa henne. Klockan var nu fem i halv sju. Med en falsettanstruken desperation i rösten frågade jag chauffören om det inte fanns något sätt att ta sig ur bilkön.

Han såg på mig med sömniga ögon och svarade att det alltid finns sätt att ta sig ur bilköer, men att det är en fråga om vad kunden är villig att betala för denna service.

Jag viftade med en femhundrarupiesedel, och det var uppenbarligen tillräckligt mycket för att genast sätta fart på honom. Han rusade ut på gatan och började gestikulera och domdera med bilister och rikshaförare samtidigt som han gav några små-sedlar till två män, som genast iklädde sig rollerna som trafik-dirigenter.

En minut senare hade det skapats en liten passage för oss ut till en sidogata som gick genom ett lummigt villakvarter. Chauf-fören drog på i full fart och mutade sig förbi en stängd grind, snirklade sig genom en lokal basar och körde i vägrenen på fel sida av gatan ett par hundra meter med handen på tutan innan han gjorde en tvär gir och landade på parkeringsplatsen utanför Lodi Garden.

Klockan var sex minuter över halv sju. Jag var alltså nästan i tid, men långt ifrån i det skick som jag hade önskat. Svettfläckar stora som lp-skivor hade spridit sig från armhålorna över min nya, trendiga skjorta, och andningen var ansträngd som efter ett maratonlopp.

Jag kammade till frisyren så att det blev någorlunda stil på den igen, steg ur taxin på darriga ben och såg mig ängsligt omkring. Det var nästan så att jag hoppades att hon inte skulle dyka upp.

Efter att ha vankat av och an några minuter på parkeringsplatsen, och hjälpligt fått ner både puls och transpiration, började jag sakta gå in mot parken över en gammal stenbro. Då kände jag plötsligt ett finger i ryggen, och när jag vände mig om stod hon där, lika sval och vacker som jag hade föreställt mig henne, med en ljus och ledig sommarklänning, en grön sjal som täckte axlarna och det tjocka håret samlat i den stilrena knuten i nacken.

Jag log, och hon log så att smilgropen blev synlig, och sedan frågade jag om hon hade för vana att smyga sig på folk bakifrån.

"Jag tycker att det är kul med överraskningar", sa hon och tog några snabba steg över stenbron så att jag hamnade en liten bit bakom henne.

Solen var på väg att gå ner och ett förmildrande skymningsljus sänkte sig över såväl parken som mig. Jag var tacksam över att min mörkblå skjorta kamouflerade svettringarna under armarna och funderade på vad jag skulle säga härnäst när Preeti plockade fram en påse med pistaschnötter ur sin handväska. Hon skalade en nöt och satte sig på huk vid foten av ett eukalyptusträd. Strax pilade en liten ekorre fram och tog den direkt ur hennes hand.

"Titta, vad söt den är när den gnager!" utbrast hon som ett upprymt barn och fyllde ivrigt sin kupade hand med fler pistaschnötter. Inom loppet av några sekunder var hon omringad av ett tiotal ekorrar som oblygt plockade åt sig av godsakerna.

"Det var det bästa jag visste när jag var liten, att mata ekorrarna i Lodi Garden. Min mormor brukade gå hit med mig varje söndag. Först matade vi ekorrarna och sedan åt vi glass."

Hon lät nervös och lite forcerad. Jag tog det som ett gott tecken.

"Vänta lite", sa jag och sprang tillbaka över bron till parkeringsplatsen och det lilla glasståndet på hjul som jag hade sett där. Jag köpte två chokladstrutar från Mother Dairy och återvände till Preeti. Hon skrattade generat när jag räckte över den ena till henne och jag tänkte att det här var en riktigt fin inledningsscen, som hämtad ur en amerikansk romantisk komedi med lyckligt slut. Central Park i New York utbytt mot Lodi Garden i New Delhi, bara.

"Vi skulle också kunna göra det till en vana, att gå hit och mata ekorrarna och äta glass."

Det var kanske i övermodigaste laget, men Preeti skrattade igen och det fick det att kittla behagligt i mina armar och ben. Vi åt glassen medan vi sakta promenerade genom parken, längs en kanal med vita gäss som nästan såg ut som svanar i skymningen och förbi de gamla kupolformade muslimska gravmonumenten, vars siluetter avtecknade sig i skarp relief mot den mjukt orangefärgade himlen.

Lodi Garden var fylld av blomdoft, fågelkvitter och romantik. I mörkret under de lummiga träden och på de parkbänkar som var placerade en bit bort från promenadstråket satt unga förälskade par tätt omslingrade.

"De gömmer sin förbjudna kärlek", sa Preeti och nickade bort mot en flicka som hade krupit upp i knäet på en pojke och lagt sin arm runt hans hals.

"Bakom nästan varenda förstulen kram och puss döljer sig ett kärleksdrama."

"Vad menar du?"

"Antingen vet deras föräldrar inte om att de träffas eller så accepterar de inte deras förhållande. De är kanske av olika kast, eller så är det något annat som inte passar."

"Menar du det?"

Preeti nickade allvarligt.

"Om man är ung och kär i Indien går det mesta av ens tid åt till att smussla och hitta på ursäkter."

Det fanns ett tydligt stråk av indignation i hennes röst som fick mig att misstänka att hon hade egna erfarenheter på området. Jag övervägde om jag skulle fråga henne, men Preeti hade redan bytt ämne och berättade istället om skönhetsmässan i Bangalore, där hon hade knutit kontakter med flera namnkunniga stylister och frisörer från Bombay och även från utlandet, för framtida gästspel i Delhi. Jag hade inte förstått det tidigare, men hon var inte bara föreståndare för skönhetssalongen på Hotel Hyatt utan också dess ägare.

"Jag skulle kunna låta någon annan sköta den dagliga verksamheten. Men jag vill jobba på riktigt och vara en aktiv del av salongen. Annars förlorar man kontakten med verkligheten och missar alla trender och kundrelationer. Det finns alldeles för många välbärgade kvinnor i Delhi som bara sitter hemma och rullar tummarna, som uttråkade kuttersmycken."

"Hur vet du det?"

"För att flera av mina så kallade väninnor tillhör den kategorin. Bittra, arroganta och nuförtiden också väldigt stora. Har tjänstefolk till precis allt och skulle aldrig drömma om att själva köra bil. För mig är det precis tvärtom, jag skulle aldrig drömma om att vara beroende av en chaufför."

Jag nickade eftersom jag inte visste vad jag skulle säga, och drog med handen genom håret, som fortfarande var lätt fuktigt av svett.

"Men nu ska vi inte bara prata om mig. Vad har du gjort sedan vi sågs sist?" frågade hon.

"Först och främst har jag sovit. Festen tog väldigt hårt på mig."

I mina sms till Preeti hade jag inte tagit upp marijuanadvalan, men nu kändes det plötsligt helt rätt att berätta om den.

"Jag sov mer än ett dygn i sträck."

"Skojar du?"

"Nej, det är dagens sanning. Jag hade inte en aning om styrkan i den där bhangen. Den såg ganska oskyldig ut."

"Gröna faran, var det inte det du kallade den?"

"Det gjorde jag kanske, men det minns jag ärligt talat inte. Jag hade en rätt så tung minneslucka där ett tag. Hoppas du ursäktar mig. Det var säkert otroligt pinsamt alltihop."

"Jag tyckte du var väldigt rolig", skrattade Preeti. "Åtminstone tills du somnade in. Dessutom är det holi bara en gång om året och då får man vara hur vild och galen som helst. Hur är det med ditt hår förresten? Sitter färgen kvar?"

Hon strök försiktigt med fingertopparna över mina blöta tinningar. Huden på armarna knottrade sig trots värmen i luften.

"Det är svårt att se i mörkret, men jag tror du har ett stänk rött kvar här. Om du vill kan jag färga över det."

"Gärna. När då?"

"Imorgon kväll, om det passar dig."

"Det gör det absolut."

"Så bra. Kom till salongen kvart över åtta. Efter stängning."

Det går som på räls, hann jag tänka innan Preeti öppnade munnen igen.

"När ska du träffa Shah Rukh Khan, förresten?"

Även om jag hade räknat med att frågan för eller senare skulle dyka upp gjorde den mig illa till mods. Inte bara för att den tvingade mig att ljuga utan också för att det kändes som om Bollywoodstjärnan med den rutmönstrade magen slog in en kil mellan mig och Preeti.

"Det blir nog ganska snart. Hans manager har lovat att återkomma med ett datum den här veckan", sa jag och den här gången rös jag av obehag över mina egna ord.

"Så då stannar du i Indien ett tag till?"

Det förväntansfulla, nästan vädjande tonfallet kvävde effektivt mina olustkänslor.

"Jag håller på att leta efter någonstans att bo. Jag tänker stanna här."

"Ska du bosätta dig i Delhi?"

"Ja, det är min intention."

"Får man fråga varför?"

"Det får man. För att jag trivs här. Och för att du bor här. Jag vill vara nära dig."

Göran Borg, sa jag till mig själv djupt inne i mina vindlande hjärngångar, nu har du släppt garden fullständigt, din gamle tok.

Det sista ljuset från solstrålarna slukades upp av mörkret. Preeti tystnade och såg ner i marken för ett par sekunder, som om hon letade efter någonting i dunklet. Det blev med ens tyst. Fåglarna slutade sjunga och den intensiva trafiken som omringade parken hördes bara som ett svagt brus i fjärran. Sedan tog Preeti min hand.

"Kom", sa hon och drog med mig bort till en ledig parkbänk.

34

Så inleddes mitt förhållande med den vackra skönhets-
salongsföreståndarinnan Preeti Malhotra, på en parkbänk
för förbjuden passion i hjärtat av New Delhi.

Kvällen därpå sågs vi inne i den öde salongen. Jag smög
in genom dörren efter stängning som en inbrottstjuv och
Preeti låste snabbt efter mig. När jag hade satt mig ner i
frisörstolen tonade hon mina tinningar under en tystnad
som var så fylld av febrig väntan att det nästan gjorde ont.
Det var som om vi båda var rädda för att den sköra tråden
mellan oss skulle brista om vi yttrade fel ord.

Sedan älskade vi i soffan inne på hennes kontor, med
en ångande iver som strikt tekniskt knappast gav några stilpo-
äng. Jag fumlade med hennes behå på klassiskt tonårsmanér och
Preetis ena ben fastnade i en krampattack så att vi fick ta en
paus mitt i akten och ägna oss åt några sekunders sjukgymnastik
innan vi kunde fortsätta.

Men det spelade ingen roll. Det var ändå ett av mitt livs bästa
ligg. Efteråt satt vi bredvid varandra och pustade ut. Om jag
fortfarande hade varit rökare skulle jag ha tänt en cigg, och den
skulle garanterat ha smakat gudagott. Det var just ett sådant säll-
synt tillfälle.

"Det var fantastiskt", sa jag och slogs av att det inte lät det
minsta banalt.

Preetis sneda leende tvingade fram hennes smilgrop. Blicken
var glansig och rösten lite bräcklig. Små, tunna rännilar av svett

ringlade sig ner i hennes panna och sögs upp av de tjocka, markerade ögonbrynen.

"Det tycker jag också. Men vi måste vara försiktiga, så att ingen upptäcker oss."

Det löftesrika men samtidigt skrämda i hennes röst fyllde mig med en brinnande otålighet.

"När ses vi igen?"

Hon drog ihop mitt hår i en liten tofs i nacken och log.

"Låter du det växa lite till så kan du skaffa hästsvans. Jag tror att det skulle klä dig."

Det också, tänkte jag. Hon ser det också.

"Jag hade faktiskt hästsvans en gång i tiden. Tycker du inte att jag är lite för gammal och tunnhårig för att börja odla den igen?"

"Jag vet inte hur gammal du är."

"Femtiotvå."

"Då är du fortfarande ung. Bara fem år äldre än jag."

"Du måste skämta. Jag trodde att du var högst trettiofem."

"Du smickrar mig."

"Jag menar vartenda ord jag säger. Du är en fantastiskt vacker kvinna och jag älskar att vara i din närhet."

Hon sänkte generat blicken.

"Jag har lite svårt för den typen av ord. Jag vet inte riktigt vad de betyder."

"Jag kan lära dig. Jag vill inget hellre än lära dig vad de betyder."

"Så du är van vid att säga sådana saker till kvinnor?"

"Det var inte så jag menade."

"Du är gullig när du rodnar."

"Du med."

"Nu låter vi som tonåringar", sa hon och försökte le lite nonchalant och otvunget.

Hon gnuggade sin näsa med handflatan i något som jag uppfattade som nervösa tics. Det var gulligt det också, och helst av allt skulle jag vilja låta mig slukas upp av alla hennes små subtila rörelser och ansiktsuttryck. Men någonting hindrade mig från att ge mig hän och släppa alla bromsar. Till sist kom jag på vad det var. Eller rättare sagt vem.

En formell ton smög sig sakta men säkert in i vårt samtal. Preeti nämnde inte sin man i direkta ordalag, men det var som om hans ande ändå svävade över oss. Hon sa att hon hade en vuxen son som hette Sudir, som studerade ekonomi i Edinburgh och som hon besökte ibland. Jag berättade om mina två barn och att jag var skild sedan flera år. Preeti bet sig i underläppen.

"Vad är det?" frågade jag och strök med handryggen över hennes kind.

"Ingenting."

"Är du rädd?"

"Nej, inte mer än nödvändigt."

"Och vad betyder det exakt?"

"Att vi måste vara försiktiga."

"Det har jag inga problem med. Så när ses vi nästa gång?"

"Dina naglar är fortfarande fina", sa hon och nuddade vid min hand. "Och du har gått ner i vikt. Det klär dig också."

"Nu är det du som smickrar. Men du svarar inte på mina frågor."

Hon reste sig ur soffan och tog på sig resten av kläderna. Min puls bultade hårt i tinningarna. Det kändes som om en migränattack var i antågande.

"Det är inte så enkelt det här, Goran", sa hon och det var första gången som hon försökte uttala mitt förnamn. För ett kort ögonblick fruktade jag att det också skulle bli den sista, men så satte hon sig ner bredvid mig igen och lade sin hand på mitt bara knä.

"Jag vill absolut träffa dig fler gånger, men det måste vara på mina villkor", sa hon.

"Och hur ser de ut?"

"Först och främst måste mötena ske på mitt initiativ. Jag kontaktar dig, inte tvärtom."

Jag sa ingenting men nickade svagt.

"Det är bäst så", fortsatte hon. "Och var snäll och skicka inte fler meddelanden om det inte är som direkta svar på mina. Man vet aldrig vem som råkar läsa dem. Och kom inte hit till salongen om inte jag har sagt att det går bra. Det är så lätt att folk börjar prata."

Så många restriktioner och förbehåll helt plötsligt, tänkte jag. Nu när vi hade passerat gränsen.

"När ses vi då?"

"Om ett tag. Jag kommer att vara lite upptagen framöver, men jag kontaktar dig när jag har tid."

"Jag är inte säker på att jag klarar av en så oviss väntan. Jag vill veta när vi ska ses nästa gång. Blir det om ett par dagar eller om en vecka? Eller dröjer det ännu längre?"

Jag var fullt medveten om att min påstridighet bröt mot alla etablerade raggningsknep, men kände samtidigt att jag inte hade någonting att förlora. För första gången på väldigt länge var jag fullkomligt ärlig både mot mig själv och mot den jag pratade med. Preeti måste ha sett det i mitt ansikte.

"Jag önskar att jag kunde ge dig ett svar, men det går inte. Det enda jag kan säga är att jag vill träffa dig igen. Jag förstår om det inte är tillräckligt för dig och i så fall …"

Hennes avbrutna mening hängde kvar i luften som ett tryckande åskmoln. Mitt huvud sprängde och jag letade efter någonting att säga.

"Kan jag vara säker på att du hör av dig?" frågade jag till sist.

"Det kan du. Tro mig."

35

En vecka senare hade jag ännu inte hört någonting från Preeti. Jag besökte gymmet på Hotel Hyatt regelbundet för att träna, men höll mig borta från skönhetssalongen, som vi kommit överens om. Hon hade lovat att höra av sig och jag kände mig ganska säker på att hon tänkte hålla det löftet. Men vetskapen om att hon kanske befann sig på våningen ovanför gjorde mig sprickfärdig av längtan och frustration.

En del av vanmakten sprang jag bort på löpbandet, som jag åter hade fått lov av förste gyminstruktören att beträda efter min näradödenupplevelse. Jag joggade i ett ganska lugnt tempo men lite längre istället, i akt och mening att fullfölja Operation fettförbränning, som ju inletts så löftesrikt.

Medan jag motionerade tittade jag på den indiska versionen av MTV, där Shah Rukh Khan dök upp med jämna mellanrum i yster massdans à la Bollywood. Jag intalade mig att det var bra att lufta honom som den inre demon han ju utvecklats till. Träbocken Kent och tvättbrädan Shah Rukh Khan. Numera ingick även Preetis man i mitt växande demongalleri, men han var så extremt otäck att jag ännu inte vågade ställa ut honom i full belysning.

Efter träningspasset kopplade jag av i spaavdelningen. Min absoluta favorit bubbelpoolen var tyvärr ofta upptagen av ett gäng omfångsrika indier, som halvlåg i det varma vattnet och glodde på teven som hängde ner från en ställning i taket. Med bukarna guppande som flytbojar på den krusade ytan registrerade de nogsamt börskurserna som rullade förbi i underkanten av rutan under den indiska ekonomikanalens nonstopsändningar, samtidigt som de ringde i sina mobiltelefoner och gav order om vilka aktier som skulle köpas alternativt säljas. Under tiden sprang den underdåniga personalen fram och tillbaka med nimbu pani, frukt, handdukar och affärstidningar. Det verkade vara en bekväm men något vattnig tillvaro att ligga i en jacuzzi halva dagarna och förvalta sin förmögenhet.

Själv skulle jag dock inte tacka nej till lite ekonomisk påbackning. Lyxgymmet var inte billigt, och även i övrigt hade jag lagt mig till med en del dyra vanor, såsom restaurangbesök på femstjärniga hotell (för att äta en köttbit när inte Yogi såg) samt ett omotiverat stort inköp av trendriktiga skjortor i svettkamouflerande färger. Ännu var det långt ifrån någon akut kris, men om jag fortsatte i samma stil skulle mina pengar från Kommunikatörerna inte räcka mer än i högst fyra, fem månader till, med tanke på att jag snart också skulle betala hyra för en lägenhet.

Som arbetslös informatör med en ytterligt osäker framtid hade jag ingen större lust att börja nalla på mitt sparkapital, som dessutom var låst i drygt ett halvår till i ett antal värdepapper som den tidigare kommunisten och numera börsmäklaren Rogge Gudmundsson hade rått mig att investera i. Hoppet stod delvis till kompis nummer två i Malmö, antibantningskrönikören Richard Zetterström, som när han hade hämtat sig efter chockbeskedet att jag tänkte bosätta mig i Delhi lovat att försöka hyra ut min lya vid Davidshallstorg i andra hand.

Jag hade bestämt med Yogi att han skulle plocka upp mig vid hotellets huvudentré klockan tre på eftermiddagen, men ännu vid halvfyratiden hade han inte dykt upp, och han svarade inte på sin mobil. Jag beställde en Cola Light med is i lobbyn och bläddrade irriterat igenom dagens Hindustan Times. Det var långt ifrån första gången som Yogi visade prov på usel tidsdisciplin. Ibland när han ringde och sa att han skulle komma inom tio minuter kunde det ta upp till trekvart innan han behagade dyka upp.

Jag hade förvisso lärt mig att tid var ett tänjbart begrepp i Indien, och i en storstad som Delhi fanns det alltid någon trafikstockning att skylla på när man kom för sent, men den här gången dröjde det till över klockan fyra innan han anlände, och då var jag rejält sur.

"Nu har du snott mig på en timme igen", väste jag ilsket och slog igen bildörren med en smäll.

"Det där måste du ändå ha fått om bakfoten, mr Gora. Saken är väl snarare den att jag har skänkt dig en timme", sa Yogi och tittade på mig med stora troskyldiga ögon innan han körde ut genom hotellets säkerhetsgrind och saluterade vakterna med en honnör.

"Vad svamlar du nu om?"

Yogi såg på sitt armbandsur, tog ett djupt andetag och suckade tungt.

"Låt mig förklara, men då ber jag dig att lyssna med dina bästa och inte dina sämsta öron. Okej?"

"Jag ska försöka, ifall du lovar att hålla dig till ämnet."

"Bra. Om vi som denna gång har sagt att vi ska träffas här på hotellet klockan tre och jag kommer först klockan fyra betyder det att du har fått en timme till ditt eget fria förfogande. Då kan du göra precis vad som faller dig in! Du kan läsa en intressant tidning eller prata med en av de mest spännande människorna bland alla de internationella gästerna här. Kanske dricka ett glas öl eller en kopp italienskt kaffe med sådant där mjölkskum på som du gillar. Det blir en underbar stund som du inte skulle ha fått om jag hade kommit i tid, för då skulle du ju ha behövt ägna all din uppmärksamhet åt mig. Alltså kan man säga att du har vunnit en timme."

"Man måste lyssna med väldigt goda öron för att ta till sig det där", muttrade jag.

"Då var det ju bra att du gjorde det. Dessutom har du även i alla övriga hänseenden anledning att genast befria ditt annars så vackra ansikte från den trista uppsyn som nu misskläder det. För jag kommer med goda nyheter!"

Yogi berättade att han hade fixat fram en tvårumslägenhet till mig genom en bekant till familjen. Jag fick genast dåligt samvete för mitt surande, men blev framför allt glad. Den allra bästa nyheten var hyran, som låg på niotusen rupier i månaden, vilket inte var mer än femtonhundra spänn. Med tanke på att jag hört mäklare nämna fantasisummor på upp emot hundrafemtiotusen rupier i månaden, med krav på ett halvt års förskottsinbetalning, för en tvåa i Sundar Nagar lät det nästan för bra för att vara sant. Men Yogi framhärdade i att bostaden var alldeles utmärkt för mina ändamål. Dessutom tyckte han inte att jag skulle ödsla mina surt förvärvade slantar på att göda husägarna i Delhis mer fashionabla stadsdelar.

"Vi tjänar redan mer än tillräckligt."

Solen gassade från en molnfri himmel när vi tjugo minuter senare körde in genom grinden till bostadsområdet RK Puram. Yogi var speciellt nöjd med namnet. RK var en förkortning av den helige swamin Ramakrishna, som gett upphov till den världsomspännande religiösa missionsrörelsen med samma namn. Men bokstäverna RK kunde också läsas åtskilda som initialer för Rama och Krishna, vilka Yogi jämte apkonungen Hanuman höll allra högst bland de tre miljoner hinduiska gudarna och deras minst lika många inkarnationer.

"Det är ett av de bästa tecknen som vi har väntat på!"

"Nu hänger jag inte riktigt med."

"Men kära mr Gora, ser du inte mönstret? Allting hänger ihop. Rama talar till dig, det är han som är din inre gud!"

"Och vad grundar du det på?"

"Det är ju så att hans namn alltid dyker upp i mitt huvud när jag pratar med dig om demoner och apor och allt annat som finns i vår värld av ljus och mörker. Och nu har du fått bästa bostaden i Ramas eget kvarter! Och då kan det mycket väl stämma som jag misstänkt, nämligen att den vackra Preeti är en symbol för den vackra drottningen Sita."

"Som var högt ärade Ramas hustru och som kidnappades till Sri Lanka av den fruktade demonen Ravan men räddades därifrån med hjälp av apguden Hanuman", replikerade jag som ett rinnande vatten.

"Precis! Du har lärt dig din gudaläxa."

Jag drog på munnen åt min väns hejdlösa associationsbanor.

"Men om jag är Rama så är väl du Hanuman?"

"Du ska inte häda", svarade Yogi med sträng röst. "Vi är bara människor! Men gudarna och deras inkarnationer lever i oss, och om det är så att Hanuman har hittat en plats i mitt hjärta så skulle jag bli den lyckligaste av männen på jorden."

Jag valde att inte fortsätta den gudomliga diskussionen med den gudomlige textilexportören ifrån Delhi utan koncentrerade mig istället på att insupa atmosfären i RK Puram Sector 7, som denna del av det gigantiska bostadsområdet i södra Delhi hette.

Det var verkligen lugnt och fridfullt här, med en hel del grönska insprängd mellan de skokartongsaktiga fastigheterna. En äldre kvinna satt på en stol i skuggan under ett träd och borstade sitt långa hennafärgade hår och på den uttorkade gräsplätten framför henne spelade några pojkar cricket utan att förta sig.

Avfallshögar med plastpåsar och annat skräp som låg i prången bakom de mer luggslitna huskropparna i kvarterets ytterkant skämde intrycket en aning, liksom de gropar i marken som grävts upp lite varstans. Men på det hela taget såg det riktigt trevligt ut i RK Puram Sector 7 denna varma och sömniga eftermiddag.

En ensam grönsaksförsäljare med cykelkärra trampade förbi oss i långsam takt och skrek ut sitt *Saaaabzeeeeleeelee* utan att det aktiverade kvarterets hundar, som låg kvar och tryckte under de parkerade bilarna för att undslippa den infernaliska hettan.

Yogi parkerade utanför ett rött tvåvåningshus, där en uniformerad vakt stod beredd med nyckeln. Han visade oss uppför trappan och öppnade dörren in till lägenheten, som var tryckande varm och instängd. Luftkonditioneringen fungerade inte, men när vi hade fått igång fläktarna i taket gick det i alla fall att vistas därinne.

Någon lyxlya var det definitivt inte. Min stereo och teve från Bang & Olufsen skulle inte passa in, om man säger så. Men bostaden hade en viss spartansk charm som tilltalade mig med sina två mörka rum i fil, en kokvrå, ett litet badrum med dusch samt en toalett (som visserligen utgjordes av ett hål i golvet, men det var å andra sidan ett osedvanligt fräscht hål). Färgen på väggarna hade krackelerat en aning och i taket syntes en gammal fuktfläck, men det var mindre defekter, som en målare lätt skulle kunna åtgärda. Om man bara fick ordning på luftkonditioneringen skulle det absolut funka att bo här, tänkte jag. Det som saknades var möbler, kylskåp, spis och kanske en teve.

"Du kan få några av våra begagnade stolar och vi har också en fin säng och mjuk soffa. Allt det andra du behöver finns på bästa elektriska marknaden i kvarteret intill", sa Yogi.

Det som slutligen övertygade mig om lägenhetens potential var den lilla takterrassen som hörde till. Den var inte mer än cirka femtio kvadratmeter stor, och upptogs till hälften av två vattenbehållare och ett rostigt gammalt reservaggregat, men resten av ytan låg inbäddad i skön skugga under ett stort banyanträd.

Två gamla korgstolar och ett litet plastbord stod där redan och jag noterade till min glädje att det även fanns plats för att sätta upp en hängmatta.

"Jag tar den", sa jag till Yogi, som sprack upp i en belåten min.

"Det här blir som ett helt nytt liv för dig!"

"Redan? Jag har ju inte dött än."

"Nu var du i alla fall rolig på det allra bästa sättet", skrattade han.

Något kontrakt behövde jag enligt honom inte skriva under, och det räckte med en månads förskottsinbetalning av hyran, eftersom värden var en gammal vän till familjen. Vakten gäspade och överräckte nyckeln till mig. I all sin prosaiska enkelhet kändes det högtidligt. Nu var jag dilliwala på riktigt.

"Du kan flytta in om ett par veckor."

"Jag hade hoppats ännu tidigare", sa jag.

"Tålamodets mästare", mumlade Yogi men tog genast upp sin mobiltelefon och började ringa runt för att organisera flytten. Inom loppet av en halvtimme var allting bokat. En målare skulle stryka på färgen under morgondagen, dagen därefter skulle en elektriker gå igenom elinstallationerna och reparera luftkonditioneringen, och efter att tjänsteflickan Lavanya städat ur lägenheten över helgen och en inhyrd åkare transporterat dit de begagnade möblerna på måndagen skulle jag kunna flytta in redan om fem dagar.

På vägen tillbaka till Sundar Nagar fullbordades min glädje av ett inkommande sms från Preeti med en fråga om jag ville träffa henne i Lodi Garden på torsdag om precis en vecka, klockan sju på kvällen.

"Bättre att vi ses hemma hos mig. Samma dag och tid", skrev jag med bubblande glädje och bifogade min nya adress.

Preeti svarade direkt med ett "okej" och en smiley, och jag tänkte att nu går det inte bara framåt, nu går allting min väg. Efter alla år präglade av bitterhet och misslyckanden hade vinden vänt på allvar.

Jag kände mig odödlig. Världen var min, och kärleken och framgången, i evighet. Eller åtminstone ett tag till.

Amen.

36

"Carpe diem!"

Jag gnuggade nattgruset ur ögonen och satte mig nymornat upp i sängen. Den exalterade rösten tillhörde Yogi, som hade stuckit sitt klotformade huvud innanför dörren. Innan jag hann säga någonting hade han tagit tre stora kliv in i sovrummet.

"Nu, mr Gora! Nu har du fått ett av ditt livs allra underbaraste chanser!" utropade han entusiastiskt. "Nu ska du fånga dagen! Nej, ännu bättre än så. Du ska fånga Shah Rukh Khan och du ska göra det idag. Carpe diem! *Challo!*"

Så här låg det till: I Yogis stora, vittgrenade kontaktnät ingick en kanadensisk frilansjournalist baserad i New Delhi som hade informerats om min önskan att få träffa Bollywoodstjärnan. För ett par dagar sedan hade journalisten skickat ett mejl som Yogi inte hade läst förrän nu på morgonen. Det innehöll uppseendeväckande information. Mr Sixpack skulle just denna onsdag, som tillika var min stora inflyttningsdag, ge en presskonferens exklusivt för medlemmarna i Foreign Correspondents' Club här i New Delhi. Stjärnan var ändå på plats i huvudstaden för ett reklamuppdrag och tänkte ta tillfället i akt att berätta för de utländska korrespondenterna om sin medverkan i en kommande storfilm av Oliver Stone om mogulhärskaren Akbar den store. Khan hade fått huvudrollen, vilket förhoppningsvis skulle innebära det genombrott i Hollywood som ännu saknades i hans annars så lysande karriär.

"Presskonferensen är klockan tre i eftermiddag. Nu kan du äntligen få din exklusiva intervju med bästa Bollywoodstjärnan!" Jag såg genast två betydande problem:

1. På presskonferenser ges i regel inga exklusiva intervjuer.
2. Jag var inte medlem i Foreign Correspondents' Club.

Yogi avfärdade mina invändningar med sedvanlig optimism. Jag var ju ackrediterad Senior Correspondent med fint presskort från chiliorganisationen ICTO, och det där med att få en egen stund med Shah Rukh Khan skulle säkert lösa sig när han väl såg vilken förträfflig journalist jag var.

"Och jag kan hjälpa dig och prata lite fina ord på hindi med honom så att han blir på det gladaste humöret!"

Jag böjde mig för Yogis argument. Hans positiva inställning och mitt nuvarande flyt kändes som en svårslagen kombination. Om jag överhuvudtaget skulle ha en chans att få några ord med Shah Rukh Khan så var det idag. Carpe diem.

Klockan halv tre parkerade vi bilen utanför Foreign Correspondents' Club, som låg i en patinerad villa inbäddad i grönska mittemot det stora mässområdet Pragati Maidan. Från porten ringlade sig en kö på säkert ett femtiotal sommarklädda journalister. Uppsynen hos den långe, rödlätte man som stod bredvid en kort, mörkhyad vakt och kontrollerade presslegitimationerna bådade inte gott.

"Det här kommer inte att funka", sa jag till Yogi, som svarade med att ge mig en uppmuntrande knuff i ryggen.

Jag ställde mig i kön och Yogi fyllde på bakifrån. När det blev min tur räckte jag över det gula presskortet och försökte att se just så världsvan ut som jag inbillade mig att en Senior Correspondent borde göra. Den rödlätte mannen vände och vred på presskortet ett par gånger.

"Du är inte medlem här, va?" sa han med utpräglad brittisk accent.

"Jag har inte hunnit bli det än."

"Tysk?"

"Nej, svensk."

"Vilken tidning?"

"Frilans."

"Okej. Men se till att ansöka om medlemskap till nästa gång", sa han och nickade åt mig att fortsätta in.

Jag blev så överraskad över att presskortet fungerat att jag glömde bort steg två i vår plan. Yogi knuffade mig åter i ryggen, nu mer bryskt.

"Öh, visst ja. Fotografen här är med mig", sa jag nonchalant och pekade med tummen på Yogi, som höll upp min lilla kamera som ett kanske inte alldeles övertygande bevis på att han tillhörde yrkeskåren.

Den rödlätte gav honom en avmätt blick.

"Har du presskort?"

"Absolut, sir! Men tyvärr har jag glömt det på kontoret."

"Då får du åka och hämta det."

"Det hinner jag inte, sir. Kontoret ligger i Noida och det tar över en timme bara att köra dit."

"Det är inte mitt problem."

"Men kanske det går att lösa ändå, sir. Jag känner mr Bill Lancaster, Kanadas allra bästa reporter och min högst ärade vän, som är respekterad medlem i denna förnämliga klubb. Han är kanske här idag och kan intyga att jag är fotograf. Kanske kan ni eftersöka honom?" föreslog Yogi.

"Jag har inte sett honom och det spelar ändå ingen roll. Det är inte Bills pressleg jag vill se, det är ditt. Och även om du har ett så är du i alla fall inte medlem. Så gör oss alla en tjänst och stick härifrån."

"Men, sir …"

"Är du döv? Vi tar bara in riktiga journalister. Det här är ingen tillställning för Shah Rukh Khans indiska fans", väste den rödlätte och såg med förakt på Yogi innan han vände sig mot mig.

"Jag ska ge dig ett litet tips", sa han med sänkt röst. "Här på FCC är vi dödligt trötta på alla indiska journalistwannabees som försöker nästla sig in. Fresta inte mitt tålamod fler gånger om du vill att din medlemsansökan ska behandlas välvilligt."

Att Yogi nekades tillträde kunde man ju egentligen inte säga något om. Hans vita lögner nådde just denna gång knappast upp till några raffinerade höjder. Men den rödlättes nedsättande attityd gentemot honom, med den omisskänneliga odören av kolonialt förakt, gjorde mig förbannad. Yogi mötte min blick och blinkade överslätande. Jag tänkte på Preeti, svalde vreden och följde strömmen av människor genom den främre trädgården och vidare in i klubbhuset.

Den trögt flytande floden av pressfolk förde mig via en korridor till ett stimmigt rum som visade sig vara klubbens bar. Murvlars törst är universell, tänkte jag och beställde en kall Kingfisher. Snart var jag inbegripen i ett samtal med en spansk journalist som berättade att hon var i Indien för att bevaka det stundande parlamentsvalet, men tänkte ta en liten paus från politiken och skriva en artikel om det fascinerande fenomenet Shah Rukh Khan. Därefter växlade jag några ord med en fransk filmfotograf vid namn Jean Bertrand, som att döma av sitt fårade ansikte var närmare sextio än femtio. Han såg ut som en övervintrad hippie från Goa med det långa, grå, stripiga håret samlat i en hästsvans och en handrullad cigarett som liknade en joint instucken bakom ena örat. Fransmannen hade precis varit i Pakistan på sitt femtioelfte självmordsliknande uppdrag och påstod att han var totalt ointresserad av Shah Rukh Khan.

"Men jag behöver träffa lite folk och dricka några öl innan jag ger mig ut i skiten igen. Ska följa en grupp talibaner i Afghanistan nästa vecka", sa han och tömde resten av sin Kingfisher i en lång klunk.

Den rödlätte uppenbarade sig i dörren och såg ut över församlingen med viktig min.

"Vem är det?" frågade jag fransosen.

"Jay Williams, även känd som den arroganta Gåsen från London. Journalist på Financial Times och president i den här klubben. Förstår inte vad han gör i Indien eftersom han verkar hata alla indier som inte är väldigt rika eller väldigt berömda. Men Gåsen kommer garanterat att ryka vid nästa medlemsval. Och han skulle lika garanterat ha skitit tarmarna ur sig redan efter en halvtimme i Swatdalen."

Gåsen påkallade vår uppmärksamhet med ett utdraget och extremt uppnäst *"Laaadies and Geeeentlemen, pleeease!"*.

När stimmet hade reducerats till ett svagt sorl fortsatte han:

"Mister Khan anländer om cirka femton minuter, så jag får be er att redan nu förflytta er in i den bakre trädgården där presskonferensen kommer att äga rum. Ni som inte har intagit era platser inom tio minuter får inget tillträde. Baren är från och med nu stängd i en timme."

"Jävla fascist", väste Jean Bertrand och lyckades utverka en sista öl innan bartendern slog igen sin verksamhet.

37

Fem minuter senare satt alla journalister uppradade på stolar i trädgården, som var övertäckt med en stor tältduk. Fläktar med vattenpuffar spred en behaglig svalka och det var tur, eftersom det dröjde ytterligare en halvtimme innan Shah Rukh Khan äntligen äntrade podiet under en kanonad av fotoblixtar.

Han var lite kortare än jag hade väntat mig, men väldigt karismatisk. Efter att ha hållit en inledning på ett par minuter om sin roll i den nya Oliver Stone-filmen tackade Gåsen honom i en fjäskande tirad av hedersbetygelser, innan han med en sträng blick ut över oss betonade att mr Khan bara svarade på frågor som var relaterade till hans arbete som filmskådespelare.

"Så strikta behöver vi väl inte vara", sa Tvättbrädan, varpå Gåsen totalt tappade sin redan från början flyende haka och aldrig riktigt hittade den igen.

Nu hjälpte det inte nämnvärt, eftersom Khans tidsschema var så hårt pressat att han bara hann med ett trettiotal frågor. Ingen av dem kom från mig, trots att jag satt och viftade med min kulspetspenna i luften hela tiden.

Efter presskonferensen fick BBC en egen tiominutersintervju med Khan i ett separat rum, innan han svarade på ytterligare några ströfrågor på sin väg ut från pressklubben, omsluten av fyra stöddiga livvakter.

Jag såg tillfället rinna mig ur händerna och armbågade mig

bryskt fram till en position alldeles intill den väntande Mercedesen med tonade rutor.

"Mr Khan! Mr Khan!" ropade jag så högt att han till sist vände sig om och såg mig i ögonen.

"Jag är svensk journalist."

"Alla har vi våra problem", replikerade Tvättbrädan med ett Stomatolleende.

"Snälla, en autograf bara", bönade jag och sträckte fram ett böjt fotografi av filmstjärnan, som redan var på väg in i bilen.

"Det är till min kvinna!" for det ur mig i ett sista, desperat vädjande rop.

Luften genljöd av skratt och rodnaden spred sig hastigt över mina kinder. En livvakt grep tag i min arm för att fösa bort mig, men Shah Rukh Khan hejdade honom.

"Det måste vara en väldigt speciell kvinna", log han. "Vad heter hon?"

"Preeti."

Han rafsade ner några ord och sin namnteckning på fotografiet och räckte över det till mig. I ögonvrån såg jag att Yogi knäppte med min lilla kamera för glatta livet. Shah Rukh Khan vinkade en sista gång till världspressens representanter i New Delhi och gled in i baksätet på Mercedesen, som snabbt försvann därifrån. Kvar stod jag med min trofé i handen och kunde inte bestämma mig för om jag var mest glad eller mest generad. Gåsen såg på mig med avsmak, men den spanska kvinnliga journalisten kom fram och gav mig en vänlig klapp på armen. Hon sa att hon var imponerad av showen och började ställa små trevande frågor om vem kvinnan var som skulle få autografen.

"Ingen särskild", svarade jag avvärjande och insåg först när hon vinkade till sig sin fotograf att jag faktiskt riskerade att hamna på pränt i El Mundo.

Jag lyckades slingra mig ur situationen och gick bort till Yogi, som genast lade sin arm om mina axlar och i triumf lotsade in mig i Tatan, som om jag var en celebritet och han min livvakt.

"Det där, mr Gora, det gjorde du på det allra bästa sättet! Jag visste det från början! Jag visste att du var den skickligaste Shah Rukh Khan-intervjuaren som världen skådat!"

Han visade mig stolt bilderna han tagit i kamerans display. De var förbluffande bra och helt fokuserade på mig och Bollywood-stjärnan. Speciellt ett foto imponerade: där fick man intrycket att jag ställde en intressant fråga till Shah Rukh Khan, som i sin tur log med rynkad panna, vilket fick honom att se både road och lite eftertänksam ut på samma gång.

Jag kände hur det pirrade till i benen när jag summerade vad jag hade fått med mig från Foreign Correspondents' Club denna i alla avseenden heta onsdag i april:

1. Tre exklusiva SRK-citat:
   a) "Alla har vi våra problem."
   b) "Det måste vara en väldigt speciell kvinna."
   c) "Vad heter hon?"
2. Utmärkta bilder som inte ens skulle behöva photoshopas.
3. Ett signerat fotografi med en personlig hälsning: "Till Preeti med kärlek – Shah Rukh Khan."
4. En djup förvissning om att Bollywoodstjärnan inte längre tillhörde mina inre demoner. Han var tvärtom en vän. Kär-lekshälsningen till Preeti skrev han ju för min skull.

Det var, sammantaget, riktigt mycket. Punkt 4 gav mig själslig ro, punkt 3 gav mig den optimala presenten till Preeti och samti-digt den optimala räddningen undan mina tidigare lögner. Och punkterna 1 och 2 skulle avgjort räcka för en artikel om ett ex-klusivt möte med Shah Rukh Khan. Kvällsposten gjorde en gång i tiden en löpsedel och två hela uppslag på Greta Garbo-citatet

"Lämna mig ifred" samt två korniga bilder tagna med teleobjektiv på den skygga primadonnan och tidningens reporter när de passerade varandra på en gångstig. Då vore det väl ett underbetyg åt mig om jag inte skulle kunna snickra ihop någonting matnyttigt av tre hela citat och minst en handfull knivskarpa bilder.

En lyckodag var det sannerligen. Om några timmar skulle jag flytta in i min lägenhet och imorgon var det housewarming med den sköna skönhetssalongsföreståndarinnan Preeti som enda inbjudna gäst.

38

*Apartement number 520, second floor. RK Puram, Sector 7.
201 112 New Delhi. India.*

FINN FEM FEL! Sagt och gjort:

1. Luftkonditioneringen fungerar inte trots att den
   är "reparerad".
2. Vartenda ljud från grannen hörs in till mig
   (vilket rimligen betyder att vartenda ljud hos mig
   hörs in till grannen).
3. Den ännu blöta färgen som målaren använt
   stinker lungemfysem.
4. Vattnet tar slut mitt i en löddrig dusch.
5. Det ligger ett slumområde en liten bit bort.
   Trottoaren som löper därifrån och förbi mitt
   lägenhetsfönster används som toalett av barnen.

Man kan inte begära toppkomfort för niotusen rupier i måna-
den, men känslan av att ha köpt grisen i säcken var ändå bedö-
vande stark när solens strålar vräkte sig in i sovrummet efter min
premiärnatt i lägenheten. Redan kvällen innan, under en första
försiktigt orienterande promenad i omgivningarna, hade upp-
täckten av det stora slumområde som låg strax intill slagit mig
med både häpnad och förskräckelse. Anledningen till att jag inte
hade sett det när jag tittade på lägenheten första gången var den

täta och höga häck som avgränsade vårt kvarter från slummen, samt det faktum att Yogi och jag hade kört in från andra hållet vid vårt besök.

I den tryckande hettan dagtid höll sig de flesta också inne i kåkstadens skuggiga prång, men när solen dalade och någonting som åtminstone liknade svalka infann sig strömmade människorna ut till den stora gatan, som fungerade som en flytande gräns mot den övriga staden. Små, enkla gatukök med gasolbrännare byggdes upp, stånd med lemonad och snacks rullades fram, musik strömmade ut ur jättelika, trattformade högtalare som plötsligt bara fanns där, och barfotabarnen satte sig i långa rader för att uträtta sina behov längs den trottoar som jag alltså hade utsikt mot från mitt fönster.

Det fanns en uttorkad gräsplätt och ett staket mellan mitt hus och denna offentliga toalett i det fria, och skymningsljuset dolde de mest intima detaljerna. Men åsynen av barnen och deras förehavanden var ändå väldigt påträngande.

Till avdelningen goda nyheter hörde att aktiviteterna verkade ske under en relativt kort tidsrymd, som om barnens magar var synkroniserade. Klockan halv sju på kvällen hade de börjat och en och en halv timme senare verkade de flesta vara färdiga. Nu på morgonen fanns det inga lämningar kvar efter deras kollektiva aftontoalett. Någon hade städat bort alla spår och hällt ut ett vitt desinfektionspulver över trottoaren, och denna någon, vem det nu var, skänkte jag en tacksamhetens tanke.

Annars kände jag mig mest som om jag hade tillbringat natten i en thinnerburk. De stickande ångorna av färg och lösningsmedel hängde kvar i lägenheten trots att jag sovit med fönstret öppet och med fläktarna i taket inställda på högsta hastighet. Halsen var tjock, det väste i lungorna när jag andades och ögonen sved som om de gnuggats med chili.

Vattnet i lägenheten var i alla fall tillbaka, så att jag kunde ta en avsvalkande dusch som fick mig att må lite bättre. Jag knöt ett badlakan runt midjan och funderade på hur jag skulle tackla den akut uppkomna bostadskrisen. Yogi hade i all hast flugit till Madras igen, för att köpa in ytterligare ett parti av de där säng-överkasten som han sa var så fantastiska och som det verkade finnas hur många som helst av nere i södra Indien, så någon tillfällig reträtt till Sundar Nagar var inte att tänka på. Jag var med andra ord utlämnad åt mig själv, och det kändes inte alldeles tryggt.

Färgstanken skulle kanske ge med sig om jag lät fläktarna stå på och fönstren vara öppna resten av dagen, men skymnings-utsikten över de bajsande barnen gick inte att trolla bort, och luftkonditioneringen var verkligen stendöd. Och ikväll skulle Preeti alltså komma på besök i min lya med lövtunna väggar.

Jag hörde hur mannen i lägenheten bredvid hostade upp ett halvt kilo morgonslem och därefter hur hans fru nynnade på en indisk slagdänga (Shah Rukh Khans "Om Shanti Om", ta mig tusan!) och därefter hur deras barn drack te (jag tyckte mig upp-fatta en skillnad i själva sörplandets intensitet mellan det som jag förmodade var en pojke respektive en flicka). Något optimalt kärleksnäste för djurisk och hämningslös njutning hade jag med andra ord inte hamnat i.

Jag tog på mig ett par tunna bomullsbyxor och en dito skjorta och gick ut för att syresätta hjärnan och samtidigt titta lite när-mare på slumområdet. Först och främst för att mäta ut hur nära lägenheten det verkligen låg, men också för att jag var nyfiken. Om jag nu skulle stanna kvar här var det ju inte fel att ha lite koll på sina grannar.

Jag passerade ut genom vår bevakade grind och svängde runt hörnet. När jag var i höjd med min egen bostad, fast på den andra sidan staketet, började jag räkna stegen och fick dem till nittio innan slummen började.

Små pelare av rök steg upp över plåttak, presenningar och trasiga huskroppar av tegel. Ett envist hundskall uppblandat med ett sorl av röster sipprade ut till platsen där jag stod, och jag tvekade om huruvida jag skulle gå in eller stanna kvar. Det lät som om hela kvarteret sakta men säkert höll på att vakna till liv.

Till sist bestämde jag mig och tog några trevande steg genom en smal och mörk passage. Efter ett tiotal meter förgrenade sig slummen ut i ett nät av prång och gångar som fortsatte i alla riktningar. Färggranna klädstreck hängde som dekorativa girlander över de smala gränderna och i telefonstolpar satt stora fågelbon av elsladdar, som löpte vidare kors och tvärs genom den ruffiga bebyggelsen. Utanför blåmålade hus med dunkla rum satt människor på repsängar och drack te och åt frukost medan hönor pickade upp smulor och riskorn som hade fallit på marken. I andra gränder hade dagens arbete redan kommit igång, och som så ofta var det kvinnorna som jobbade hårdast. Unga flickor vevade energiskt på sina handdrivna symaskiner, en fårad gumma satt vid en eldstad och friterade berg av pakoras i ett stort kärl med fräsande olja och vid vattenpumpen ringlade sig kön lång av kvinnor med hinkar och stora ämbar balanserande på sina huvuden. I vartenda litet prång hälsades jag med skratt och enkla fraser på engelska av barnen som var på väg till skolan i sina skoluniformer. När jag hade vant mig vid trängseln och ljuden slogs jag av den smittande glädje som invånarna utstrålade, och hur rena och propert klädda de flesta var. Det fanns en stolthet hos människorna som lyste igenom skavankerna.

Efter att ha promenerat runt ett tag i det som först såg ut som ett slumpmässigt gytter av kåkar förstod jag att det tvärtom fanns en tydlig struktur i hur området var uppbyggt. Längst in i slummens kärna och utmed vägen låg de bättre bostäderna, med riktiga tegelväggar, egna latriner och ibland också små dieseldrivna elgeneratorer som säkrade strömförsörjningen, precis som i vilket bostadsområde i Delhi som helst. Det fanns till och med teve-antenner och paraboler på flera av taken. Däremellan och ut mot områdets bakre region lutade sig skraltiga plåtskjul mot kyffen som var sammanfogade av udda brädlappar. De allra sämsta bostäderna, av papp och presenningar, låg längs med ett stinkande vattendrag som fungerade som soptipp. Välnärda grisar bökade runt i det sörjiga avfallet och några pojkar med stora säckar på ryggen gick och letade efter plastflaskor och annat som gick att återvinna. Det var uppenbart att det fanns en hierarki även i slummen.

En ung, finlemmad kvinna stannade till framför mig. Med ena handen höll hon upp en bit av sin sjal över ansiktet så att bara ögonen syntes.

"Har ni tio rupier till chapati, sir?" frågade hon och sträckte fram den andra handen.

Det fanns ett inslag av skamsenhet i den lite nasala rösten och någonting urskuldande i hennes blick som gjorde mig konfunderad.

Jag rotade i fickorna, men de var tomma.

"Ledsen, men jag har inga pengar på mig."

"Var kommer ni ifrån?" frågade hon.

"Sverige."

"Det är i norra Europa, eller hur?"

"Stämmer precis. Du är duktig i geografi, och pratar bra engelska."

"Bor ni i Indien, sir?"

"Ja, alldeles här intill, faktiskt", sa jag och pekade bort mot RK Puram.

"Behöver ni hemhjälp?"

"Jag vet inte riktigt", svarade jag svävande.

"Jag kan städa och laga mat, sir. Väldigt billigt! Jag är en mycket duktig hemhjälp!"

Inför utsikten av ett jobb blev den unga kvinnan så ivrig att hon sänkte sjalen tillräckligt mycket för att jag skulle få en skymt av munnen och näsan, som var hopväxta med varandra i en svårartad gomspalt. Jag ryggade instinktivt tillbaka ett par centimeter och det var tillräckligt för att hon åter generat skulle dra upp det fina tygstycket över sitt deformerade ansikte. Det uppstod en besvärande tystnad mellan oss, som jag till sist bröt genom att fråga vad hon hette.

"Shania, sir. Behöver ni städhjälp?"

"Jag tror inte det."

"Men ni behöver inte bestämma er direkt, sir! Jag kan följa med er hem och visa hur duktig jag är utan att det kostar någonting", sa den unga kvinnan och såg sig oroligt omkring.

"En annan gång kanske", sa jag och log tillkämpat mot henne innan jag sakta började gå därifrån.

"Jag kan hjälpa er, sir!" ropade hon efter mig. "Jag är en mycket duktig hemhjälp! Snälla!"

Jag kastade en sista blick över axeln och tyckte mig uppfatta en hand som drog in flickan i ett prång. För ett ögonblick övervägde jag att gå tillbaka till henne, men bestämde mig för att låta bli och lämnade slummen med en molande känsla av obehag i magen.

När jag var tillbaka i lägenheten och lade mig på sängen och slöt ögonen kom bilderna till mig direkt. Det stora, köttiga hålet under hennes kluvna näsa och läpp, som blottade de sneda tänderna, stirrade uppfordrande på mig. Desperationen i den nasala rösten ringde enträget i öronen.

Hon hade träffat en nerv i mig som jag inte visste fanns, någonting mycket starkare än det där snabbt övergående medlidandet som jag känt för andra människor i nöd som råkat korsa min väg här i Indien. Hon lämnade mig ingen ro, flickan med det vanskapta ansiktet och de allvarsamma, vackra ögonen.

39

Jag lyckades ändå uppbåda tillräckligt med energi och koncentration för att ta itu med de mest akuta bristerna i lägenheten. På elmarknaden som låg på den andra sidan av slummen hittade jag ett litet kylskåp. Där köpte jag även en batteridriven cd-spelare och två indiska cd-skivor med Shah Rukh Khan att ha som ljudkamouflage mot grannlägenheten. Efter att ha frågat runt bland affärerna fann jag till sist också en elektriker som följde med mig hem och reparerade luftkonditioneringen. Han skruvade dessutom fast en lång träkäpp över fönstret med den oaptitliga utsikten, där jag hängde upp ett tygstycke som provisorisk gardin. Med hjälp av fortsatt vädring samt rökelse lyckades jag reducera färglukten till ett minimum.

Eftersom strömmen kom och gick lite som den behagade fyllde jag inte kylskåpet med annat än öl, mineralvatten och frukt. En duk på bordet, en vas med en röd ros i och ett tänt stearinljus skänkte lägenheten ett visst romantiskt skimmer. På ytan såg det helt okej ut när det knackade på dörren, prick klockan sju.

Hon är punktlig, tänkte jag och tog ett djupt andetag innan jag öppnade. Men istället för Preeti stod det tre storväxta kvinnor i trapphuset, och innan jag hunnit blinka hade de alla trängt sig in i lägenheten och stängt dörren efter sig.

En av kvinnorna hade stuckit in hundrarupiesedlar mellan sina fingrar och viftade med handen som en solfjäder framför mitt ansikte, samtidigt som hon ropade någonting på hindi. Hennes böjda näsa och skarpa blick fick mig att tänka på en rovfågel. Rösten var inte bara aggressiv utan också väldigt djup, och jag misstänkte att hon i själva verket var en man. Det gällde vid närmare anblick även de båda andra, som hade grovt tillyxade drag och spår av skäggväxt i sina hårt sminkade ansikten.

När inkräktarna började sjunga och dansa i en ring runt mig och slog samman handflatorna i hotfulla smällar blev jag riktigt rädd. "Vad vill ni?" pep jag förskräckt och kastade ett snabbt öga ut genom fönstret, varefter jag ännu mer förskräckt konstaterade att vakten var försvunnen. Istället såg jag ytterligare två manhaftiga, sariklädda gestalter gå in genom porten och en minut senare var jag omringad även av dem. Så där stod jag i mitt nya spartanska hem, tagen som gisslan av fem till synes galna indiska transvestiter som jag inte hade en aning om vad de ville (vilket jag ändå knappt vågade tänka på, för den delen).

Så fort jag gjorde ett försök att ta mig ur deras vilt dansande ring fick jag en knuff och handen med de utspretade sedlarna uppstucken i ansiktet.

Det här handlar nog ändå om pengar på något sätt, tänkte jag och klämde ut mig ett ynkligt *"money?"*.

Yogi hade lärt mig att Indien var de heliga gudarnas land, men jag hade av egen erfarenhet också lärt mig att Indien i minst lika hög grad var de heliga rupiernas land. Transvestiterna upphörde genast med sin ritualliknande dans och rovfågeln upprepade *"money"* följt av en längre utgjutelse som jag inte förstod. Med darrande händer drog jag upp min plånbok ur fickan och tog ut en hundrarupiesedel. Jag hann inte mer än överlämna den innan de objudna gästerna började tjuta och slå hotfullt med handflatorna igen. I den strida strömmen av vassa ord uppfattade jag ett som ständigt återkom: *bakshish*. Dricks, muta, provision, belöning. Kärt barn med många namn. Mitt i min rädsla tändes en gnista av vrede.

"Stick iväg, annars ringer jag efter polisen!" hojtade jag så karskt jag någonsin förmådde och höll upp min mobil.

Det skulle jag inte ha gjort. Genast ryckte den största av transvestiterna telefonen ur min hand och brast ut i ett hånfullt skratt innan hon lyfte på sin rosa, paljettsmyckade sari så att ett par håriga ben blottades. Jag uppfattade det som en varning om att det skulle visas ännu mer om jag inte lättade ytterligare på plånboken. Jag fick upp tre hundrarupiesedlar till och konstaterade att det var mina sista kontanter. Någonting sa mig att det var för lite, och jag var också rätt säker på att transvestiterna inte tog plastkort.

En arg röst som lät bekant ljöd plötsligt genom rummet. Jag ryckte till, men det gjorde även den väldige benblottaren i rosa sari. Med ens blev det knäpptyst och alla tittade vi bort mot dörren, där Preeti stod och stirrade tillbaka med mörk blick.

Transvestiterna kastade ur sig några meningar som lät bitska, men fick genast svar på tal. Preetis ilska övergick efter ett tag i en magistral tillrättavisning. Aggressiviteten hos de objudna gästerna mattades. Rosa sarin fnyste irriterat och gav min mobiltelefon till Preeti, som i sin tur överräckte en femhundrarupiesedel till rovfågeln innan hon sjasade iväg hela gruppen.

När den sista inkräktaren hade lämnat lägenheten stängde Preeti dörren och såg på mig med en allvarlig min som varade i högst fem sekunder, sedan brast hon ut i ett gapskratt som fick henne att kikna och ta sig för magen. Jag sjönk utpumpad ner på en stol, totalt oförstående.

"Förlåt", sa hon och torkade tårarna ur ögonvrårna. "Men det här är bara så vansinnigt komiskt. En stackars utlänning som blir attackerad av en grupp hijras. Det händer minsann inte varje dag. De brukar lämna turister ifred, så det här måste vara det slutgiltiga beviset på att du nu verkligen är en riktig dilliwala."

"Hijras?"

"Män som klär sig som kvinnor. Flera av dem är dessutom kastrerade. Och fruktade för sina häxkonster."

"Var det därför vakten sprang och gömde sig?"

"Kanske det. Eller så var det just han som mot en liten bakshish berättade för dem att du är ny i kvarteret och sedan lät dem få fritt spelrum."

Preeti gav mig en snabb puss på kinden. Jag var fortfarande så tagen av upplevelsen med sarimännen att jag inte kom mig för att besvara den.

"När någon flyttar in i en ny bostad eller när en pojke är född kommer de på besök", förklarade hon. "De sjunger och dansar och läser välsignelser över platsen eller barnet. Men om man inte betalar utslungar de istället förbannelser över en. De brukar kallas för det tredje könet och härstammar från eunuckerna som vaktade maharadjornas och mogulernas harem. De tillhör en egen kast och har till och med en egen religion, en sorts blandning av hinduism och islam."

"Så vad är jag nu, förbannad eller välsignad?"

"Välsignad, utan tvekan. Även om de muttrade när de gick så tror jag de var nöjda med det ekonomiska utfallet", sa Preeti.

"Hur mycket är jag skyldig dig?"

"Det bjuder jag på som tack för föreställningen."

Jag skakade på huvudet och drog upp ena mungipan i ett snett leende.

"Män i kvinnokläder som skrämmer slag på folk. Det här landet slutar aldrig att förvåna mig."

"Vi är bra på att hitta fantasifulla lösningar på problem", sa Preeti.

"Och vad menar du med det?"

"Det gäller att vara uppfinningsrik om man har en avvikande sexuell läggning i Indien. Med hjälp av lite religion och mystik har hijras skapat sig en identitet som accepteras, om än lite motvilligt. I den där gruppen ryms allt från riktiga transvestiter till vanliga homosexuella män som klär ut sig till kvinnor bara för att slippa gömma sig i garderoben."

"Men varför är de så aggressiva?"

"Det är deras sätt att överleva. Om vi inte var rädda för hijras och fruktade deras förbannelser skulle vi ju inte ge dem några pengar."

"Jag måste säga att jag har lite svårt för att känna någon sympati för våldsbenägna transvestiter."

"Äsch, man ska inte ta deras fula språk och hotelser på för stort allvar. Det är mest ett spel för gallerierna, något som rent av förväntas av dem. Och kanske är det också ett sätt att visa att man har sin stolthet kvar och inte låter sig kuvas. För trots att många fruktar hijras är det också många som spottar efter dem på gatan. De får inga vanliga jobb, det är därför de livnär sig på att sjunga och dansa, i bästa fall. Väldigt många prostituerar sig också."

"Jag förstår", sa jag och drog ner Preeti i knäet.

Hon knöt sina händer bakom min nacke och såg mig i ögonen.

"Nu vet jag vad det är som jag gillar så mycket hos dig", sa hon. "Att det alltid händer någonting i din närvaro. Du är annorlunda och nyfiken. Inte så fyrkantig som många andra män i din ålder."

Det var en av de finaste komplimanger jag fått på länge, men samtidigt svår att ta till sig eftersom den frontalkolliderade med den gamla invanda bilden av mig själv som en ängslig vanemänniska.

"Jag är bara glad att jag lever", sa jag. "Tack för att du räddade mitt liv och välkommen till mitt nya hem. Jag har saknat dig."

"Och jag har någonting till dig", sa hon och pekade på en korg med mangofrukter som hon hade ställt på bordet när hon kom in. "Säsongens första. Gillar du mango?"

"Absolut", ljög jag. "Tusen tack!"

"Det är världens nyttigaste frukt. Innehåller massor med vitaminer och släcker törsten som ingenting annat."

Preeti reste sig och gick sakta runt i lägenheten.

"Jag varnar dig för utsikten", sa jag, vilket naturligtvis fick henne att lyfta på tygstycket och titta ut mot trottoaren.

"Ja, vad gör man när man inte har en riktig toalett", sa hon med en lite urskuldande, generad suck, som om hon själv bar skuld till barnens situation. "Men jag gillar din lägenhet. Den är enkel och trivsam."

"Jag har någonting till dig också", sa jag och plockade fram det signerade fotografiet på Shah Rukh Khan.

Hon tog det i sin hand och sken upp.

"Till mig! Hur var han?"

"Väldigt trevlig."

"Så du har varit i Bombay?"

"Nej, vi möttes faktiskt i Delhi, eftersom han ändå var här i ett ärende."

"Berätta mer!"

Tre stickiga mangofrukter senare, efter en något tillrättalagd version av mitt exklusiva möte med Bollywoodstjärnan, satte jag på cd-spelaren.

"Jag älskar dig", sa jag och drog ner henne i sängen.

Den knarrade. Shah Rukh Khan sjöng för oss.

"Do dil mil rahe hain"– två hjärtan som möts.

40

Mitt förhållande med Preeti präglades av dessa korta och underbara möten, men framför allt av den långa och trånande väntan däremellan. När nästa träff skulle ske stod skrivet i stjärnorna. Vår överenskommelse om att det var hon som dikterade villkoren gällde fortfarande.

För att fylla tomrummet gav jag mig i kast med att skriva den så kallade intervjun med Shah Rukh Khan. Det var länge sedan jag hade ägnat mig åt kreativ formuleringskonst och i början märktes ringrosten av. Men efter ett par dagar lossnade det ordentligt och när helgen kom hade jag fått ihop en lång och i eget tycke riktigt bra artikel om mitt möte med honom. I bedrägligaste laget var texten kanske, med de lösryckta citaten invävda i sammanhang som Bollywoodstjärnan inte skulle känna igen om han fick se dem. "Alla har vi våra problem", som ju egentligen var en skämtsam pik riktad mot mig, fick exempelvis tjäna som svar på frågan "Varför har du ännu inte slagit igenom i Hollywood?". Men konstgreppet var skickligt genomfört och tonen i artikeln genomgående positiv. Jag hade fyllt på ordentligt med information ur tidningarna som Lavanya försett mig med och tillsammans med de målande beskrivningarna av filmstjärnans gester och pauseringar fick det texten att framstå som både initierad och fylld med närvaro.

Eftersom jag ännu saknade dator skrev jag för hand. Men Erik var på ingång till Delhi och hade på telefon lovat att lämna min laptop på Hotel Star innan han tidigt nästkommande måndag skulle ge sig iväg på säsongens sista rundresa med "Otroliga Indien!". Han berättade att han direkt efter bussturen med turisterna skulle åka upp till Rishikesh för att träffa Josefin och föreslog att jag och kanske även Yogi skulle haka på. Blotta tanken på Eriks reinkarnerade flickvän gav mig krypningar, men i ett utslag av kamratanda och en sorts tacksamhet sa jag ändå ja. Det var ju när allt kom omkring Eriks förtjänst att jag hade rest till Indien.

På tisdagsförmiddagen tog jag en taxi till Star Hotel. Det kändes märkligt att gå in i foajén och återse den slitna receptionen och den minst lika slitna receptionisten, som överlämnade laptopen under en lång gäspning följd av en utdragen rapning. Det var här min indiska resa hade börjat så skräckfyllt. Nu log jag åt minnena av den första natten i Delhi under den blinkande neonstjärnan.

Jag återvände hem till RK Puram, skrev genast in intervjun i datorn och skickade iväg den, via den lite nyckfulla internetanslutning som fanns i huset, till två svenska filmtidningar tillsammans med fotografierna av Shah Rukh Khan och ett erbjudande om att få köpa hela paketet till fyndpriset sextusen spänn.

Efter det gick jag igenom min inkorg i mejlboxen. Den innehöll sjuhundrafjorton olästa mejl, av vilka drygt sexhundra kunde kastas i papperskorgen direkt. Bland de övriga fanns endast två som gick att sortera in under rubriken personligt. Ett var från Richard Zetterström, som först undrade hur jag mådde och sedan berättade att han tyvärr ännu inte hade lyckats hyra ut min lägenhet, och ett var från min dotter Linda, som först undrade hur jag mådde och sedan frågade om hon inte kunde få flytta in i min lägenhet. Hon hade skrinlagt sina planer på en utlandsresa och istället hoppat på ytterligare en universitetskurs (nu var det verkligen konstvetenskap!), vilket lett till ökade kostnader för kurslitteratur, vilket i sin tur lett till att hon inte längre hade råd att betala hyran för sin studentlya i Lund.

"Och jag vill ju inte flytta hem till mamma igen", skrev den sluga flickan.

De båda mejlen tog så att säga ut varandra och berövade mig effektivt den välbehövliga extrainkomst som jag hade hoppats på. En pappa som vill kunna se sig själv i spegeln kan ju inte neka sin studerande dotter tak över huvudet. Motvilligt gick jag henne till mötes och skrev ett förmanande svar där jag bifogade en lång lista med ordningsregler.

Efter det kunde jag inte motstå en tvångsmässig lockelse att gå in på Himmelrikets sajt, där det framgick att Malmö FF hade inlett årets allsvenska med tre raka segrar. Hade det varit för några månader sedan skulle den informationen ha fyllt mitt annars så trista och trötta liv med en välbehövlig energiinjektion. Nu blev jag bara, tja … belåten. Jag klickade mig vidare in i forumet för att läsa kommentarerna, men tröttnade redan efter ett par minuter. Det kändes inte väsentligt längre att fördjupa sig i meniskskador, bortastatistik, oenighet mellan supportergrupperingar och målvaktsproblem. Efter min avhållsamhet var jag slutgiltigt botad från det långa beroendet av att surfa på fotbollsbloggen. Det var ett friskhetstecken som gjorde mig lätt till sinnes men också en smula villrådig. För så är det ju med den typen av tvångsmässigheter, att de utgör ett slags sällskap som mitt i sin destruktivitet står för någonting tryggt. En ständig bundsförvant som gör att man slipper tänka på sina verkliga problem.

Jag hade haft många sådana kompisar i mitt liv, från den klassiska barndomsfobin att inte trampa på skarvarna i trottoaren till världshistoriens förmodligen mest meningslösa fritidssysselsättning: platespotting.

Det var en strängt undersysselsatt tjänsteman på stadsbyggnadskontoret i Malmö som introducerade mig i företeelsen när jag var inhyrd från Kommunikatörerna för att flasha upp deras infomaterial. Reglerna var enkla: räkna och samla nummer på bilars registreringsskyltar. Börja med ett som slutar på 001 och plocka dem sedan i tur och ordning tills du har fullbordat serien med en skylt som slutar på 999.

Det lät så dumt att jag inte kunde motstå frestelsen att pröva. Efter att ha fått två träffar redan den första dagen var jag fast. Det gick så långt att jag en bit in i mitt missbruk körde flera mil extra för att försöka hitta och kryssa en vit Volvo 245:a med slutsiffrorna 114 som jag hade sett på en parkeringsplats i Vellinge när jag var där en månad tidigare, och som nu passade in i min serie. En annan gång satt jag kvar på bussen en extravända bara för att jag kände på mig att det skulle belöna mig med den jubilerande 200:an som jag förgäves letat efter i två veckor. Det fanns en hemsida på nätet också där man kunde rapportera in sina resultat och även läsa om de verkliga stjärnorna i gamet. Sådana som hade spottat femton bilar på en dag eller förevigat en trippel på bild. Jag häckade på den sajten en stor del av min arbetsdag. Det var på Jerkers tid som chef, så det var helt riskfritt.

Det som till sist fick mig att lägga av var när jag kom på mig själv med att fuska. Förfallet började med en röd Renault Clio som nog egentligen slutade på 278 men som jag "råkade läsa fel på" så att det istället blev den 287:a som jag just då behövde. Sedan fortsatte det med en ljusgrå Kia Sorento som hade en smutsig registreringsskylt med ett svårtytt nummer på som jag tolkade till mitt för stunden så hett eftertraktade 312. Jag försökte låtsas som om allting gick enligt spelets regler, men det dåliga samvetet hann ikapp mig vid rödljuset i korsningen Nobelvägen–Amiralsgatan en solstrålande septemberdag. Bilen framför mig råkade vara samma ljusgrå Kia Sorento med skillnaden att den nu var nytvättad. Registreringsnummer 848. Inte en siffra rätt.

När en medelålders man rodnar i sin ensamhet efter att ha fuskat i platespotting har han två valmöjligheter:

1. Han erkänner att han har problem och söker professionell hjälp.
2. Han hittar på en ny tvångsmässig sysselsättning.

Rätt gissat, jag valde nummer två. Senare samma dag började jag räkna kvinnor. Reglerna var mina egna. Fortfarande enkla men lite mer raffinerade: Välj ut den kvinna du *måste* ligga med bland de första tjugofem som möter din blick. (Och du *måste* verkligen anstränga dig att söka blicken hos *varenda* kvinna som du passerar, annars är det fusk igen!)

Om en riktig kalaspingla såg mig i ögonen direkt var ju valet enkelt och dagens tvångslek avslutad. Men det hände ytterst sällan. Oftast väntade jag in nästa för att se om hon var bättre, och nästa, och nästa ... Ibland säkerhetsspelade jag och tog någon halvsnygg dam som passerade i spannet mellan nummer femton och tjugo, men många gånger stod jag där ändå till sist efter att ha ratat tjugofyra kvinnor och visste att *nästa* som mötte min blick *obevekligen* skulle bli den som jag *måste* ligga med.

Allting försiggick förvisso bara inne i min hjärna, men jag kunde ändå drabbas av panik och andnöd om nummer tjugofem var en nittioårig tant med puckelrygg och rollator.

Jag höll på med denna lek i ungefär ett halvår tills det en dag gick upp för mig att jag under samma halvår inte hade legat med en enda kvinna på riktigt och att jag själv förmodligen skulle hamna i kategorin "nästa" om man såg det hela ur ett kvinnligt perspektiv.

आ

Men nu var jag alltså kvitt alla gamla tvångsbeteenden samt en av mina tre inre demoner: den vidunderlige Shah Rukh Khan, som jag vid det här laget räknade som min bäste indiske vän näst efter Yogi. Det återstod alltså två demoner: Kent, som jag fortfarande inte hade lyckats av-demonisera trots den flitiga exponeringen av hans nord-västskånsktyska ü:n på mitt visitkort, samt superdemonen Vivek Malhotra (som i min värld var mycket farligare och hemskare än den där Ravan som kidnappade Sita från högt ärade Rama).

Det var dags att ta sig en ordentlig titt på detta mons-ter nu när jag hade min laptop och tillgång till internet. Med svettpärlor i pannan som inte bara berodde på värmen googlade jag hans namn och hade efter en timme samlat på mig ett digert material om den mäktige industrimagnaten.

Han var ännu större än jag trott. Vivek Malhotra ägde två femstjärniga hotell, ett halvt flygbolag, vidsträckta teplantager med fabriker i Darjeeling och Kerala, zinkgruvor i Rajasthan, ett stort och populärt inhemskt klädmärke, en butikskedja som sålde exklusivt indiskt konsthantverk, betydande andelar i lan-dets ledande biografkedja, fyra gigantiska callcenter, ett vit-varuföretag, en handfull topprestauranger i Delhi och Bombay och säkert ett tjugotal andra mindre verksamheter. Det som ut-märkte honom som industrimagnat var mixen, att han inte hade någon enskild basnäring som fundament i sitt imperium utan verkade göra guld av allt som han rörde vid.

Vivek Malhotra var två år äldre än jag. Det framgick inte hur länge han hade varit gift med Preeti (och jag hade ännu inte vågat fråga henne), men den äldsta uppgiften om dem som ett par var daterad tjugo år tillbaka i tiden. En bildsökning resulterade i flera träffar på Vivek Malhotra, men jag hittade bara ett fotografi där han var tillsammans med Preeti, från en välgörenhetsgala på fashionabla Oberoi Hotel i Delhi för två år sedan. Preeti hade vid tillfället på sig en tjusig sari och han en stilig festkurta. De utgjorde utan tvekan ett osedvanligt vackert par, men såg till min belåtenhet en aning stela och kyliga ut bredvid varandra.

Det var å andra sidan det enda jag kunde glädja mig åt under min research. Allt annat som rörde Malhotra talade enbart till hans fördel. Flera artiklar avhandlade hans förhållandevis enkla bakgrund. Fadern hade varit en mindre företagare i elektronikbranschen med måttlig framgång och familjen hade levt ett enkelt medelklassliv utan extravaganser i Ghaziabad utanför huvudstaden. Det var först när den äldste sonen Vivek efter sina ekonomistudier vid University of Delhi tog över företaget som det började blomstra. Hans genidrag var att renodla verksamheten mot kylskåp och tvättmaskiner, som den växande indiska medelklassen började efterfråga allt mer. CAC hette företaget, vilket var en förkortning av Cold and Clean. Logotypen såg bekant ut …

Jag gick in i min lilla kokvrå, där kylskåpet stod, och konstaterade att det mycket riktigt var av märket CAC. Så nu skulle jag alltså påminnas om honom varje gång jag hämtade en kall Kingfisher, vilket inte var så sällan i den här hettan. Först Kents ü:n och på det mr Malhotras kylskåp. Mina inre demoner gjorde verkligen sitt yttersta för att pröva mig.

Från genombrottet som kylskåpskung fortsatte Viveks framgångar slag i slag. Just det faktum att han hade arbetat sig uppåt på egen hand, och inte som så många andra namnkunniga indiska industrimän fötts in i överklassen, förlänade honom en ansenlig mängd respekt. Majoriteten av artiklarna var hållna i en närmast fjäskande ton.

Gick man efter meritförteckningen var han en hopplöst överlägsen rival. Å andra sidan stärkte hans strålglans paradoxalt nog mina egna aktier. För om Preeti genom våra hemliga möten var beredd att riskera all den rikedom och sociala status som följde av att vara gift med Vivek Malhotra måste hon ju i rimlighetens namn också vara mer än lite småkär i mig, resonerade jag.

Pling! Det välbekanta ljudet av ett inkommande mejl avbröt mina tankebanor. Jag klickade upp det och såg till min förvåning att det var från Cinema, en av filmtidningarna som jag för bara ett par timmar sedan hade skickat artikeln till. Och de ville ha den! Utan att pruta en endaste spänn!

"Vi har länge funderat på ett större reportage om Bollywood, så din artikel kom väldigt lägligt. Mycket välskriven och intressant. Vi tänker ta in den i sommarnumret om en månad. Skicka vänligen dina kontaktuppgifter och en faktura på beloppet. Hör gärna av dig igen om du har något som kan tänkas intressera oss."

Shah Rukh Khan – vad skulle man säga om denne transformerade demon? Först öppnade han dörren in till Preetis hjärta, och nu öppnade han dörren in till arbetsmarknaden.

Det var hett och i min panna rann det floder av svett, men jag var inte längre arbetslös. Jag var Senior Correspondent och jag var på hugget. Nu jävlar skulle det skrivas artiklar så att tangentbordet glödde!

Stärkt av framgången gav jag mig genast i kast med det indiska parlamentsvalet. En snabbkoll på nätet avslöjade att den svenska medienärvaron var löjligt låg när världens största demokrati var på väg att välja sin nästa regering. Vad jag kunde se var det bara Svenska Dagbladet som hade en reporter på plats i Indien.

Eftersom maratonvalet genomfördes i fyra omgångar över en hel månad fanns det gott om tid att agera. Jag började med att plöja igenom en hög engelskspråkiga indiska tidningar och skrev en analys om de fem viktigaste valfrågorna, som jag sedan på vinst och förlust skickade iväg till Sveriges största dagstidningar, tillsammans med information om att jag var stationerad i Delhi och gärna åtog mig framtida uppdrag. Dagen därpå återkom Upsala Nya Tidning och Göteborgs-Posten med positiva svar. GP:s kvinnliga utlandschef frågade dessutom om jag kunde göra ett reportage som bröt mot den stereotypa bilden av Indien. "Gärna något ungt och gärna något om kvinnor!"

Åldersfascismen och feministlobbyn breder ut sig, muttrade jag för mig själv. Men pengar är alltid pengar och nu hade jag fått blodad tand. Jag bläddrade igenom visitkorten från holifesten och fastnade för ett från McDonald's kvinnliga och relativt unga chef i norra Indien. Vad jag kunde minnas hade hon försvunnit från festen innan jag gick in i dimman, vilket visade sig stämma väl när jag fick tag i henne på telefon. Hon tackade för den intressanta diskussionen vi haft om svensk kontra indisk snabbmat (jag hade hållit ett hyllningstal till min favorit från Sibylla, "tjock grillad med mos, bostongurka och Pucko", och hon hade prisat McDonald's indiska meny med bästsäljare som den masalakryddade vegoburgaren och paneerwrap med chilisås).

Hon ställde gladeligt upp på en intervju nästkommande dag, då jag även fick träffa tre unga kvinnor som jobbade längre ner i hamburgerkedjans hierarki. Det blev lite som att koka soppa på en spik, men GP:s utrikesredaktör var mycket nöjd med min vinkel: "Kvinnor på frammarsch i Indien – nu börjar valet om deras framtid."Tillsammans med två helt okej bilder gick knäcket för sex lakan.

Ytterligare en dag senare kom ett mejl från Sydsvenskan som ville ha den inledande analysen, som jag redan sålt till två andra tidningar, samt en personligt hållen krönika på valfritt valtema. Jag omsatte det förtroendet i en text som tog sitt avstamp i Delhis doft av ruttna ägg och gled vidare in i den omöjliga trafiksituationen för att därefter landa i en reflektion över varför miljöfrågan inte fick någon plats i valdebatten.

Inspirationen flödade och den ena idén födde den andra. Resan till Rishikesh stod för dörren och jag mejlade iväg en förfrågan till en rad resetidningar om det fanns något intresse för ett fylligt reportage från denna andliga och natursköna plats vid Himalayas fot, alldeles intill den heliga floden Ganges. Magasinet När & Fjärran återkom genast med ett lovande förhandsbesked. Man lämnade inga garantier men om texten var välskriven och bilderna bra kunde tidningen tänka sig att betala tolvtusen kronor för reportaget.

Sent på kvällen låg jag i min nyinförskaffade hängmatta på takterrassen med en öl i handen och njöt av aftonbrisen och utfallet av mitt arbete. På fem dagar hade jag skrivit och sålt artiklar för över tjugotusen kronor. Även om skattmasen skulle lägga beslag på hälften så var det ur ett såväl pekuniärt som genomslagsmässigt perspektiv en fantastisk start på min nya karriär. Det enda som saknades för att göra lyckan total var en ny dejt med Preeti. Hon hade skickat ett sms och tyvärr meddelat att vår nästa träff fick vänta i ytterligare minst en vecka. Även om det gjorde mig besviken så var tajmingen i alla fall bra. Nu fanns det ingenting som hindrade mig från att tillfälligt lämna Delhi.

42

Nästa dag var Yogi tillbaka från Madras. Hans egna affärer hade gått lysande och när han fick höra om min journalistiska succé, med försäljningen av Shah Rukh Khan-intervjun som den givna juvelen i kronan, blev han eld och lågor.

Min vän ville mer än gärna följa med till Rishikesh för att återse Erik och bada i Ganges. Jag fixade tågbiljetter genom en resebyrå och tidigt morgonen därpå blev vi körda till New Delhis centralstation av chauffören och sladdertackan Harjinder Singh, som vi den här gången inte bjöd på ens ett embryo till skvaller genom att helt sonika hålla tyst.

Efter att Yogi hade kryssat oss igenom det färgrika lapptäcket av människor som låg och sov på golvet i avgångshallen, avvärjt de enträgna erbjudandena från bärarna som ville ta hand om vårt bagage samt övertygat mig om att de feta råttorna som kilade längs med spåren inte brukade klättrade upp i tågen genom toaletthålen, äntrade vi Dehradun Shatabdi Express.

Det var första gången som jag åkte tåg i Indien, och jag frös konstant under hela resan till Haridwar. I min rädsla för att hamna på en trång brits i tryckande värme eller till och med uppe på taket på en tågvagn hade jag bokat förstaklassbiljetter med luftkonditionering. Man kunde lugnt säga att vi fick valuta för pengarna. Jag kände mig som en iskall Kingfisher i ett av mr Malhotras utmärkta kylskåp när vi efter sex timmar äntligen var framme i Haridwar. Där tog det mig två minuter att tina upp i den fyrtiogradiga värmen och ytterligare två innan jag var kokande het.

"Bara lugn, mr Gora. Snart kommer du att hitta den bästa balansen av världens alla temperaturer. Äntligen ska du få doppa dig i Moder Ganga! Det kommer att bli starten på ditt nya liv!"

Det började gå en viss inflation i mina Yogi-signerade återfödelser, men glädjen över att ha den gudomlige textilexportören vid min sida igen gjorde att jag översåg med alla hans religiösa överdrifter. Vi tog en taxi från Haridwar till Rishikesh och en timme senare checkade vi in på det lilla pensionatet där även Erik bodde. Han var inte på plats men jag fick tag i honom på mobilen och efter att Yogi och jag hade installerat oss i vårt gemensamma rum gick vi för att träffa honom på ett fik som låg en bambutrappa upp från gatan i centrum av den mysiga lilla staden.

Stället var fullkomligt nerlusat av unga västerländska backpackers i rastaflätor och bandanas som satt och läste Lonely Planet och rökte både det ena och det andra i vinddraget under takfläktarna. Det luktade sött och gott av rökelse och ganja. Ur högtalarna strömmade andlig musik varvad med The Doors och Janis Joplin. Nostalgifaktorn var hög. Det fanns en ny hippiegeneration som diggade samma grejer som den gamla, konstaterade jag.

Erik satt längst in i rummet på en kudde på golvet och drack öl och rökte en Marlboro. Det första jag lade märke till hos honom var en antydan till mörka ringar under ögonen. Efter ryggdunkningar och hårda axelkramar beställde vi in en omgång Kingfisher, som snabbt följdes av ytterligare en i den krävande värmen.

"Tänk att du har gått och blivit indier, Göran. Det var väl det sista man skulle tro om dig, ditt gamla vanedjur", sa Erik i ett försök att låta sådär bekymmersfritt skämtsam som han brukade göra.

Han skrattade tillgjort och tände nervöst en ny Marlboro.

"Har du börjat röka?" sa jag.

"Äh, det är bara lite semesterblossande. Berätta nu om livet i Delhi."

Jag redogjorde för det mesta som hänt mig, men utelämnade allt som hade med Preeti att göra. Yogi fyllde i med en livlig beskrivning av sitt senaste besök bland textilleverantörerna i Tamil Nadu innan Erik utan någon större inlevelse berättade om säsongens sista resa med "Otroliga Indien!".

"Hur är det med Josefin?" frågade jag.

"Ehh … bara bra. Hon bor på ett ashram lite utanför Rishikesh. Just nu är de inne i en intensiv period av meditation och yoga så vi har bara hunnit ses väldigt kort. Mycket hokuspokus", sa Erik och blinkade innan han på nytt skrattade till. Den här gången gällt, på gränsen till maniskt. "Men ikväll ska vi träffas i det stora Shivatemplet efter Ganga Aartin, som hålls där."

"Underbart, mr Erik!" utropade Yogi. "Ganga Aarti är världens viktigaste puja. Vi följer naturligtvis med. Det ska bli ett sant nöje att få träffa denna kvinna som förstår sig på att respektera våra gudar."

Tidigt på kvällen gick vi alla tre till Shivatemplet, som låg på den andra sidan av en lång och svajig hängbro över Ganges. Det var redan fullt med människor där när vi kom fram. Jag började genast fotografera energiskt, i hopp om att något kort skulle bli användbart i mitt kommande resereportage.

Erik spanade rastlöst ut över den stora samlingen av människor som satt i täta rader på trappavsatserna som sluttade ner mot den heliga floden. Hans irrande blick fastnade efter en stund på en grupp västerländska kvinnor som var klädda helt i vitt. De flesta hade även vita sjalar virade som turbaner runt huvudet. Deras handflator var sammanslagna och ögonen slutna under vad som såg ut att vara djup meditation. I mitten av sällskapet tronade en långhårig och långskäggig indier med saffransfärgad dräkt och en stor tilaka i pannan. Medan han mässade gungade han ett fat med eld och rökelse framför sig i en långsam rörelse. Kvinnorna svarade med ramsor som efter ett tag övergick i melodisk sång.

"Där är hon", viskade Erik till mig med trånsjuk röst och pekade på en av kvinnorna som satt alldeles intill gurun.

Med sitt långa hårsvall dolt under den vita turbanen tog det ett tag innan jag kände igen Josefin. När hon äntligen öppnade ögonen lyckades Erik fånga hennes blick och vinkade ivrigt. Josefin log hastigt tillbaka innan hon på nytt blundade och återvände in i sitt transliknande tillstånd.

Jag såg på den gamle häradsbetäckaren hur frustrerad han var över situationen och hur svårt han hade att dölja det bakom sin patenterade nonchalans.

"Har det hänt någonting mellan er?" sa jag.

"Varför tror du det?"

"Hon verkar inte riktigt mottaglig för dina kontaktförsök."

Erik suckade tungt och kliade sig i sin blonda kalufs.

"Fan, märks det så tydligt?"

"Vad är det som har hänt?"

"Det är den där skenhelige indiske tomten som har satt griller i huvudet på henne. Hon är som förbytt! Första dagen jag var här hade hon inte ens tid att träffa mig och igår hann vi bara med en kopp äckligt te innan hon skulle iväg på någon jävla yogaövning. Hon babblade på en massa om att hon var på väg att hitta sitt rätta inre jag tack vare gurun. När jag försökte kyssa henne sa hon att det inte gick eftersom hon var inne i en renhetsperiod. Har du hört något så dumt? Jag slår vad om att det är tomten som ligger bakom alltihop! Och det skulle inte förvåna mig om han sätter på sina lärjungar när de är hjärntvättade och rena. Vilken jävla lirare! För ful för att fixa brudar men så kom han på idén att starta en sekt och vips, så var hela huset fullt av villiga chicks!"

Jag tyckte lite synd om Erik, men kände i ärlighetens namn mest skadeglädje över att mannen som snodde Mia ifrån mig, sin bäste kompis, och som alltid fick kvinnorna att äta ur handen på honom nu tycktes vara allvarligt utmanad av en svärmande swami i Rishikesh med långt stripigt hår och en kalaskula under ett saffransfärgat tygstycke.

"Fick du inga signaler om det här innan du åkte hit?"

"Inte mer än att hon sa att hon hade trätt in i en ny era av sitt fjärde liv, eller om det var det femte. Men så pratade hon ju på mellan varven tidigare också."

"Det är kanske lika bra att skippa Josefin."

"Så fan heller! Får jag bara en timme med henne så ska jag nog se till att hon blir avprogrammerad."

"Är det verkligen lönt, Erik? Hela Rishikesh svämmar ju över av vackra och andligt inspirerande fruntimmer. Du kan väl erövra någon annan? Titta på damen därborta, till exempel, hon ser ut som om hon skulle behöva en man att luta sig emot", sa jag och pekade på en ensam hippiekvinna i övre medelåldern som utförde en lika obegriplig som vinglig dans för sig själv. Antingen var hon hög eller knäpp. Förmodligen bådadera.

Erik gav mig en sylvass blick.

"Vrid om kniven bara", sa han.

"Jag visste inte att Josefin betydde så mycket för dig."

"Det gjorde hon inte heller i början, då var hon bara ett trevligt tidsfördriv. Men nu känns det nästan som om jag har blivit kär i henne. Och det är jävligt jobbigt."

Oj, vad synd det är om dig, mumlade jag tyst och vände mig om för att dölja mitt infernaliska leende samtidigt som jag passade på att leta efter Yogi. Ögonen fann honom till sist ett par meter ut i Ganges, med byxbenen uppkavlade, vatten till knävecken, handflatorna riktade mot skyn och blicken fäst vid den mäktiga statyn av Shiva som var upplyst med strålkastare. Jag lyfte min kamera och tog några bilder i det effektfulla skymningsljuset. Den gudomlige textilexportören från Delhi i gudomlig pose. Om resemagasinet inte ville ha fotot skulle jag i alla fall göra en papperskopia av det och ge till Yogi att hänga på väggen bredvid sitt lilla altare hemma i Sundar Nagar.

En större eld tändes av en annan helig man, som verkade vara templets överguru, på avsatsen alldeles intill floden. Unga pojkar i saffransfärgade kläder gick runt bland tempelbesökarna och delade ut fat med eld och rökelse. Yogi for snabbt upp ur den heliga floden och fick tag i ett eldfat som han började vagga framför sig medan han mumlade sina böner. När jag och Erik kom ner till honom överräckte han det åt oss med allvarstyngd min.

"Gör nu er Ganga Aarti med ett rent och öppet sinne, så ska ni se att allt det goda som ni önskar av hjärtat och inte av egoistiska skäl kommer att uppfyllas."

Erik och jag tog gemensamt tag i eldfatet och lyfte det mot den vackra kvällshimlen.

"Tror du på sådant här?" viskade jag till honom.

"Vet inte. Det enda jag vet är att jag är beredd att pröva alla metoder", sa han och jag funderade på om en önskan om en kvinnas eviga kärlek sorterade under "av hjärtat" eller "egoistiskt".

"Nu ska vi bada på riktigt i Ganges", deklarerade Yogi högtidligt och klädde av sig allt utom kalsongerna.

Erik följde hans exempel, men själv tvekade jag efter att ha stuckit tårna i floden. Ganges var iskall av smältvattnet från Himalaya.

"Kan vi inte göra det här imorgon när solen är uppe?" frågade jag.

"Man kan alltid doppa sig i Ganges och just nu är ett alldeles utmärkt tillfälle så att vi är rena när vi ska träffa mr Eriks allra underbaraste fästmö", svarade Yogi och drog Erik med sig ut i den mörka floden. När de kom upp huttrande och blåfrusna bestämde jag mig för att skjuta upp mötet med Moder Ganga. Mina vänner fick på sig kläderna igen och vi gick bort för att hälsa på Josefin.

43

Alla ceremonier var nu över men gurun med det stripiga håret utgjorde fortfarande den självskrivna centralgestalten för de vitklädda västerländska kvinnorna. De stod alla i en ring runt honom och fjädrade sig som en samling hönor inför tuppen.

Erik lade försiktigt sin hand på Josefins arm. När hon vände sig om och såg att det var han försvann hennes leende för ett par sekunder innan det återvände i påklistrad form.

"Hej Erik. Vad … vad blöt du är", sa hon och tog några steg bort från de andra i den vita gruppen.

"Jag har precis badat i Ganges, så nu är jag ren till både kropp och själ. Ska du följa med och käka? Jag har mina kompisar här", sa Erik och drog fram mig som bevismaterial.

"Göran känner du ju från bussturen, min polare som blev sjuk och fick stanna i Jaipur."

"Så det avskräckte dig inte? Du är redan tillbaka i Indien", sa Josefin med det där överlägsna ansiktsuttrycket som jag kände igen från resan.

"Jag har aldrig lämnat landet. Nu bor jag i Delhi. Underbar stad, underbara människor. Äkta känslor överallt. Inget fejk där, inte."

Hon höjde förvånat på ögonbrynen samtidigt som hon rynkade lätt på näsan.

"Och det här är Yogi, min indiske vän som jag har berättat om", fortsatte Erik.

"Jag har hört så mycket om er fantastiska respekt för våra hinduiska gudar, madam. Det är en bedårande ära för mig att få träffa mr Eriks fästmö", sa Yogi.

"Fästmö? Vi är verkligen inte förlovade", sa Josefin och skakade så bestämt på huvudet att turbanen hamnade lite på sniskan.

"Ska du med och käka", frågade Erik, som började få något vildsint i blicken.

Josefin tog ytterligare ett par steg bort från sina trosfränder och sänkte rösten.

"Det går tyvärr inte. Vi måste tillbaka till vårt ashram. Swami Bababikandra leder kvällens meditation och den får jag inte missa. Ledsen, men det är ju därför jag är här. För att nå djupare ner i min själ."

Jag sneglade på Erik. Hans näsvingar vidgades och bröstkorgen hävde sig upp och ner. Om uttrycket tickande bomb överhuvudtaget kunde användas för att beskriva en människa så var det här det rätta tillfället.

"Swami Barbapapa? Är det så han heter, tjockisen?"

"Vad är det du säger?"

"Barbapapa. Fetknoppen i det gula lakanet ser ut som den där tecknade degklumpen Barbapapa."

"Jag tror inte att du och jag har något mer att säga varandra", sa Josefin med iskall röst och vände honom ryggen.

Erik lyckades fånga hennes hand och höll kvar den i ett krampaktigt grepp.

"Josefin, du kan inte göra så här mot mig! Du kan inte bara skita i allt vi har tillsammans och sticka iväg med en slemmig sektledare!"

"Vi har ingenting tillsammans och Swami Bababikandra är ingen sektledare! Släpp min hand!"

"Det är nog bäst att du gör som din fästmö säger", föreslog Yogi med myndig stämma.

Men Erik var på väg bortom sans och vett. När Swami Baba-bikandra skred in i handlingen och tog tag i Eriks arm gick den sista säkringen i hans överhettade system. Med en ursinnig rak höger sänkte han gurun och skulle förmodligen ha följt upp med en serie sparkar om inte Yogi och jag snabbt hade dragit undan honom. Ett oroligt kackel utbröt bland de vitklädda kvinnorna, som sjönk ner på knä runt sin stupade tupp samtidigt som andra tempelbesökare strömmade till för att se vad som stod på. Nyfikenheten övergick snabbt i en hotfull stämning som riktade sig mot oss.

"Vi måste härifrån! Nu!" ropade Yogi och drog med sig Erik uppför trapporna och ut ur templet.

Jag stod kvar och tvekade några sekunder innan jag sprang efter med andan i halsen och en växande skara arga människor i hälarna.

När vi kom in på en marknadsgata kände jag flåset i nacken men räddades av några kor som mycket lämpligt kom framvaggande från sidan och ställde sig i vägen för mina förföljare, och samtidigt skymde mig några sekunder. Det var tillräckligt lång tid för att jag osedd skulle hinna smita in i samma gränd som Erik och Yogi.

Vi fortsatte vidare i en labyrint av gränder och prång och uppför en trappa, som tog oss till en takterrass. Därifrån klättrade vi ner via en stege på baksidan och hamnade inne på en kringbyggd liten gård med en öppen port som ledde ut till en lite större gata.

Yogi stängde porten och höll sitt pekfinger över munnen som tecken på att vi skulle vara knäpptysta. Själv lät han som ett trasigt dragspel när han andades. Vi stod kvar på gården och tryckte i säkert tio minuter utan att säga ett ord till varandra, nervöst lyssnande på ljuden utifrån gatan. När det hade gått ytterligare fem minuter utan att någon rusat in genom porten drog Yogi ett djupt andetag och pustade ut. Sedan lyfte han sin hand och utdelade en örfil som landade med en rungande smäll på Eriks kind.

"Vad fan gör du?"

"Nu är du tyst!" fräste Yogi och spände sina stora ögon i honom. "Om du så mycket som knystar det minsta lilla ordet när jag pratar ger jag dig en örfil till. Och sedan ber jag till Shiva att han förgör dig för evinnerliga tider så att du aldrig kan återfödas till denna jord eller någon annan plats i hela universum. Har du förstått?"

Inför den i vanliga fall så vänlige Yogis rosenrasande ilska förstod till och med Erik att han gjorde bäst i att knipa käft.

"Man slår aldrig ner en helig man i ett tempel! Aldrig! Du har skändat vår religion och utsatt oss alla för den största av faror. Egentligen skulle vi ha lämnat dig åt mobben, men då hade du inte varit mr Erik längre. Då hade du varit mr Erik i salig åminnelse!"

"Förlåt", gnydde Erik.

Yogi kisade med ögonen och såg sig omkring i mörkret.

"Ni två stannar här", viskade han. "Rör er inte ur fläcken innan jag är tillbaka. Jag tar mig till hotellet och ser om jag kan få ut vårt bagage och ordna en transport så att vi kommer härifrån."

"Är det så illa", undrade jag skärrat.

"Jag är rädd för det", sa Yogi och smög ut genom den knarrande porten.

44

Dagen därpå var vi fortfarande vid liv. Och inte nog med det, vi satt och åt lunch på verandan till ett litet pensionat en timmes bilfärd norr om Rishikesh och tittade ut över ett vilt brusande Ganges. Allt tack vare den gudomlige textilexportören från Delhi och hans diplomatiska färdigheter.

Efter att ha lyckats checka ut oss från det andra hotellet kvällen innan hade Yogi omgående tagit en taxi till Swami Bababikandras ashram och framfört sina ödmjukaste ursäkter å Eriks vägnar direkt till gurun, som bortsett från ett blått öga och lätt huvudvärk var vid god vigör. Med en donation på tjugotusen rupier till rörelsen hade Yogi lyckats övertyga den helige mannen om att inte göra polissak av överfallet. (Under förutsättning att Erik aldrig mer satte sin fot i Rishikesh och för all framtid höll sina smutsiga fingrar borta från Josefin.)

Vad som ytterligare hade underlättat uppgörelsen och lagt lock på den hastigt uppblossade vreden hos tempelbesökarna var med stor sannolikhet det faktum att Swami Bababikandra själv bar på ett skamfilat rykte. Det var inte bara Erik som misstänkte att hans kvinnokollektiv i själva verket var ett förtäckt harem, hade Yogi fått reda på av hotellportieren. Men det fanns inga säkra bevis, och en helig man var han hur som helst och heliga män slår man inte ostraffat ner i ett tempel, hur mycket kåtbockar de än råkar vara.

Innan Yogi lämnade ashramet hade han också växlat några ord med Josefin, som sa att hon förlät Erik eftersom han var "den mest omogne man hon någonsin träffat", vilket hon uttryckligen önskade få framfört till honom. Därefter hade Yogi hämtat oss med taxi från den mörka innergården, där vi höll på att bli uppätna av myggor, varpå vi for vidare till pensionatet med det passande namnet Himalayan Hideaway.

Det var verkligen ett perfekt gömställe, på behörigt avstånd från Rishikesh och beläget i en liten skogsdunge som sluttade ner mot Ganges. Utsikten från verandan var betagande och den "kontinentala lunchen" – som bestod av tandoorikryddade grönsaker, dal, pommes frites och nudlar med sötsur sås – smakade utmärkt.

"Tjugotusen rupier. Det är jävligt mycket pengar", knorrade Erik när Yogi ville ha betalt för sitt utlägg.

"Ge dig!" väste jag irriterat. "Det är fan inte mer än vad du drar in på en timmes försäljning hos den där juveleraren i Jaipur. Eller tycker du att Yogi ska betala för dina dumheter?!"

"Okej, okej", sa Erik skamset och tömde sin plånbok på alla kontanter.

"Här är knappt tiotusen. Du får resten senare."

Yogi viftade avvärjande med handen.

"Jag har en bättre idé, mr Erik. Du betalar vår vistelse här med ditt bästa kreditkort, sedan är vi kvitt."

"Men det blir ju mer än tjugotusen."

"Precis. Det blir säkert minst det dubbla, eftersom jag hade tänkt att vi även skulle åka forsränning i den heligaste av alla heliga floder, och det är inte billigt, ska du veta."

Erik insåg att hans förhandlingsutrymme var lika med noll och nickade uppgivet. Själv satt jag belåtet bakåtlutad i stolen och tänkte att en sådan man som Yogi föds inte varje år, och att jag var lyckligt lottad som fick ingå i hans närmsta vänkrets.

Vi hade några bra dagar tillsammans i de vackra omgivning-arna. Erik var fortfarande förkrossad men insåg sitt grava miss-tag och tog på sig spenderbyxorna för att kompensera tidigare snålhet. Tre kostsamma forsränningar hann vi med under led-ning av en trevlig nepalesisk guide som tog oss genom vattenfall med skräckinjagande namn som "väggen" och "råttfällan". Ett par gånger föll vi ur gummibåten, så att jag fick mitt svinkalla dopp i den heliga floden Ganges, till Yogis hejdlösa förtjusning. Den sista eftermiddagen ägnade jag mig åt fotografering av de andra från flodbädden, så att jag fick lite bilder till mitt reportage.

På kvällen innan vi skulle åka tillbaka till Delhi satt vi på ve-randan och lyssnade på floden och syrsorna och drack Blenders Pride, som Yogi sin vana trogen hade haft med sig ett par flaskor av.

"Jag tror ärligt talat att Josefin är den enda tjej som jag nå-gonsin har varit riktigt kär i", suckade Erik och tog ett djupt halsbloss på sin Marlboro.

"Är du helt säker på att din sorg handlar om kärlek?" sa jag.

"Vad skulle den annars handla om?"

"Ditt tillkortakommande, kanske. Det här är väl första gången någonsin som en tjej gör slut med dig? Försök att gå vidare. Det brukar du ju vara väldigt bra på annars."

Eriks trötta ögon blixtrade till.

"Projicera inte dina egna känslor på mig, Göran! Du går fort-farande omkring och sörjer Mia, trots att det snart är tio år sedan hon lämnade dig. Då kan jag väl åtminstone få bearbeta Josefin i en vecka utan att behöva lyssna på dina kvasipsykologiska teo-rier?"

"Om du inte klarar av ett välment råd från en kompis har du problem, Erik."

"Nu ska vi inte bråka", manade Yogi, som blivit lite smålullig av whiskyn. "Dessutom är jag tämligen övertygad om att mr Gora inte tänker så många tankar på den där gamla frun längre. Han har säkert fullt upp med sin nya, underbara indiska kärlek."

Erik gapade av förvåning.

"Har du träffat en kvinna?"

"Det kanske jag har."

"En indiska?"

"Ja."

"Vem då?"

"Du känner henne inte."

"Kom igen nu!"

"Låt mig förklara", sköt Yogi in. "Hon är den vackraste kvinnan som man kan tänka sig. Och hon är väldigt smart och väldigt rik."

Jag gav Yogi ett irriterat ögonkast.

"Vad är haken", undrade Erik.

"Det finns väl på det hela taget inte några hakar att fästa sig vid", svarade Yogi svävande.

"Lägg av. Jag har varit i Indien över femtio gånger. Jag vet att jag gjorde bort mig rejält i Rishikesh men det betyder inte att jag är en total nybörjare när det gäller indisk kultur. Om Göran har träffat en snygg, smart och rik indiska måste det finnas en hake."

"Varför det?"

"Därför att alla snygga, smarta och rika indiskor är gifta."

Tystnaden som följde var överväldigande.

"Jävlar", utbrast Erik och såg på mig med skräckblandad förtjusning. "Och så påstår du att jag har problem?"

45

Erik hade naturligtvis rätt. Det var djupt riskabelt att dejta en indisk kvinna som var gift. Och det var antagligen rena galenskapen att dejta en indisk kvinna som var gift med en mäktig industrimagnat. Men kär och galen, sjöng ju redan Ulf Lundell med sin whiskyröst, och ju hetare dagarna blev, desto tätare och mer riskfyllda blev mina kärleksmöten med Preeti.

Hon tog sig ledigt från jobbet i allt större utsträckning. Vi kunde sitta och hångla inne i de luxuösa shoppingcentrens luftkonditionerade biografer mitt på dagen, för att när kvällen kom och utomhustemperaturen kröp ner till en uthärdlig nivå förflytta dessa aktiviteter till parkbänkarna i Lodi Garden.

Några gånger begav vi oss till ryggsäcksturisternas tummelplats Paharganj vid järnvägsstationen, där en västerländsk man kunde hålla en indisk kvinna i handen utan att det väckte någon större uppmärksamhet.

Fortfarande utgjorde skönhetssalongen förbjuden mark, men efter mina träningspass på Hyatt hände det allt oftare att Preeti hämtade mig med sin bil några kvarter därifrån och sedan körde vi hem till mig för en snabbis under ljudkamouflage av Shah Rukh Khan.

Erik hade för länge sedan flugit tillbaka till Sverige med svansen mellan benen och Yogi var för tillfället också i Europa, på en textilmässa i Vilnius där han tänkte visa upp de fantastiska sängöverdragen från Madras, som han vid det här laget måste ha köpt in enorma kvantiteter av med tanke på sina flitiga besök i den sydindiska metropolen.

Men bäst av allt var att även Vivek Malhotra befann sig på en längre utlandsresa. Det betydde att Preeti och jag kunde träffas nästan varje dag. Numera hade jag också råd att bjuda ut henne på Delhis bättre restauranger, vilket var en direkt följd av det indiska valet, som avslutats för ett par veckor sedan med två ut-kristalliserade segrare:

1. Kongresspartiet.
2. Göran Borg.

Det mäktiga politiska partiet stärkte sitt regeringsmandat och jag min ekonomi. Under den månadslånga valperioden hade jag sålt artiklar för över sextiotusen spänn, och på kuppen arbetat upp ett rykte bland de stora svenska dagstidningarnas utrikesredaktörer som en pålitlig skribent. Dessutom köpte När & Fjärran mitt reportage från Rishikesh med fotot på Yogi som dragarbild.

"Jag känner mig så levande tillsammans med dig", viskade Preeti.

Vi satt i den dunkla belysningen på en italiensk krog i stads-delen Vasant Vihar och drack varsin espresso efter en sen mid-dag. Jag sträckte ut min hand över bordet och kramade hennes.

"Är du en lycklig människa, Preeti?"

"Just nu är jag det. Mycket lycklig", sa hon och besvarade min tryckning.

"Men annars då? I ditt äktenskap?"

Det var första gången som jag konfronterade henne så direkt med den känsliga frågan. Preeti drog åt sig handen och jag var rädd att ha passerat en av de där tunna, subtila gränserna som vi intuitivt hade omgärdat vårt förhållande med. Men hon såg mig fortfarande i ögonen.

"Jag var lycklig med min man en gång i tiden. När han fortfarande var gift med mig."

Jag studsade till.

"Nu förstår jag inte …"

"Förlåt. Vad jag menar är att han nuförtiden är gift med sitt jobb och bara har ögon för pengar."

Hon drog bort en hårslinga som fallit ner i ansiktet och fäste upp den bakom örat.

"Hur länge har ni varit gifta?" sa jag.

"Snart tjugotre år. Tiden går."

"Och hur träffades ni?"

"Är det verkligen intressant?"

"Jag skulle gärna vilja veta."

Preeti tömde den sista slatten espresso och såg mig allvarligt i ögonen.

"Jag ska berätta om du lovar att vi lämnar det ämnet sedan", sa hon.

Jag nickade. Preeti drog in luft genom näsan som om hon tog sats inför ett sprintlopp.

"Vi träffades på en stor bröllopsfest hos en av mina kusiner", började hon. "Tycke uppstod, som det brukar heta, och sedan sågs vi några gånger i hemlighet. Men det hela rann ut i sanden – han reste mycket och jag hade själv fått ett nytt jobb som mäklare som tog det mesta av min tid. Men så en dag nästan ett år senare ringde Vivek och frågade om jag ville äta middag med honom. Vi gick ut på en flott restaurang och därefter fortsatte han att uppvakta mig med blommor och middagar var och varannan kväll. En månad senare frågade han om jag ville bli hans fru. Först visste jag inte vad jag skulle säga, det kom så plötsligt. Men jag gillade honom verkligen och tidpunkten var den rätta. Mina föräldrar hade länge pratat om att det var dags för mig att gifta mig, och inför risken att de skulle para ihop mig med någon man som jag inte kände sa jag ja till Vivek."

Preetis ögon blev blanka. Jag tog hennes hand igen och tryckte den. Ett svagt leende spred sig över hennes läppar.

"Och det tyckte dina föräldrar var okej?"

"Vi löste det problemet med hjälp av en bekant till familjen som visste att vi träffades. Han stöttade oss och sa till mamma och pappa att han hade hittat en lämplig man åt mig i en framgångsrik företagsledare. Vi tillhörde visserligen inte samma kast, men när mina föräldrar väl fick träffa honom och förstod hur rik han redan hunnit bli på sina affärer blev de övertygade om att vi passade bra ihop. Och det gjorde vi verkligen."

"Gör ni fortfarande det?"

"Ser det så ut?"

"Har du tänkt göra någonting åt det?"

"Det räcker nu, Goran. Pressa mig inte, är du snäll."

Jag hade tänkt fråga Preeti om hon någonsin funderat på att skilja sig, men lät bli. Det var tydligt att vi rörde oss på minerad mark. Hon följde med mig hem och sov över hos mig den natten, för första gången. När jag tidigt på morgonen vaknade av att strömmen hade gått och tagit luftkonditioneringen med sig slogs jag av hur rädd jag var för att förlora kvinnan som låg bredvid mig i sängen.

46

Några dagar senare, på väg hem i taxi efter ett tränings-
pass, bromsades färden in vid en livligt trafikerad kors-
ning nära Hotel Hyatt. Trots trafiksignalen uppstod det
alltid en svårartad stockning just här, oavsett om man
hade rött eller grönt ljus. Det gjorde platsen speciellt att-
raktiv för tiggare och gatuförsäljare, som for runt bland
alla fordon i den tutande kön.

Jag hade vant mig vid stöket och brukade gömma mig
bakom en tidning när blomsterflickan dök upp med sina
slokande rosor eller den spetälske mannen höll fram tig-
garskålen med sin stympade hand. Men den här gången
drabbades jag av en smärre chock då jag efter en försynt knack-
ning sänkte min Hindustan Times och såg Shanias vanskapta
ansikte på andra sidan rutan. Till skillnad från när vi träffades i
slummen gjorde hon inledningsvis inga försök att dölja sin kluv-
na näsa och läpp, tvärtom. Men när hon efter några sekunder
upptäckte att det var jag som satt i bilen drog hon snabbt upp
sjalen över ansiktet. Jag vevade ner rutan och frågade hur det var
fatt.

"Jag vill inte mer, sir. Jag vill bort härifrån", viskade hon med en
pockande rädsla i sin nasala röst.

"Vad är det som har hänt?"

"Låt mig följa med er hem och städa. Jag är en jättebra hem-
hjälp, jag kan göra allt. Snälla, ta med mig härifrån så ska jag visa
hur duktig jag är!"

Vädjan i hennes röst i kombination med mitt eget dåliga samvete, som legat och gnagt i bakhuvudet sedan vårt första möte, fick mig att handla instinktivt. Samtidigt som taxin sakta började rulla framåt öppnade jag bildörren och drog in Shania i baksätet. Chauffören blängde misstänksamt på både henne och mig, men jag sa åt honom att allt var okej och att han bara skulle fortsätta framåt.

Då bankade någon hårt och uppfordrande på rutan. Jag vred på huvudet och möttes av den arga blicken hos en ung man som först pekade på Shania och sedan vinkade med handen i en aggressiv gest. Taxichauffören bromsade in och såg rådvill ut.

"Kör!" ropade jag och gav honom en mild knuff i ryggen. "Du får extra betalt! Bara kör!"

Den unge mannen slog nu med knuten hand mot fönstret och sparkade vildsint på bildörren, samtidigt som han skrek åt mig på engelska att öppna den.

Chauffören tvekade fortfarande en aning, men bestämde sig till sist för att det var jag som var the good guy, eller åtminstone den som hade mest pengar. Med en snabb vridning på ratten smet han skickligt igenom en liten lucka i trafikmyllret och hann på så sätt byta fil innan kön slöt sig bakom oss igen.

Efter ytterligare en halvminut släppte äntligen proppen. Jag tittade bakåt och konstaterade lättad att den unge mannen blev mindre och mindre. Skräcken i flickans ögon tonade långsamt bort och ersattes av en tom blick.

"Såja, du ska se att allt snart blir bra igen", sa jag och klappade Shania tafatt på ena knäet med min darrande hand, utan att ha en aning om vad jag skulle ta mig till med henne.

När taxin stannade utanför min bostad kändes det som om flickans öde vilade i mina händer, som om jag genom att ta med henne hit också hade tagit på mig ett personligt ansvar för henne.

Taxichauffören steg ur sin gamla Ambassador och synade den

bakre bildörren med överdrivet rynkade ögonbryn. Dörren var full med bucklor och repor men det var omöjligt att säga vilka som eventuellt orsakats av den sparkande ynglingen. Och det gjorde på det hela taget varken från eller till, eftersom bilen var en klassisk rishög som för länge sedan passerat stadiet då det var lönt att renovera den. Jag betalade ändå chauffören femhundra rupier, vilket omedelbart fick hans ögonbryn att rakna.

Väl uppe i lägenheten bad jag Shania att sätta sig i soffan och gav henne ett glas vatten. Hon lyfte försiktigt på sjalen och drack med blicken fäst vid bordskanten innan hon på nytt skylde sitt ansikte.

"Kan du inte förklara för mig vad du gjorde i korsningen och vem pojken var som bankade på bildörren", sa jag med så lugn och stadig röst som jag förmådde.

"Jag kan hjälpa er att städa, sir."

"En sak i taget. Först och främst vill jag veta vem du är och vad det är för problem du har."

"Jag ska inte ställa till några problem, sir. Jag lovar!"

"Det tror jag inte heller. Men jag vill gärna veta vad du har varit med om. Och du behöver inte täcka över din mun. Jag vet redan hur du ser ut och jag vill helst inte prata med en slöja. Jag vill prata med dig."

Sakta sänkte hon sjalen och började berätta med ord som först stakade sig men efter ett tag flödade ur hennes mun likt en vildsint vårflod. Det var som om hon hade ett uppdämt behov av att blottlägga sin historia, nu när hon funnit någon som inte bara var villig att lyssna till den utan rent av krävde att få göra det.

Shania kom från Bangladesh, precis vid gränsen mot Indien. Hennes pappa dog redan när hon var ett år gammal och hon växte upp tillsammans med mamman hos släktingar i en storfamilj på landsbygden. Flickan blev ständigt tråkad av de andra barnen i byn för sitt utseende, men fann tröst i skolan, där hon var bästa elev med toppbetyg i alla ämnen.

När hon var i tolvårsåldern tvingade en svår torka storfamiljen att bryta upp från sitt utarmade jordbruksland. Alla skingrades för vinden. Shania och hennes mamma tog sig illegalt över gränsen till Indien och hamnade i Calcutta, där de livnärde sig på att städa hos familjer i den lägre medelklassen och sälja blommor vid rödljusen.

Men så omkom mamman efter att ha blivit påkörd av en smitare vid en korsning och Shania blev lämnad ensam. En kvinna tog henne med till ett slumområde intill en soptipp, där invånarna sorterade avfall som transporterades dit i lastbilar från de stora lyxhotellen. Shania slet hårt från morgon till kväll med tjugo rupier och två vattniga mål mat om dagen, bestående av dal och ris, som enda lön. Efter ett par år flydde hon därifrån tillsammans med två andra flickor och lyckades smita ombord på en lastvagn på ett tåg som gick till Delhi.

Här i den indiska huvudstaden hade hon i flera år hankat sig fram på att städa toaletter och plocka sopor. Men för några månader sedan lurade en man med henne på ett lastbilsflak under förespegling att hon och de andra skulle få jobb på ett vägbygge.

"Men han körde oss alla till ett stort slumområde utanför Delhi där det redan fanns en massa tiggare. Sedan dess har jag gått runt bland bilarna och visat upp mitt ansikte så att folk ska tycka synd om mig och ge mig pengar", sa Shania.

En tår trillade nerför hennes kind.

"Vad händer med pengarna som du tigger ihop?"

"Av tio rupier får jag bara behålla en. Resten går till chefen."

"Och vem är chefen?"

"Det vet jag inte, jag har aldrig sett honom. Men hans medhjälpare säger att jag måste betala chefen för att han ordnar bostad åt mig, fast jag inte har något hem. Vi som tigger blir körda runt över hela Delhi och släpps av på olika platser. På nätterna får jag sova i utkanten av något slumområde eller under en vägbro."

"Och den unge mannen som bankade på rutan, vem är han?"

"En av chefens medhjälpare. Han står vid rödljusen och ser till att vi inte gömmer undan pengar och håller koll på oss så att vi inte rymmer nar vi är i slumområdet. Det finns nästan alltid ett par ögon som vaktar mig."

"Var det han som drog in dig i gränden här vi hade pratat första gången?"

· Hon nickade och torkade sig i ögonen med en bit av sjalen.

"Varför går du inte till polisen?"

Shanias ögon spärrades upp och händerna greppade hårt om sarityget.

"Ta mig inte till polisen, sir! Snälla, låt mig stanna här!"

"Lugn, bara lugn. Jag tänker inte ta dig till någon polis, jag lovar. Men vad är det som skulle vara så farligt med det?"

"Chefen betalar till dem för att vi ska få tigga vid rödljuset. Om polisen får tag på mig kommer de att överlämna mig till ligan."

Hon såg på mig med blanka, bedjande ögon.

"Eller så hamnar jag i fängelse och sedan skickar de mig tillbaka till Bangladesh. Muslimer som vistas i Indien utan tillstånd ser man som möjliga terrorister."

Shanias historia var så hjärtskärande att jag var beredd att ge henne jobbet som städhjälp enbart på grund av den. Men det fanns aspekter som det inte gick att bortse från. Jag var här på ett turistvisum som snart behövde förnyas, och då var det inte särskilt smart att anställa en illegal flykting. Dessutom kunde det innebära en fara för mig själv att sno tiggarsyndikatet på en säker inkomstkälla. Å andra sidan kändes det omöjligt att lämna flickan i sticket, inte minst nu när hon hade anförtrott sig åt mig.

"Om du ska jobba här, var hade du då tänkt bo?"

"Det finns kanske någon tjänstebostad, sir? Det brukar det göra i sådana här hus. Jag behöver inte ha någon lön, bara jag får bo i ett litet rum någonstans och arbeta hos er och slippa gå tillbaka och tigga. Snälla, sir, låt mig få visa hur bra jag är på att städa!"

Innan jag hann svara reste hon sig ur soffan och gick bort till vasken och diskade några kvarglömda smutsiga tallrikar och glas som stod där. En och en halv timme senare var lägenheten skinande ren sedan hon dammtorkat, dammsugit, gjort rent toaletten och svabbat av golven. Även om jag hållit lyan i någorlunda hygieniskt skick var det ingen tvekan om att Shanias städning slog min egen med hästlängder.

"Du överdrev inte, du är verkligen en fantastiskt duktig hemhjälp."

"Jag kan laga mat också, sir. Indiskt, kontinentalt, vegetariskt, kyckling och desserter. Allt vad ni kan önska er!"

Min mage kurrade till av förväntan. Det avgjorde definitivt saken. Om Shania var bara hälften så bra på att laga mat som hon var på att städa kunde jag se fram emot många välsmakande hemlagade måltider. Och det var något som jag verkligen hade saknat sedan flytten från Yogi.

Jag gick ner till vakten och frågade om det fanns några lediga tjänstebostäder i fastigheten att hyra. Det gjorde det inte, men väl i ett av grannhusen. Han gav mig telefonnumret till uthyraren och tre timmar senare var allting ordnat. Shania hade fått en bostad. Det var ett mörkt rum med ett minimalt fönster, en naken glödlampa i taket, krackelerade väggar och en smutsig madrass på golvet. Toaletten delade hon med andra tjänstefolk och vatten fick hon hämta från en rostig utomhuskran. Men det fanns ett eluttag och om jag köpte en bordsfläkt skulle det där råttboet vara tusen gånger mer trivsamt och komfortabelt än slumbostäderna av kartong och presenningar vid det stinkande vattendraget.

Hyran låg på tusen rupier i månaden. Utöver det erbjöd jag

Shania ytterligare tretusen rupier i lön för städning och matlagning. Hon sänkte sin sjal och för första gången såg jag den kluvna överläppen spricka upp i ett leende.

47

Om det finns ett speciellt helvete för journalister så ligger en av dess jordiska filialer i byråkratborgen Shastri Bhawan på Dr Rajendra Prasad Road i New Delhi.

Jag var visserligen förvarnad, men hade ändå ingen aning om vad som egentligen väntade mig när jag klockan elva på förmiddagen en mördande het julidag passerade in genom säkerhetskontrollen till Ministry of External Affairs speciella press- och informationsenhet.

Mitt mål var att försöka omvandla ett utgående turistvisum till ett journalistvisum med så lång giltighetstid som möjligt. Det var egentligen emot reglerna, men enligt min vän på Foreign Correspondents' Club, den alkoholiserade franske krigsfotografen Jean Bertrand, alls ingen omöjlighet. Han kände såväl en japansk frilansskribent som en norsk pressfotograf som hade klarat detta kraftprov. Hemligheten var att utrusta sig med envishet, tålamod och en dokumentportfölj som var så tjock att de papper och intyg som eventuellt saknades så att säga drunknade i mängden.

För att överhuvudtaget lyckas med uppdraget var man först och främst tvungen att ta sig till rum 137, eftersom det med fransmannens ord var epicentret där all typ av massmedierelaterad visering hade sin skälvande början. Det visade sig vara en minst sagt grannlaga uppgift.

En barsk polis med bambukäpp och med pistolhölstret hotfullt uppknäppt hade inte minsta lust att förklara för mig var rummet låg. Med en harkling följd av en röd spottloska föste han mig istället likt en ko med sin bambukäpp mot ett överbefolkat litet kyffe som var beläget alldeles innanför entrén.

Det var där liggaren låg.

Överallt i Indien mötte man dessa vältummade diarier, i vilka man förväntades plita ner namn, adress, telefonnummer, tid för ankomst, ärende, signatur och ibland också namnet på sin far (om han råkade vara död spelade ingen roll i sammanhanget). I vanliga fall tog det högst ett par minuter.

Det här var inget vanligt fall.

Mannen som hade makten över just denna liggare var klädd i vit kurta pyjama och en grå väst som var knäppt ända upp i halsen, trots den tryckande värmen. På näsryggen vilade ett par runda glasögon och som pricken över i pryddes hans skalliga huvud av en klassisk vit Nehrumössa kantad med en mörk svettrand. En gnisslande takfläkt drev runt den kvalmiga luften i rummet. Det kändes som att stå i en ångbastu med kläderna på.

Efter en halvtimmes stångande med andra kraftigt transpirerande besökare hade jag äntligen avancerat fram till skrivbordet. Jag framförde mitt ärende varpå mannen med Nehrumössan långsamt drog sitt pekfinger över inte mindre än tio kolumner i liggaren som jag var tvungen att fylla i. Medan jag gjorde det lutade han sig tillbaka i sin knarriga stol och läste förstrött i Dainik Jagran, totalt opåverkad av alla vädjande röster som försökte påkalla hans uppmärksamhet. När jag var klar lade han ifrån sig tidningen med en suck innan han i ultrarapid lyfte telefonluren och slog ett nummer. Efter en halv minuts väntan utan svar lade han på luren igen och såg på mig med uttryckslösa ögon.

"Förste verkställande byråtjänstemannen för press och övrig media är inte på plats för tillfället. Ni får komma tillbaka efter lunch."

"Men sir, finns det ingen annan som jag kan få träffa istället?" bönade jag.

"Nej."

"Jag kanske kan vänta här och så kan ni försöka ringa upp honom igen om ett par minuter?"

"Kom tillbaka efter lunch", svarade Nehrumössan med uttråkad men kompromisslös stämma.

Innan jag hunnit fråga vad han menade med "efter lunch" hade näste man i tur trängt sig fram till skrivbordet och samtidigt knuffat mig bakåt med hjälp av de andra i kön. Utan att jag riktigt förstått hur det hade gått till befann jag mig helt plötsligt utanför rummet, som om den blöta människomassan var ett sammankopplat tarmsystem och jag en liten skit som krystats ut.

Klockan två på eftermiddagen var jag tillbaka, enkom för att konstatera att dörren in till liggaren och dess förhandlingsovillige administratör inte bara var stängd utan också låst.

"Kom tillbaka efter lunch", sa polismannen med bambukäppen.

"Det är ju efter lunch nu!"

"Inte för alla. Några har fortfarande lunchrast."

"Men jag skrev ju in mig redan i förmiddags! Kan ni inte bara vara så vänlig att visa mig till rum 137?"

"Var har ni kvittensen?"

"Vilken kvittens?"

"Den som visar att ni redan är inskriven."

"Jag har inte fått någon sådan kvittens!"

"Ingen släpps in utan kvittens. Kom tillbaka om en timme och skriv in er i liggaren så att ni får er kvittens", sa han med myndig stämma och bröstade upp sig.

Klockan kvart i fyra hade jag äntligen lyckats utverka den lilla lapp, signerad av mannen med Nehrumössan, som behövdes för att ta sig igenom detta första nålsöga. Nästa punkt på programmet var att försöka lokalisera rum 137. I en halvtimme vimsade jag runt i de slitna, labyrintliknande korridorerna på andra våningen, omgiven av indiska byråkrater som verkade strängt upptagna med att flytta pärmar. Ett par av dem hade dock vänligheten att stanna upp och försöka förklara för mig var rum 137 var beläget. Men eftersom den nummerordning som tillämpades i byråkratborgen saknade all form av logik tog det ytterligare en kvart innan jag äntligen fann det rätta rummet. Då uppstod genast nästa problem: Dörren var låst.

I ren desperation öppnade jag istället en dörr i korridoren där det stod Press Room. Innanför den satt en man vid ett litet bord. Med en liggare.

"Pratar du engelska?" frågade jag.

"Yes", log han.

"Vet du var förste verkställande byråtjänstemannen för press och övrig media finns någonstans?"

"Yes!" upprepade han och nu med en sådan iver att det ingav verkligt hopp.

"Var då?"

"Yes! Yes!"

Till skillnad från surpuppan med Nehrumössan på bottenvåningen var mannen med makt över denna liggare en gladlynt herre, utrustad med ett bländvitt leende och någonting som verkade vara en brinnande lust att hjälpa till. Men eftersom hans engelska ordförråd bara innehöll ett ord och eftersom han var den enda människa som uppehöll sig i pressrummet, och klockan dessutom närmade sig stängningsdags, kom jag inte längre. Min första dag i Shastri Bhawan på Dr Rajendra Prasad Road i New Delhi var till ända. Den skulle följas av fler.

Ytterligare fyra, närmare bestämt.

Det fanns stunder under mina irrfärder i korridorerna då jag undrade vem jag var, vart jag var på väg och framför allt varför. Men på den femte dagen, efter en pappersexercis som trotsade allt jag tidigare upplevt i den genren, samt två långa, utmattande samtal med den förste verkställande byråtjänstemannen för press och övrig media i rum 137, som till sist öppnat sina käftar för mig, inträffade miraklet. Ett rekommendationsbrev från Göteborgs-Postens utrikesredaktör och det Indienvänliga reportaget om Rishikesh, med engelsk översättning bifogad, fällde slutligen avgörandet i min favör. Efter hårt och idogt arbete var jag lycklig innehavare av ett dokument med en stämpel och en underskrift av förste verkställande byråtjänstemannen för press och övrig media vid Ministry of External Affairs, i vilket han ödmjukast bad den förste verkställande byråtjänstemannen vid FRRO, Foreign Regional Registration Office, att utverka ett journalistvisum med ett års giltighet åt Mr Güran Borg (han skrev direkt från visitkortet, trots att han fått femtioelva andra handlingar inklusive kopior på mitt pass där mitt namn var rättstavat. Det var alldeles tydligt att demonen Kent vägrade släppa sitt grepp om mig).

Att det sedan tog ytterligare två dagar att förmå den förste verkställande byråtjänstemannen vid FRRO (ytterligare en av helvetets jordiska filialer) att verkligen utfärda det där visumet med erforderliga stämplar och signaturer i såväl pass som uppehållstillstånd, var en pina som jag tog med jämnmod. Så här mycket journalist hade jag aldrig tidigare varit.

"Nu kan du följa med mig nästa gång jag ska till Afghanistan", sa Jean Bertrand när jag samma kväll träffade honom i baren på Foreign Correspondents' Club för att fira mitt inträde i utrikeskorrespondenternas legitima skara.

Den arrogante Gåsen från London var också på plats, märkbart störd över att jag nu kvalificerat mig som fullvärdig medlem i hans fina klubb. Jean Bertrand fångade hans avmätta blick vid grannbordet och höjde sin Kingfisher.

"Härligt med lite nytt friskt blod i föreningen, eller hur, Jay? *Salut Monsieur President!*"

Gåsen blev så överrumplad att han inte kunde göra annat än besvara skålen med ett tillkämpat leende.

"Nå, ska du med till Afghanistan? Jag flyger tillbaka till Kabul nästa vecka."

"Helt ärligt, Jean, krigsjournalistik är inte min grej."

"Det är inte krig i Afghanistan, det är bara lite skärmytslingar."

"Men jag är nog för harig även för lite skärmytslingar."

"Så vad tänker du skriva om istället då?"

"Det finns en del idéer som snurrar i skallen. Och så har jag fått en förfrågan från en svensk tidning som vill att jag gör ett större jobb om barnarbete i Indien. Har du något tips på en bra ingång?"

"Då behöver du inte resa långt. Ta dig bara till Shahpur Jat i södra Delhi. Det är ett område med en massa kläd- och designbutiker insprängda mellan de vanliga gamla ruffiga affärerna. Där finns också många små sjabbiga lokaler på bakgatorna med ungar som sitter och broderar för hand, mer eller mindre som barnslavar. Mest småpojkar, faktiskt. Tjejerna brukar säljas som hembiträden. För ett par år sedan skrevs det mycket om Shahpur Jat när det amerikanska klädesföretaget GAP avslöjades med att ha underleverantörer där som använde barnslavar i produktionen. Senare gjordes det lite razzior men nu är allt som vanligt igen vad jag har hört."

"Hur riggar man ett sådant jobb?"

"Det är väl det som är problemet. De skumma fabrikörerna har dragit öronen åt sig efter skandalen med GAP. Det går inte längre att bara stövla in i lokalerna med kameran runt halsen och knäppa kort på barnen som man gjorde förr, och sedan prata

med någon frivilligorganisation som får fart på polisen. Du mås-
te nästla dig in på något vis."

"Låter farligt."

"Så jävla farligt är det inte. Underleverantörerna är småhand-
lare som knappast skulle våga knäppa en utlänning. Det värsta
som kan hända är nog att du får en fet smäll på käften."

"Låter ändå farligt. Jag tror jag lägger det på is så länge."

Jean Bertrand tömde sin Kingfisher och beställde genast in en
ny.

"Jag fattar inte hur man kan leva utan faror", sa han. "Det enda
som verkligen skrämmer mig är tanken på att en dag vakna upp
utan något farligt att ta mig för. Den dagen ska jag börja supa."

"Ursäkta, men vad håller du på med just nu?"

"Jag menar supa på allvar. Dricka skiten ur mig. Tömma skal-
len på allt vad hjärnceller heter och träda in i Nirvana."

"Låter farligt", sa jag.

48

Jag vaknade av vad jag trodde var det susande ljudet från luftkonditioneringen. Det låter ungefär som regn som sköljer över ett träds bladverk. Men eftersom det var outhärdligt varmt i rummet, och dessutom kolsvart hur mycket jag än tryckte på strömbrytaren, förstod jag att strömmen hade gått igen och att regnljudet var äkta vara.

Jag tände ficklampan, satte mig på sängkanten och kände till min fasa att fötterna blev väldigt blöta. När jag försiktigt reste mig upp och lyste ut över sovrummet upptäckte jag att jag stod i en liten sjö. Hela golvet var lagt under vatten.

Med ficklampans ljuskägla sökte jag mig uppför väggarna och hittade sprickorna i taket där regnet forsade in. Jag vadade ut i hallen och fick upp ytterdörren och tog trappan upp till altanen. Regnet vräkte ner från den svarta himlen och när jag stod där med vatten upp till anklarna insåg jag det omöjliga i att försöka lokalisera och täta läckan under skyfallets gång.

I flera veckor hade jag precis som alla andra gått och längtat efter monsunen som skulle skänka lindring från den kvävande sommarhettan. Men nu när den äntligen infunnit sig kände jag mig som en ensam skeppsbruten ute på det stora havet; liten, övergiven och omgiven av enbart vatten.

Jag sprang ner till lägenheten igen för att rädda mina ägodelar. Datorn låg i säkert förvar uppe på ett bord mitt i vardagsrummet och musikanläggningen hade också klarat sig. Mr Malhotras utmärkta kylskåp i kokvrån höll ännu stånd mot vattenmassorna och alla mina personliga värdehandlingar var inlåsta i översta skrivbordslådan. Det enda som var i akut fara för total förstörelse var min nyinköpta skrivare, som jag slängde upp på madrassen innan jag rusade nerför trapporna för att be vakten om hjälp.

När jag kom ut på gatan var det redan fullt med människor där, trots att det var mitt i natten. Men inte en enda av dem verkade dela min oro. Istället skrattade folk och pratade glatt med varandra eller stod bara och tittade upp mot den mörka himlen med barnsligt förtjusta leenden i sina regnpiskade ansikten. En våldsam åskknall briserade alldeles ovanför oss och det redan massiva skyfallet lyckades på något outgrundligt sätt tillta i styrka. Jag hade aldrig tidigare upplevt ett så häftigt regn. Några barn tjöt av förtjusning och kastade sig ner i den brusande bäck som gatan hade förvandlats till.

Jag fick syn på min grannes ryggtavla och grep tag i hans dyngsura skjortärm. När han vände sig om och såg att det var jag drogs hans redan glada mungipor upp ännu mer.

"Äntligen! Är det inte fantastiskt!" utropade han med vattnet strilande ner över de blinkande ögonen.

"Det läcker in i min lägenhet!" skrek jag för full hals för att överrösta regnet.

"Det gör det i vår också!" skrålade grannen och klatschade mig uppmuntrande på ryggen som om vi därmed delade en stor ynnest.

Efter tjugo minuter var skyfallet över. När solen några timmar senare gick upp över Delhi befarade jag att dagsljuset skulle avslöja en fullständig förödelse i lägenheten. Men till min stora förvåning var det inte alls så farligt. Väggen där vattnet hade forsat in var visserligen fortfarande blöt men långt ifrån genomdränkt. Indiska hus må läcka som såll, men de torkar också upp i rekordfart, konstaterade jag lättat. Jag pratade med grannen om sprickan uppe på altanen och han lovade att han skulle leta rätt på någon hantverkare som kunde täta den.

Shania kom som vanligt vid niotiden och gav sig genast i kast med att göra rent. Likt en städorkan for hon fram med skurhink, svabb och trasor. Hon gnuggade bort smutsränderna som regnet lämnat efter sig på väggar och golv och desinficerade den översvämmade toaletten med klorlösning.

Flickan hade varit hos mig i snart en månad och kände sig nu så hemtam och bekväm i mitt sällskap att hon inte längre skylde sitt ansikte när hon pratade med mig. Hon kom på förmiddagarna för att bädda, göra rent och fixa till en enkel lunch innan jag gav henne pengar så att hon kunde gå till marknaden och handla färska varor till middagen.

Vi sa inte så mycket till varandra under de timmar hon var här. Jag satt mest och skrev och hon städade och lagade mat. Men det kändes bra att ha henne i lägenheten, och måltiderna höll en helt annan klass än när jag själv försökte svänga ihop någonting.

En annan stor fördel med Shania var hennes totala diskretion: när Preeti dök upp försvann hon utan att jag ens märkte det.

Om någon för ett år sedan hade föreslagit att jag skulle anställa en hemhjälp på heltid för att få mer tid till mitt eget självförverkligande och samtidigt skapa arbetstillfällen, hade jag avfärdat det som ett uruselt och pinsamt inlägg i pigdebatten. Nu kändes det som den mest naturliga sak i världen. Och inte behövde jag ha dåligt samvete heller. Jag var glad för Shanias hjälp och hon var glad för sitt jobb. Det var den perfekta vinn-vinn-situationen, för att använda ett av Eriks mest slitna uttryck.

Sina lediga stunder tillbringade Shania vanligtvis i tjänstebostaden, där hon under glödlampan satt och läste i de begagnade engelska pocketböcker som jag försåg henne med från ett litet antikvariat. Varje dag gick hon också en promenad, men hon lämnade aldrig det inhägnade bostadsområdet av rädsla för att bli upptäckt av någon plågoande från sitt tidigare liv. När jag frågade henne om det inte blev ensamt ibland såg hon på mig med sina vackra, uttrycksfulla ögon.

"Jag träffar er, sir. Det räcker. Och sedan har jag sällskap av böckerna. Om man aldrig har fått vara ensam tidigare och alltid tvingats till saker av andra är ensamheten någonting mycket värdefullt. Som en kravlös vän som sitter tyst bredvid och som aldrig klagar eller skriker eller slår. En som bara finns."

Preeti kom förbi på eftermiddagen. Hon hade med sig en korg mango, säsongens absolut sista. Hon skalade och skar upp tre frukter i små aptitliga bitar som hon ställde fram i en skål på bordet.

"Om monsunen kommer till Delhi innan mangosäsongen är över betyder det lycka", sa hon och stoppade en bit i min mun.

Jag log men kände mest vemod, som när man åt sommarens sista jordgubbar hemma i Sverige och visste att det skulle dröja nästan ett helt år innan man fick njuta av dem igen. När jag kom till Indien tyckte jag inte alls om mango. Men Preeti hade lärt mig att älska frukten med den mjuka konsistensen och lite stickiga sötman. Den hörde liksom ihop med henne, från den första gången hon kom till min lägenhet med just en korg mango som inflyttningspresent.

Det vilade någonting vemodigt även över vårt möte. Preeti skulle flyga till Edinburgh dagen därpå för att träffa sin son Sudir och stanna hos honom i sex hela veckor innan de båda reste till London över en avlutande weekend för att sammanstråla med Vivek Malhotra.

"En helg om året. Det är ungefär vad min man ägnar sin familj", sa hon med en svag ton av bitterhet i rösten.

"Jag trodde familjen var viktig i Indien."

"Familjen är *allt* i Indien. Bara inte just i vår familj, eller hur jag ska uttrycka saken."

Hennes blick sökte sig ut genom fönstret men blev samtidigt inåtvänd, som om hon letade efter någonting i minnet. Men så släppte hon tråden och log mot mig, och jag saknade redan det där leendet med smilgropen så mycket att det gjorde ont i bröstet. Sex veckor med sin vuxne son, var det verkligen nödvändigt? Jag skänkte mina egna barn en flyktig tanke. Det där jag sagt till Mia om att de skulle kunna komma ner hit och hälsa på kändes plötsligt väldigt avlägset. Linda hade jag visserligen sporadisk kontakt med via mejl och telefon, men John hade jag bara pratat med en enda gång sedan jag bestämde mig för att stanna i Delhi.

Preeti och jag älskade länge och målmedvetet och efteråt somnade hon på min arm i det behagliga vinddraget från takfläkten. Efter en halvtimme vaknade hon med ett ryck och steg upp och klädde på sig. När jag tog hennes hand och försökte dra ner henne i sängen igen lirkade hon sig ur greppet och log stressat.

"Jag skulle gärna stanna. Men jag måste tillbaka till salongen och fixa det sista innan jag åker."

"Sex veckor är en lång tid."

"Jag vet. Och jag fattar inte hur jag ska klara mig utan dig så länge", sa hon och gav mig en puss på kinden innan hon tog den sista biten mango i skålen och stoppade i min mun.

"Något sött till en riktigt söt man."

Jag lät frukten smälta på tungan för att hålla kvar smaken så länge som möjligt samtidigt som jag lyssnade efter hennes steg som försvann nerför trappan.

49

Efter det första våldsamma skyfallet var det som om monsunen förlorade all kraft. Glädjen som det inledande regnet hade framkallat hos Delhiborna förbyttes i en besvikelse över att det inte kom mer än en handfull mindre skurar under resten av juli månad och en bit in i augusti. Men den varma luften var nu så mättad med tropisk fukt som svepte in från söder att man ändå blev blöt av svett och kondens efter bara några minuter utomhus.

En som uppskattade det klibbiga vädret var Yogis mamma, eftersom det mildrade hennes reumatiska värk.

Hon hade bytt ut sin nersuttna fåtölj inne i vardagsrummet mot en gnisslande gungstol med kuddar i ryggen på verandan. Även denna plats var strategiskt vald, just utanför den öppna glasdörren in till huset, så att hon kunde höra Lavanyas bjällerklang och samtidigt ha utsikt över gatan genom ett hål i häcken, och därigenom kunde kasta sitt cyklopöga på vakterna och den uttråkade chauffören Harjinder Singh varje gång hon vände blad i Dainik Jagran.

Jag var hembjuden till Yogi på middag, och innan mrs Thakur hade intagit sin plats vid bordet passade jag på att fråga ut honom om det där textilområdet i södra Delhi som Jean Bertrand hade berättat om. Jag hade fått påstötningar från Göteborgs-Postens utrikesredaktör igen, och ville inte göra henne besviken. Det var ju mycket tack vare rekommendationsbrevet från henne som jag hade fått mitt journalistvisum, och GP var dessutom min säkraste inkomstkälla. Dessutom skulle ett ordentligt uppdrag som krävde både tid och kraft skingra tankarna på Preeti. Det återstod tre veckor innan hon skulle vara tillbaka och jag höll på att gå under av längtan.

Även om jag fortfarande tyckte att Jean Bertrands jobbtips lät lite farligt, passade det mig egentligen bra. Med en indisk textilexportör som bäste vän kunde jag ju få initierad information om hur det förhöll sig med barnarbete inom just den branschen.

"Din franske vän har tvåhundrafemtiofem procent rätt!" utropade Yogi indignerat och tände sin tredje bidi i rad. "I Shahpur Jat vimlar det av kriminella girigbukar som lurar fattiga föräldrar från Bihar och Uttar Pradesh att sälja sina ungar som barnslavar. Och sedan sitter det andra girigbukar högre upp i pyramiden och köper in allt det billiga tyget och kläderna med vackraste broderierna på utan att ställa minsta lilla fråga om vem som gjort det, trots att alla vet att det är barn. Mr Gora, om du skriver den mest avslöjande artikeln om allt det där så kommer du att samla på dig så mycket god karma att ditt nästa liv blir till ett enda långt lyckorus!"

Yogi hastade in på sitt rum och kom tillbaka med en färgrik folder med bilder på unga kvinnor som satt vid vävstolar och arbetade, men också i skolbänkar försjunkna över läroböcker.

"Man behöver inte smutsa ner sina händer med tyg från barnslavar. Du vet den där fabriken i Madras som jag brukar åka till", sa han ivrigt och höll fram broschyren. "Där har leverantören startat det bästa programmet som ser till att flickorna som arbetar inte bara får lön till chapatin utan också undervisning av smartaste lärarna. Det gör att jag får betala ett par rupier mer per meter tyg, men så sover jag också gott om nätterna. Och priserna är ändå så fördelaktiga att jag gör finaste vinsten när jag säljer det vidare till Europa."

"Men hur tar man sig in i lokalerna där barnen arbetar", undrade jag. "Jag har hört att det är mycket svårare nuförtiden än vad det var förr."

Vi kom inte längre i vår diskussion eftersom mrs Thakur just då äntrade rummet, stödd på Lavanya. Tjänsteflickan placerade tanten försiktigt i stolen vid bordets kortända, som om hon var gjord av porslin.

"Usch, vad det stinker av dina vedervärdiga bidis", muttrade mrs Thakur med en tvär blick på sin son innan hon vände sig mot mig med ett blitt leende.

"Mr Borg, det var i sanning ett tag sedan vi sågs. Vad har ni haft för er på sista tiden?"

"Tackar som frågar, madam. Jag har skrivit flera artiklar till olika svenska tidningar."

"Hoppas att de är mer vederhäftiga än den där smörjan de fyller Dainik Jagran med."

Med tanke på att Yogis mamma ägnade ungefär hälften av sin vakna tid åt att läsa i nämnda tidning (den andra halvan var vigd åt gamla Bollywoodfilmer) kändes det frestande att fråga henne varför hon inte bytte blaska. Men vis av erfarenhet avstod jag. Mrs Thakur var som mest uthärdlig när hon fick smågnälla utan att bli ifrågasatt. Så länge hennes sarkasmer och ironier inte understöddes av den där mjuka men förväntansfullt grälsjuka tonen i rösten hade man ingenting att frukta.

"Snälla amma", sa Yogi och klappade sin mor kärvänligt på handen. "Mr Gora är inte vilken journalist som helst. Han har till och med intervjuat Shah Rukh Khan!"

"Den uppkomlingen", mumlade tanten. "Hade det inte varit bättre att intervjua Big B? Där kan vi tala om en skådespelare med karaktär."

"Vilken lysande idé!" utbrast Yogi.

"Absolut! Ett möte med Amitabh Bachchan, det måste bli min nästa stora grej", sa jag för att få tyst på mrs Thakur men bet mig genast i tungan. Jag hade ingen lust att lova bort ännu en exklusiv intervju med någon svårfångad Bollywoodstjärna.

Jag räddades av kocken Shanker, som kom in med en puttrande curry som han ställde på bordet.

"Mmm, det luktar gudomligt! Ingen kan laga till en riktig navratan korma som du, Shanker!" berömde Yogi lyriskt.

"Vilken sorts nötter har du använt?" frågade hans mamma skeptiskt.

"Skalade mandlar och cashewnötter, madam. Precis som ni vill ha det", sa kocken och lade upp en halv slev på hennes tallrik.

Den kryddiga grönsaksgrytan med paneer smakade verkligen förträffligt, liksom potatiscurryn från Gujarat och palak dal, en betydligt mildare linsröra med spenat. Tillsammans med det fluffiga riset och de nygräddade naanbröden blev det till en perfekt komponerad måltid. Jag åt mycket och med gott samvete, eftersom jag sprungit en mil på Hyatts löpband tidigare under dagen.

Till dessert serverade Shanker sin egen hemlagade kulfi, den söta indiska glassen med smak av kardemumma.

"Jag förstår inte varför han måste göra den så kall", klagade mrs Thakur och ropade på Lavanya, som genast uppenbarade sig.

"Stäng av luftkonditioneringen. Vi angrips av kyla från två håll och är på väg att frysa ihjäl härinne."

Varken Yogi eller jag delade tantens åsikt om temperaturen, men höll tyst för husfridens skull. Efter maten parkerade mrs Thakur sig i fåtöljen framför teven, medan Yogi drog med mig ut i trädgården, under förespegling att han skulle röka. Det stämde visserligen, men var mest ett svepskäl för att undslippa mammans skarpa hörsel.

"Nu har jag kommit på hur du ska göra för att nästla dig in i fabrikerna", viskade han trots att vi befann oss utom hörhåll för modern. "Du ska låtsas att du är en textilimportör från Europa som vill göra affärer."

"Och hur ska det gå till?"

"Enkelt! Vi trycker upp ett nytt fint visitkort med falskaste namnet på, där det står att du är textilhandlare. Och så kan du leta upp leverantörer i området och fråga om produktionen och be att få titta på hur det går till."

"Men jag vet ju ingenting om textilier. Min okunskap kommer att avslöja mig direkt."

"Det har du i sanning rätt i", sa Yogi och gnuggade sin dubbelhaka på det för honom så karaktäristiska sättet innan han sprack upp i ett triumfatoriskt leende.

"Men *jag* vet allt om textilier och broderier! Jag kan följa med som din indiska partner. Då blir det ännu mer trovärdigt och så kan jag ta smygbilder på de stackars barnen."

"Menar du allvar?"

"Absolut! Jag har alltid drömt om att få sätta dit de där vedervärdigaste utsugarna och nu infinner sig äntligen det rätta tillfället. Låt oss genast skrida till verket!"

50

Sagt och gjort. Nästa dag beställde vi nya visitkort till både Yogi och mig i ett mindre tryckeri vid Khan Market, som till skillnad från det i Old Delhi endast behövde en dag på sig för att bli klara. Inget guld och inga konstnärliga logotyper den här gången, bara fejkade namn, fejkade firmor och telefonnummer till två nyinköpta kontantkort. Jag hette Jan Lundgren och var vd på Lundgren Import, medan Yogi hette Sanjay Chauhan och drev Hanuman Garment Export.

Ytterligare två dagar senare var vi redo, efter att Yogi hade ekiperat oss, hållit en minikurs för mig om textilhandlarnas ABC och lagt upp planerna för vårt wallrafferi. Iklädda svala linnekostymer av bästa kvalitet från ett fint skrädderi vid Connaught Place och utrustade med varsin attachéväska stuvade vi in oss i Tatan redan klockan tio på förmiddagen för att undvika den värsta hettan. Jag tyckte att det såg lite lustigt ut med vår nästan identiskt lika klädsel, men i bilen på väg ut till Shahpur Jat vidhöll Yogi att munderingen var ett osedvanligt slugt val.

"Det visar att vi är ett team", sa han. "Dessutom signalerar kostymerna att vi har gjort de allra bästa affärerna ihop tidigare. Textilier av den här kvaliteten hittar man inte på vilken lokal marknad som helst. Det är ju det finaste och dyraste linnet från Egypten", pöste han nöjt och gnuggade kavajärmens tyg mellan sina fingrar.

Yogi parkerade i skuggan av en träddunge i utkanten av området, och vi gick in i de mörka, svala gränderna. En söt arom av nybryggt masala chai blandade sig med doften av stekt lök och läckande avloppsrör i den mixtur av påträngande lukter och dunster som var så typisk för indiska marknadskvarter.

Rasslet från butikernas plåtjalusier ekade mellan husväggarna och hos de redan öppnade barberarna satt män med löddriga hakor i rad och fick sina morgonrakningar.

Vi gick förbi flera mörka hål i husväggarna där hukande män och kvinnor arbetade med allt från att skala potatis till att sortera överblivna stuvbitar från skrädderierna. Efter ett tag kom vi in i den del av Shahpur Jat som dominerades av klädesaffärer. Efter att ha ratat ett flertal butiker stannade Yogi under en skylt där det stod BEST FASHION med sirlig text.

"Detta etablissemang är om jag inte missminner mig en ganska stor firma. Låt oss börja här", föreslog han och öppnade dörren.

Det uppfriskande vinddraget från luftkonditioneringen i den rymliga lokalen letade sig in genom skjortkragen och sände en behaglig ilning nerför ryggraden. Genast blev vi omringade av tre unga försäljare som log välkomnande och frågade vad de kunde stå till tjänst med.

Yogi viftade avvärjande med handen och tog på sig en viktig min, vilket fick en äldre herre iklädd elegant kostym och med en grå rand längs mittbenan i sitt annars korpsvarta hår att lämna sin plats bakom disken och komma fram till oss.

"Vad kan jag göra för er, mina herrar?" sa han artigt.

"Vi skulle vilja tala med chefen för den här rörelsen", svarade Yogi.

"Får jag fråga i vilket ärende?"

"Det går alldeles utmärkt. Vi är här för att undersöka möjligheterna att inleda ett affärssamarbete", sa Yogi och räckte över sitt falska visitkort med ett högdraget leende.

Mannen tog emot kortet och kastade en hastig blick på det.

"Då har ni kommit rätt, mr Chauhan", sa han och lade sin högra handflata på bröstet i en vördsam gest mot Yogi innan han hälsade på mig med ett sladdrigt handslag. Det kändes som att greppa fem kalla wienerkorvar.

"Det är jag som äger Best Fashion. Vi väver, syr och broderar allt efter kundens önskemål. Mitt namn är Varun Khanna. Angenämt att träffas."

"Och jag heter Jan Lundgren", sa jag. "Klädimportör från Sverige."

"Från Sverige? Så utomordentligt intressant, mr Lundgren. Min dröm är att någon gång få åka dit och se era höga alptoppar. Jag älskar att titta på Bollywoodfilmer som är inspelade i Sverige! Och så tycker jag mycket om den där osten med stora hål i som ni tillverkar. Den har jag ätit på en fin restaurang här i Delhi. Väldigt speciell i smaken men också väldigt god."

"Ni menar Schweiz."

"Ja, det är verkligen fint, ert land."

"Men jag kommer inte från Schweiz. Jag är från Sverige. Det låter nästan likadant men är ett helt annat land som ligger i norra Europa. Våra berg är inte lika höga som i Schweiz och våra ostar har inte heller lika stora hål. Men vi har världens högsta skatter", sa jag och plirade med ögonen i ett försök att skapa en otvungen atmosfär.

Mannen såg för ett ögonblick rådvill ut innan han fann sig.

"Ja, tänk så många spännande länder det finns i Europa. Jag älskar verkligen er fantastiska kontinent!"

"Utmärkt. Då kanske ni också kan erbjuda riktigt bra priser till min europeiske vän", sköt Yogi in.

"Naturligtvis! Men låt oss inte stå här och prata. Kom med så får jag bjuda på något svalkande att dricka", sa han och ledde oss med en belevad gest in i ett rum bakom disken.

ॶ

Vi slog oss ner i en soffa och serverades kakor och nimbu pani av en späd kvinna i sari som lämnade efter sig en distinkt doft av rosenvatten. Efter ytterligare några hedersbetygelser om Europa i allmänhet (eftersom Varun Khanna inte visste något om Sverige) gled vårt samtal in på affärer. Jag förklarade att jag framför allt var på jakt efter välsydda damkläder i exklusivt material.

"Det måste vara äkta natursilke med handbroderier. Mina kunder i Skandinavien är mycket kräsna", poängterade jag.

"Naturligtvis. Vi har möjlighet att skräddarsy produktionen helt efter era önskemål."

Jag tog en klunk av limejuicen och grimaserade av den sursalta smaken.

"Ni får ursäkta, men jag har tyvärr lite dålig erfarenhet från tidigare affärer i Indien, där leverantörerna har fuskat med kvaliteten. Därför skulle det vara bra om vi fick ta en titt på er produktion innan vi går vidare", sa jag.

"Naturligtvis, mr Lundgren. Vi skulle kunna besöka någon av våra tillverkningsenheter, kanske redan imorgon?"

Textilhandlarens leende var nu så brett att guldplomberna i hans kindtänder blottades.

"Om vi ska göra affärer tillsammans vill jag se arbetet idag. Förberedda besök intresserar mig inte", invände jag. "Och det är framför allt broderiet som jag vill kika närmare på. Jag måste vara helt säker på att det är hundra procent natursilke och att det verkligen är handgjort och inte maskintillverkat."

"Men det kan jag garantera att det är, mr Lundgren! Det går inte att utföra så här intrikata broderier med en maskin", sa han och tog fram ett sarityg med ett fint mönster av blommor och fåglar.

Yogi drog ut ett knippe tunna silkestrådar ur tyget och satte fyr på dem med sin cigarettändare. De förvandlades direkt till gråsvart aska utan att först brinna eller smälta, som de skulle ha gjort om det fanns spår av polyester i materialet.

"Ni ser själva! Hundra procent äkta vara", sa textilhandlaren, märkbart nöjd med utfallet av Yogis lilla experiment.

"Gott så. Men jag vill syna broderiarbetet också", sa jag bestämt. "Och jag vill göra det nu."

Mr Khanna gnuggade handflatorna mot varandra och såg på sitt armbandsur.

"Det är ännu väldigt tidigt på dagen och jag är inte säker på att arbetet har kommit igång än. Om ni kan vänta ett par timmar bara så …"

"Jag ska gå rakt på sak, så att vi slipper spela teater för varandra. Jag är inte i Indien för att bedriva välgörenhet. Jag är här för att göra affärer, och det enda som betyder någonting för mig är kvaliteten och priset. Hur det ser ut i era lokaler, vilka löner ni betalar och vem som utför arbetet intresserar mig inte ett ögonblick. Jag tycker för övrigt att det är hyckleri när västerlänningar som kommer hit och själva vill tjäna pengar klagar på arbetsmiljön. Det är ju ändå entreprenörer som ni som skapar jobben åt de fattiga. Och att barn får arbeta lite och bidra till sina familjers försörjning dör de inte av. Tvärtom."

När jag väl hade slängt ut betet tog det inte många sekunder innan mr Khanna högg på det.

"Vad talar vi om för storlek på ordern?" frågade han.

"Ni måste förstå att jag inte kan nämna några siffror innan jag har sett vad det är ni har och hur ni framställer det. Men låt mig säga att det rör sig om avsevärda kvantiteter, under förutsättning att handarbetet kan garanteras, förstås."

"Och ni har ingen sådan där uppförandekod som en del andra europeiska företag?"

"Min enda uppförandekod är den mellan er och mig. Vi två ska kunna lita på varandra."

Jag lyssnade på mina egna ord och förvånades över hur trovärdig jag lät. Min senaste erfarenhet av renodlat skådespeleri, om man nu inte betraktade hela livet som ett långt utdraget drama, låg nästan fyrtio år tillbaka i tiden. Det var då som jag i egenskap av musiklärarinnans favoritelev hade tilldelats rollen som Mr Higgins i en skoluppsättning av "My Fair Lady", men fråntogs densamma efter bara tre repetitioner eftersom jag inte kunde säga "den spanska räven rev en annan räv" utan att i ett utslag av Tourettes syndrom ersätta "räv" med "röv" var och varannan gång. Jag blev pionröd i ansiktet samtidigt som resten av ensemblen brast ut i ett unisont gapskratt. Den snälla musiklärarinnan försökte verkligen hjälpa mig, men fick till sist ge upp. Rollen gick istället till Janne, en självsäker men halvt tondöv kille i klassen, som på kuppen blev ihop med vrålsnygga Louise Andersson som spelade blomsterflickan Eliza och som jag själv hade drömt om att lägga beslag på. Sedan dess led jag av lätt scenskräck.

Men den här gången satt mina repliker klockrent. Kanske hade jag varit textilimportör med tvivelaktig moral i ett tidigare liv? Kanske hade jag bara hittat min inre kraft? Min inre gud, rent av? I vilket fall som helst lät jag tillräckligt övertygande för att smörja mr Khanna.

"Okej, mr Lundgren, då vet vi var vi har varandra. Jag uppskattar er ärlighet och delar också era åsikter fullt ut. Ett litet ögonblick bara så ska ni snart få titta på arbetet."

Han ringde ett samtal och tio minuter senare befann vi oss i en fönsterlös lokal som var upplyst av skarpa lysrör, bara ett par hundra meter från butiken. På det kala golvet satt ett tjugotal småpojkar som såg ut att vara mellan sex och tolv år och broderade i silkesvävnader uppspända över stora träramar. I precisa pekfingergrepp for de tunna nålarna upp och ner genom tygstyckena i snabba men monotona rörelser efter ett markerat mönster. Några av pojkarna sydde in paljetter och små pärlor i tyget. En man i ett smutsigt linne satt på en pinnstol och övervakade arbetet med sträng uppsyn. Luften stod stilla och det luktade fränt av intorkad svett som i en gammal gymnastiksal. Jag letade förgäves efter en fläkt. Det måste ha varit en bra bit över trettio grader varmt i rummet.

Men det som gjorde mig mest beklämd var den totala tystnaden i kombination med pojkarnas apatiska blickar. Det fanns varken rädsla eller sorg i deras ögon, bara en bottenlös tomhet som om någon hade dränerat dem på deras själar. Ett helt rum fyllt av barn utan en antydan till fniss, ett leende eller åtminstone en spjuveraktig min. Jag kunde inte minnas att jag hade upplevt något som kom i närheten av detta tidigare.

"Just nu smyckar pojkarna saris och indiska bröllopskläder. Men de har också erfarenhet av att brodera i mindre damblusar av västerländskt snitt", försäkrade Varun Khanna och rufsade en av de yngsta barnarbetarna i håret.

Pojken ryckte till av den plötsliga beröringen och blev alldeles stel, som om hans lilla kropp förberedde sig på ett slag. Men hans ögon var lika tomma och uttryckslösa som tidigare.

Yogi hade redan plockat fram kameran och börjat ta närbilder på broderierna utan att först fråga fabrikören om lov. Han gjorde det med självklarheten hos en kvalitetsmedveten köpare, och det föll sig så naturligt att man fick vara bra paranoid för att fatta misstankar om vårt egentliga syfte. Och jag var övertygad om att jag var den ende som såg att min vän ibland diskret vinklade upp kameran så att han även fick med pojkarna på bild.

Efter demonstrationen återvände vi till affärslokalen, där vi blev bjudna på te och samosas, med den där röda chilisåsen som Yogi var så förtjust i. Jag tog upp anteckningsblock och penna ur attachéväskan och började ställa frågor om kostnad och kapacitet.

"Priset kommer inte att avskräcka er. Vi ligger på en mycket rimlig nivå. Och när det gäller kapacitet är våra möjligheter i princip obegränsade. Det finns hur många produktionsenheter som helst som kan sättas igång med kort varsel", förklarade mr Khanna. "Bara här i Shahpur Jat har vi tolv liknande lokaler som den ni precis såg."

"Men hur leveranssäkra är ni egentligen?" sa Yogi med spelad skepsis och slickade sig om sina flottiga fingrar.

"Mycket säkra."

"Det säger ni allihop. Ursäkta min mest påträngande fråga, men hur ska vi kunna veta att det stämmer i just det här fallet? Det handlar som sagt om de allra största kvantiteterna och mr Lundgren måste kunna lita på att tidsschemat håller när produktionen väl är igång. Och framför allt måste *jag* kunna lita på det. Som indisk partner till en stor europeisk inköpare lever jag ett synnerligen farligt liv. Om någonting går snett är det mitt vackra huvud som rullar, inte ert", sa Yogi och drog med en snittrörelse över sin egen hals innan han skrattade till.

Jag levererade ett instämmande leende. Mr Khanna flätade samman sina händer och harklade sig.

"Då måste jag veta storleken på ordern", sa han. "Vilka volymer talar vi om, mina herrar?"

"Blir vi överens om priset handlar det om hundrafemtiotusen blusar i den första ordern, som måste levereras inom en tidsrymd av tre månader", drog jag till med.

"Det ska inte vara några problem", sa mr Khanna och fuktade nervöst läpparna med tungan.

"Med all respekt tror jag nog att mr Lundgren behöver ett mer påtagligt bevis på er fenomenala leveranssäkerhet för att känna sig på det allra bästa sättet lugn. Eller hur?" sa Yogi och vände sig mot mig.

"Absolut. Det vore bra om ni kunde visa några andra potenta kunder som har köpt stora kvantiteter av er."

"Där är jag delvis bakbunden av affärssekretessen", sa mr Khanna och sänkte rösten till en viskning. "Men oss emellan sagt kan jag nämna att såväl ett stort företag i Dubai som tre namnkunniga indiska klädfirmor hör till våra regelbundna kunder."

"Inga europeiska eller amerikanska företag?"

"Inte för tillfället."

Att det helt saknades västerländska köpare bland kunderna var en besvikelse som fick luften att pysa ur mig en aning. Ett avslöjande om barnslavar skulle krasst räknat inte vara lika mycket värt med enbart asiatiska storkunder.

"Då vill mr Lundgren nog ändå se ett eller annat dokument av den respektabla sorten på att sådana transaktioner med namnkunniga aktörer har förekommit", sa Yogi, som fortfarande hade ångan uppe.

"Jag vet inte ..."

"I så fall får vi nog tacka för oss allra ödmjukast och leta efter en leverantör någon annanstans", fortsatte min vän och reste sig ur soffan.

"Vänta nu lite, mina herrar! Vi ska väl inte låta en sådan liten detalj grusa våra samarbetsplaner. Det är klart att ni ska få se vad ni vill. Men då förutsätter jag att det stannar mellan oss."

"Naturligtvis", sa jag.

Textilhandlaren nickade kort och plockade sedan fram ett slitet orderblock ur en skrivbordslåda. Han bläddrade i det för sig själv en stund innan han lät oss titta.

"Här är en order från Dubai", sa han och vände sedan snabbt blad till ett nytt uppslag.

Han fortsatte att visa oss beställningar från flera kunder och rabblade namn på mindre indiska firmor och prominenta privatpersoner, som inte sa mig någonting. Yogi gäspade stort och tog upp sin ringande mobiltelefon ur kavajfickan och svarade på ett samtal från sin mamma. Hans väna röst och undfallande "kära amma" fick mr Khanna att le menande mot mig. Själv kände jag mig både besviken och smått uttråkad när han hade kommit fram till slutet av orderblocket.

"Jag har sparat det allra bästa till sist. Den här beställningen på broderade sarityger är i ungefär samma storleksordning som er tilltänkta order, både i fråga om volym och arbetsinsats. Hela partiet är till Indian Image, ett mycket välkänt och renommerat indiskt märke inom kläddesign."

Namnet lät bekant men jag kunde inte placera det.

Jag tittade snabbt på Yogi, som blinkade tillbaka med livfull lyster i ögonen, samtidigt som han lovade sin mamma att vara hemma om en timme.

Då föll polletten ner. Pulsen steg och min mun blev torr som fnöske.

Indian Image.

Om jag inte mindes helt fel från min tidigare research ingick företaget i ett stort affärsimperium.

Och detta affärsimperium ägdes av en viss industrimagnat.

52

"Det är det tydligaste tecknet hittills, mr Gora! Ett tecken så extraordinärt tydligt att bara den som är fullständigt blind på båda två av sina vackraste ögon kan undgå att se det!"

Yogi var så upphetsad efter vårt besök i Shahpur Jat att han körde om möjligt ännu mer okoncentrerat och vårdslöst än vanligt på vår väg tillbaka genom Delhis brusande trafik. Själv hade jag svårt att värdera den information som mötet med Varun Khanna genererat. Att Vivek Malhotras välkända indiska klädföretag råkade ha en skum leverantör, med ytterligare skumma underleverantörer, som *kanske* utnyttjade barnslavar var knappast något att höja på ögonbrynen åt och avgjort inget scoop på den svenska marknaden för frilansskribenter. Det var högst tveksamt om ens Göteborgs-Postens entusiastiska utrikesredaktör skulle köpa en artikel som byggde på så osäker faktagrund.

Å andra sidan fick jag ge Yogi rätt i att det på det personliga planet nästan såg ut som ett tecken från skyn att mannen som stod i vägen mellan mig och mitt hjärtas dam *möjligen* hade solkat ner sitt goda affärsrenommé genom att utnyttja barnslavar. Frågan var bara hur jag använde denna nyvunna kunskap så att den på bästa sätt tjänade min sak. Så mycket kände jag Preeti att jag förstod att hon skulle bli mycket arg på sin man om det gick att belägga att han verkligen var insyltad. Men det förutsatte att det inte blev alldeles för uppenbart att det numera fanns ett starkt egoistiskt skäl bakom mitt journalistiska driv.

"Vi har ju om sanningen ska fram inga handgripliga bevis för att Vivek Malhotra gör affärer med Khanna", sa jag till Yogi.

"Det menar jag absolut att vi har!" protesterade han och räckte över sin mobiltelefon till mig. "Titta på den senaste bilden i kameraalbumet."

Jag klickade på ikonen och fick upp ett foto som visserligen var lite suddigt men ändå avslöjade firmanamn på såväl leverantör som beställare av den sista stororder som mr Khanna visat oss: Best Fashion och Indian Image. Kanske skulle det ändå gå att knyta ihop säcken på något sätt.

"Du smygfotograferade när du pratade med din mamma?"

"Inte riktigt, men nästan. Jag hade inte alls kära amma på tråden. Jag tryckte bara fram en ringsignal på mobilen och låtsades sedan att jag språkade med henne. Det var inte särskilt svårt. Vi har ju pratat många tusen gånger så jag vet hur samtalen mellan oss brukar utveckla sig. Bara jag tänker på min mor hör jag hennes röst."

"Imponerande. Var får du allt ifrån?"

Yogi sträckte på ryggen och trummade med fingrarna på ratten.

"Det är nog snarare så att vi två kompletterar varandra som inga andra. Jag tror på det hela taget, mr Gora, att du och jag utgör det allra bästa radarparet som har skådats i Indien sedan högt ärade konung Ramas och hans flygande trotjänare Hanumans ärofyllda dagar. Med all den mest ödmjuka respekt för alla gudar som krävs och med insikten att vi bara är vanliga simpla människor, förstås."

Bilden på storordern var möjligen komprometterande för Vivek Malhotra, men varken den eller fotografierna på pojkarna som broderade utgjorde fullgoda bevis på att hans företag var involverat i ett systematiskt utnyttjande av barnslavar.

"Vad gör vi nu?" frågade jag.

"Det är väl tämligen uppenbart", svarade Yogi. "Du ska skriva om det här och därmed oskadliggöra mr Malhotra, så som Rama använde sin magiska pilbåge för att krossa den vedervärdige demonen Ravan som hade kidnappat hans älskade hustru Sita. Du gör på samma sätt men ändå lite annorlunda, eftersom du inte har den gudomliga styrkan och kraften som Rama. Pennan är ditt svärd! Det blir inte heller lika blodigt och passar därmed ditt temperament bättre."

"Nu fick du verkligen till det. Men det är inte så enkelt att bara skriva en artikel om det här och påstå en massa saker."

"Vem har sagt att det skulle vara enkelt? Det krävdes massor av mod och list från Ramas sida innan han besegrade Ravan, och detsamma kommer att krävas av dig. Men liksom Rama kämpar du inte ensam. Du har mitt mest helhjärtade stöd och jag skulle tro att din vän fransmannen som så väldigt mycket gillar alkohol också kan vara behjälplig med råd om hur man på bästa sättet skriver och distribuerar denna viktiga artikel. Och glöm inte att allting tjänar ett högre syfte. Det är inte bara den vackraste skönhetssalongsföreståndarinnan som ska befrias från den onda demonen så att ni kan förbli varma som chili om era kinder för resten av livet. Tänk också på alla barn du räddar om din penna är lika vass som Ramas pilar!"

Det lät bombastiskt, men jag bestämde mig ändå där och då för att följa Yogis uppmaning. Tre gånger tidigare i mitt liv hade jag hängett mig åt bitter självömkan efter att ha blivit bestulen på min kärlek:

1. När tondöve Janne norpade Louise Andersson.
2. När snutfagre Erik snodde Mia.
3. När teflonkostymen Max upprepade den stölden tjugo år senare.

Nu, då jag själv var kärlekstjuven, och Yogi dessutom framställde mig som en godhjärtad Robin Hood-typ, lät jag mig uppfyllas av Verner von Heidenstams bevingade ord om att det är skönare lyss till en sträng som brast än att aldrig spänna en båge. Jag tänkte inte ge mig utan kamp. Jag var dödligt trött på att alltid vara Mr Second Choice.

Dagen därpå ringde jag upp Jean Bertrand, som satt i baren på Indira Gandhi International Airport och väntade på att stiga ombord på ett plan till Karachi, för vidare transport till Kabul. Innan han såväl bildligt som bokstavligt talat försvann in i dimmolnen satte han mig i kontakt med en indisk journalist och medborgarrättsaktivist som var specialist på just barnarbete. Hon hette Uma Sharma och visade sig vara en kvinna i trettioårsåldern med kortklippt hår, stora runda glasögon och ett intellekt som var så skarpt att man nästan skar sig på det.

Vi träffades i en av kafeteriorna på Indian Habitat Centre, det monstruösa kulturcentret som låg bakom Lodi Garden och som förde tankarna till en jättelik fängelsebunker. Redan innan jag hade hunnit ta min första klunk kaffe hade Uma ringat in alla de problem som återstod att lösa för att ro avslöjandet i hamn.

"Först och främst måste vi ha tydliga vittnesmål från någon av pojkarna om att de verkligen arbetar som barnslavar. Därefter krävs det att vi kan belägga fler transaktioner mellan Best Fashion och Indian Image eller mellan Indian Image och andra textilhandlare som utnyttjar barn. En order räcker inte, den kan avfärdas som ett olycksfall i arbetet."

"Men om vi kontaktar polisen?" sa jag.

"Och får till en razzia, menar du? Visst, det är ett alternativ om vi lyckas få tag på en ärlig polischef. Men vad blir utfallet? En punktinsats, några pliktskyldiga artiklar i tidningarna, en handfull pojkar som i bästa fall tillfälligt befrias, för att någon månad senare hamna i en ny barnfabrik. Det är så slarviga journalister, som inte orkar anstränga sig, arbetar. Om det verkligen ska komma ut någonting gott av det här krävs det att vi har ett vattentätt avslöjande av dignitet. Någonting som inte kan kollras bort med hjälp av mutor och korrupta poliser."

"Det låter som ett näst intill omöjligt uppdrag", sa jag uppgivet.

Hon slog samman handflatorna och borrade fast mig i stolen med blicken hos en sträng lärarinna. Trots att jag var minst tjugo år äldre än Uma Sharma kände jag mig som ett lågstadiebarn i hennes närvaro.

"Det är inte alls omöjligt. Om du är beredd att satsa på det här och inte ger upp efter första lilla motgång så finns det alla möjligheter att lyckas", sa hon. "Du har gjort ett bra förarbete, där kontakten med textilhandlaren är nyckeln till fortsatt framgång. Bygg vidare på den affären och nysta upp så mycket du kan så ska jag undersöka möjligheterna att få vittnesmål från några av pojkarna. Om den här ljusskygga verksamheten är så stor som textilhandlaren påstår, med mer än tio broderilokaler bara i Shahpur Jat, kan ett avslöjande få stort genomslag även om det inte omfattar några utländska företag. Indian Image är en viktig aktör i branschen. Slås det upp ordentligt i Indien och är väl underbyggt bildas det ringar på vattnet. Då hakar även internationell media på."

"Vilka då?"

"BBC, CNN, New York Times, Wall Street Journal. Om man väl får en stenbumling i rullning och har lite flyt kan drevet gå igång på allvar. Men då gäller det att du som budbärare har ordentligt på fötterna, annars är det du som ligger pyrt till."

Hennes sätt att adressera ansvaret gjorde mig illa till mods.

"Vem vet om det här, förutom du och jag?" sa hon.

"Jean i korta drag och så min vän Yogi, som var med mig hos textilhandlaren."

"Och du vill alltså att jag ska assistera dig?"

"Väldigt gärna."

"Då har jag ett krav, och det är att vi håller all information inom denna lilla krets av fyra personer tills jag säger någonting annat. Kan jag lita på att du inte läcker?"

"Visst."

"Bra. När vi väl har samlat på oss tillräckligt med material för en artikel har jag de rätta mediekontakterna för att få ut det på bästa sätt. Men innan dess kniper vi om det här utåt, för alla inblandades säkerhets skull."

"Så det är farligt?" sa jag med en röst som på ett pinsamt sätt stegrade sig i falsett.

Uma Sharma rättade till glasögonen och gjorde en notering i sitt anteckningsblock.

"All viktig journalistik är farlig, speciellt den som synar makten. Gör dig också beredd på att det här kan ta tid. Jag gillar inte hafsverk. Allt ska vara sant och relevant. Tålamod och diskretion är honnörsorden. Ge mig några dagar att skissa på handlingsplanen i detalj, så återkommer jag med vidare instruktioner."

Hon lät som en gerillaledare som planerade ett anfall. Det här är krig, tänkte jag och bet mig så hårt i underläppen att en metallisk smak av blod spred sig i munnen.

53

Dagen då Preeti äntligen kom tillbaka till Delhi öppnade sig himlens portar. Det var ett underbart septemberregn, som sänkte temperaturen med minst tio grader och fyllde luften med en doft av fuktig jord.

Vi hade stämt träff på eftermiddagen intill eukalyptusträdet med ekorrarna i Lodi Garden, och när jag såg henne komma vandrande mellan vattenpölarna, ledsagad av sländorna som väckts till liv av skyfallet, kände jag en obeskrivlig lycka. De sex veckor som vi hade varit ifrån varandra reducerades i ett ögonblick till just ett ögonblick. Och då vi en stund senare satte oss ner på den fortfarande blöta parkbänken och hon kysste mig med en intensitet och hunger som övertrumfade allt jag tidigare upplevt i den genren, drabbades jag av svindel och log sådär saligt som bara en tokkär medelålders man kan göra.

Tiden efter återseendet fortsatte som i ett lyckorus. Vi sågs på kvällarna i Lodi Garden och hon sov över hos mig vid ett par tillfällen. Det enda riktigt jobbiga var att jag inte kunde berätta för Preeti vad jag visste om hennes mans affärer. Jag hade ju lovat Uma att inte sprida informationen vidare innan hon gav grönt ljus, och det löftet kunde jag inte bryta.

Tillsammans med Uma och Yogi hade jag kommit en bra bit på vägen mot det där scoopet som förhoppningsvis skulle ge tillräckligt många ringar på vattnet för att sänka Vivek Malhotra som en sten, eller åtminstone göra honom så blöt att han inte bara kunde ruska av sig obehaget som en katt som spolats med trädgårdsslangen.

Den skumme textilfabrikören Varun Khanna i Shahpur Jat knorrade visserligen över att vi hela tiden förhalade uppgörelsen med honom när det ju hade varit så bråttom i början. Men eftersom han fortfarande verkade hysa stora förhoppningar om ett långt och inkomstbringande samarbete med textilimportören Jan Lundgren från Sverige hade han visat oss ytterligare fyra stora order från Indian Image på handbroderade tyger, allt för att övertyga oss om sin kapacitet och leveranssäkerhet.

Dessutom hade Yogi och jag under vårt fortsatta undercover-uppdrag i området träffat tre andra, mindre leverantörer, av vilka vi lyckats övertyga två att visa sin produktion och röja namnen på några viktiga kunder. Båda dessa firmor använde sig av pojkar från Bihar och andra fattiga delstater som arbetare, och båda hade utfört jobb åt Varun Khanna.

Utöver det hade Uma med hjälp av sitt stora kontaktnät bland barnrättsorganisationerna lokaliserat fyra pojkar som tidigare hållits som barnslavar av Khanna men räddats därifrån för ett år sedan och nu bodde på barnhem. Den gången hade textilfabrikören undgått rättvisan genom att neka till anklagelserna och skylla ifrån sig på en kompanjon som flytt landet, men enligt Uma skulle han inte klara ännu ett avslöjande i full offentlighet. Och med den kunskap vi besatt skulle det i sin tur innebära att det skvätte ordentligt också på Vivek Malhotra, även om han skulle försöka slingra sig.

Det som i början hade sett ut som embryot till en skandal hade i mina ögon vid det här laget redan utvecklats till ett fullvärdigt foster. Personligen tyckte jag att det räckte mer än väl för ett smaskigt tidningsavslöjande, men Uma var av en annan uppfattning. Enligt henne behövdes det minst ett par färska vittnesmål från pojkar, och två veckor senare meddelade hon att hon hade hittat den förste.

Det var en pojke i tolvårsåldern, från den lägsta kasten daliterna, som på egen hand hade rymt först från en av Khannas barnfabriker, därefter från den lokala polisstationen i Shahpur Jat, efter att ha blivit haffad av en korrupt snut som försökte sälja honom tillbaka till textilfabrikören. Nu befann sig gossen på ett härbärge för gatubarn i Paharganj, och Uma och jag begav oss dit för att träffa honom.

Hon hade tagit med sig en videokamera och lyckades övertyga den kvinnliga föreståndaren om att det var absolut nödvändigt att dokumentera intervjun. Vi ombads att gå varligt fram med pojken, som var "speciell", men tilläts träffa honom ensamma i ett kvavt litet rum med en stor bild av Mahatma Gandhi på den ena väggen och ett fönster som vette ut mot en mörk, stinkande gränd på väggen mittemot.

Jag hade väntat mig en försagd och tystlåten liten kille. Det enda som stämde var att han var liten. Undfallenheten som jag hade sett hos de andra barnarbetarna syntes det inte ett spår av i pojkens ansikte. Det första han gjorde när han hade satt sig ner på en av de smutsiga plaststolarna som stod runt ett slitet träbord var att granska mig ingående och kritiskt med sina gnistrande ögon. Sedan sträckte han fram högerhanden och väste "cigarett!" med en ljus men ändå genomträngande röst.

Pojken var klädd i en urtvättad T-shirt med en bild av Britney Spears på och han hade ett par utsvängda jeans med massor av malplacerade fickor och en midja som var så hög att den gick upp över naveln. Fötterna hade han placerade i ett par något för stora, spetsiga herrskor i imiterat läder.

"Ledsen, men jag röker inte", sa jag.

"Och det ska inte du heller göra", sa Uma strängt.

Sedan följde en konversation på hindi mellan henne och den påstridige lille nikotinisten som slutade med att jag fick springa ner till en kiosk på gatan utanför och inhandla ett litet paket cigaretter av märket Gold Flake. Kanshi, som gossen hette, tog emot paketet utan att tacka och slet genast upp en cigarett. Efter ett par djupa bloss spred sig en behaglig sinnesro över hans unga men redan fårade ansikte.

"Här är kasst", sa han plötsligt på bristfällig men begriplig engelska och såg på mig. "För många regler här. För många barn här. Vill ut andas."

Han tog ett nytt djupt bloss på sin cigarett och petade ut en stor snorkråka ur näsan som han först närstuderade ett tag, som om han övervägde vad han skulle göra med den, innan han slutligen gned av busen mot bordskanten.

"Vad jag får?" frågade han.

"Vad menar du?"

"Ni vill jag tala. Ni ge pengar, jag tala. Tvåtusen."

Uma skakade irriterat på huvudet och övergick till hindi igen. Jag förstod att hon försökte förmå det unga brottsoffret att berätta sin historia utan någon ersättning, men han var obeveklig. Kanshi vände sig på nytt mot mig och log slugt.

"Tvåtusen. Sedan jag tala. Annars jag tyst. Då ni glömma artikel i tidning."

Han lutade sig tillbaka på plaststolen med armarna i kors och trots i blicken. Jag kunde inte låta bli att känna en viss respekt för honom och tog fram två tusenrupiesedlar ur min plånbok. Uma protesterade matt.

"Jag brukar aldrig betala för några intervjuer. Blotta misstanken om att vi köper information kan slå tillbaka mot oss själva."

"Det här är ingen muta. Det är legitim betalning för att vi upptar den unge Kanshis dyrbara tid", sa jag.

Pojken log nöjt varpå Uma nickade motvilligt. När han väl

hade inkasserat sina pengar började han genast berätta om vilka rövknullande kamelförare Varun Khanna och hans hantlangare var och hur jävligt de luktade ur sina kuksugande munnar och vilka stinkande gaser som dunstade ut ur deras håriga analöppningar.

Uma rodnade lätt när hon översatte, men lyckades efter ett tag sila bort de allra grövsta orden ur pojkens vokabulär och styra över samtalet så att det kom att handla om hans egna upplevelser snarare än hans plågoandars kroppsöppningar.

Kanshis liv skulle enklast kunna beskrivas som en enda lång flykt. Han kom ursprungligen från en latrintömmarfamilj i Bihar och var predestinerad att fortsätta inom detta smutsiga och föraktade värv när hans alkoholiserade och våldsamme far en kväll slog honom så svårt att de lokala myndigheterna placerade gossen på ett barnhem. Ett år senare rymde han därifrån och tog sig till Delhi, och sögs upp av en barnliga som sysslade med fickstölder på järnvägsstationen. Men så kom han ihop sig med ledaren om fördelningen av ett byte och drog vidare, bara för att hamna i klorna på en hallick som han blev springpojke åt. Honom sprang han bokstavligen ifrån med en halv dagskassa av intäkterna från horor-nas arbete och så landade han så småningom i Shahpur Jat, där en till synes vänlig man som drev ett testånd tog sig an pojken och gav honom anställning.

Vad Kanshi inte visste var att mannen gjorde så med alla bort-sprungna pojkar som dök upp, för att sedan mot en rundlig be-talning slussa dem vidare till textilfabrikerna, där de låstes in och kuvades så pass att de till sist förvandlades till apatiska barnsla-var, precis som alla de pojkar som sålts dit direkt av sina fattiga föräldrar.

Men inte Kanshi, han behöll sitt trots och lyckades till sist fly även från Varun Khannas hejduk med det smutsiga linnet. Jag utgick från att han så småningom tänkte avvika också från härbärget, men bad honom att för sin egen säkerhets skull stanna kvar över vår planerade artikel. Det lovade han att göra om han fick tusen rupier till.

Uma suckade högljutt när jag på nytt öppnade plånboken. Kanshi, däremot, visslade glatt och stoppade ner sedlarna i sin ena strumpa innan han tände en Gold Flake och drog ett par bloss. Därefter berättade han ingående och med många målande svordomar om hur pojkarna i broderifabrikerna fick slita i upp till fjorton timmar varje dag utan annan ersättning än mat och husrum, och hur de som försökte rymma bestraffades med prygel. Själv hade han fått ordentligt med stryk vid flera tillfällen, men ändå alltid fortsatt sina flyktförsök, till skillnad från de andra mesarna.

Tyvärr kände Kanshi inte igen Vivek Malhotra på bilden som jag visade honom. Men jag hade egentligen inte räknat med att den mäktige industrimagnaten skulle ha dykt upp personligen i en sjabbig lokal fylld av barnslavar. Däremot kunde pojken berätta om inte mindre än nio broderifabriker som han arbetat i, samtliga drivna av underleverantörer till Varun Khanna. Samme Khanna som alltså levererade vidare direkt till Indian Image. Det var en stark indiciekedja, som borde räcka mer än väl för att skandalisera Malhotra.

"Skynda er skriv i jävla tidning", sa Kanshi.

Han drog iväg en spottloska genom det öppna fönstret och fixerade min blick med sina trotsiga ögon.

"Så jag kan sticka sedan. Behöver jävlar andas. Behöver känna att jag fri man. Behöver jävlar väldigt mycket känna att jag fri man."

54

Lagom till diwali en bit in i oktober kom Yogi tillbaka till Delhi från ytterligare en resa till Madras och med en solbränna som skvallrade om att han den här gången inte bara hade jobbat under sin vistelse där.

"Jag gick några strandpromenader också. Måste ju hålla alla mina magar i bästa trim", sa han och tog ett fast grepp om den spänstiga bilringen ovanför byxans linning.

Indierna förberedde sig inför hinduernas största årliga högtid med samma hysteri som vi svenskar angriper julen. Min vän släpade mig runt på oändliga shoppingrundor i de stora, nybyggda varuhusen och ute på de mer folkliga marknaderna, som bågnade av köplystna Delhibor. Han skulle inhandla presenter och sötsaker till sin mamma och sina systrar och deras män, och till fastrar och mostrar och tjänstefolket och en hel drös andra människor som tydligen förtjänade det.

Själv nöjde jag mig med att köpa tre pocketböcker på engelska till Shania och en ring med en diamant i, som jag tänkte ge till Preeti vid lämpligt tillfälle. Yogi var med och valde ut den och övertalade mig att gå ner en prisklass när jag stod och fingrade på ett par väldigt dyra pjäser hos en juvelerare i Old Delhi.

"Visst är hon värd det allra bästa, men du behöver ju för den sakens skull inte tömma hela din plånbok. Någonting säger mig att det är din vackraste omtanke mer än prislappen på ringen som attraherar den sköna Preeti."

Guldsmeden med hennafärgat hår och bländvita tänder bläng-de irriterat på Yogi och försökte sedan pracka på mig ett arm-band också. Det hade han ingenting för. Min vän lät honom inte ens ta ett överpris för ringen.

Men det fanns ingen anledning för stans juvelerare att sura, tvärtom. De hade extremt bråda dagar, precis som godismakarna och fyrverkeriförsäljarna, som sålde raketer och smällare i en omfattning som fick mig att befara en ny big bang.

Till det kom alla kvinnor som skulle ha nya saris och alla deras män som satt som lydiga skolgossar bredvid dem på långbänkar-na i de trånga butikerna, där försäljarna vecklade ut det ena färg-granna tygstycket efter det andra. Tygerna synades kritiskt och vrakades och det dracks sött masala chai i hälsovådliga mängder och efter långt och mödosamt övervägande valdes det till sist ut en sari som sedan skulle prutas ner till rätt pris (vilket kunde ta nästan lika lång tid). Av männens kontrollerat plågade ansikts-uttryck kunde man utläsa att det här var en traditionstyngd pro-cedur som de visste att de var tvungna att genomlida inför varje diwali för att resten av året få vara herrar i sitt hus.

Jag tänkte på småpojkarna som satt och broderade i Shahpur Jat, och jag tänkte på Vivek Malhotra. Men jag tänkte framför allt på Preeti. Jag hade föreslagit att vi två skulle fira diwali till-sammans, eftersom hennes make var på affärsresa i USA, men då hade hon bara rufsat mig i håret som om jag var ett litet barn och sedan kramat min hand hårt.

Jag gillade det, eftersom det fick mig att känna mig både ung och behövd. Alltså att hon rufsade mig i håret, inte det faktum att vi skulle skiljas åt igen för femtioelfte gången.

Dagen efter vårt möte flög hon till Hyderabad för att fira hög-tiden tillsammans med sin syster och hennes familj, så som det anstod en gift indisk kvinna vars make befann sig utomlands. Vi skulle träffas igen två veckor senare och jag tänkte berätta allt för henne då, vad än Uma Sharma hade sagt om att knipa.

Publiceringen var planerad till om tre veckor. Uma hade redan kommit överens om en massiv satsning över flera uppslag med redaktören för tidningen Tehelka, ett oberoende veckomagasin med social inriktning och stort genomslag. Innan storyn gick i tryck skulle Vivek Malhotra konfronteras med alla fakta vi grävt fram om hur hans firma utnyttjade barnslavar, och innan dess ville jag att Preeti skulle få veta. Då skulle jag kunna motivera mitt tidigare tigande med att jag ramlat över uppgifterna (vilket ju faktiskt var sant) och först velat kontrollera dem så att jag inte kom med några falska anklagelser och rörde upp en massa damm i onödan (vilket nästan var sant).

Det hade funnits ögonblick då jag funderat på att överlåta åt Uma att ensam sy ihop hela paketet och presentera det som sitt eget, medan jag inväntade utfallet av avslöjandet i kulisserna. Men min egen svartsjuka drivkraft i kombination med Yogis förväntningar hindrade mig. Jag ville vara med under hela resans gång för att ha fullständig koll, och min indiske vän var närmast besatt av att det var jag som slutligen besegrade demonen.

Ett annat delikat problem var att jag inte hade berättat för Uma om mitt förhållande med mr Malhotras fru. Jag var fullständigt övertygad om att det i hennes ögon gjorde mig så jävig som en journalist rimligen kan bli och jag kände mig illa till mods av alla lögner. När jag yppade mina samvetsbetänkligheter för Yogi såg han på mig med undrande ögon.

"Det är vissa saker som jag inte riktigt förstår med er goras, mr Gora. När blev det en lögn att tiga? Du har inte ljugit, du har bara inte berättat exakt allting som du vet, och det kan man väl inte begära att man alltid ska göra? Då skulle vi människor ju inte göra någonting annat än att reprisera våra liv och tankar för varandra i alla evinnerliga evigheters evigheter, ungefär som gamla Bollywoodfilmer med Big B, och då finns det ju i denna vår skönaste värld till sist ingen luft kvar att andas och ingen tid kvar till någonting annat och då låter det hela tiden så här utan pauser och med den mest jagade rösten som tänkas kan och som är en ren styggelse att lyssna på när det finns så många andra intressanta och ibland rent av vackra ljud att istället lystra till."

Han andades ansträngt och försökte få fyr på en bidi. Men tändstickorna slocknade av hans flämtningar och efter tre misslyckade försök gav han upp.

"Jag tycker att du har kommit lite långt bort från ämnet", protesterade jag. "Att jag inte behöver berätta allt betyder ju inte att jag har rätt att undanhålla det viktigaste."

"Och hur vet du att just det som du tror är det viktigaste verkligen är det? Det är bara gudarna som vet! Vi kan bara leva våra liv här på jorden och göra så gott vi förmår, och inte berätta precis allting vi vet för varandra för då finns det ju ingen mystik kvar och inga hemligheter. Det är fint med hemligheter, mr Gora. Den som inte har några hemligheter är en fattig man hur mycket pengar han än har. Hemligheter är som kartor till nergrävda skatter. Man ska ha dem i innerfickan, nära sitt hjärta, och bara ta fram dem i ljuset om det är alldeles nödvändigt."

Yogi lade sin hand på min axel och pekade upp på den mörka kvällshimlen ovanför Red Forts upplysta fasad. Det gick inte att uppfatta mer än några flämtande små stjärnor genom smogen. Trafiken dundrade fram i en aldrig sinande lavaström av knattrande autorikshor, knarrande häst- och oxkärror, tutande bilar och mullrande bussar där passagerarna hängde ut i klasar genom de öppna dörrarna. På refugerna mitt i allt brus låg fattiga daglönare och sov med tunna filtar över sig. Men själva staden var alltid vaken. Jag hade inte upplevt en enda stund av total tystnad och stillhet sedan jag kom dit. Nu hade jag vant mig så mycket vid det pulserande livet att jag inte kunde tänka mig hur Delhi skulle te sig om alla ljud plötsligt försvann.

"Om några dagar kommer kvällshimlen att explodera av ljus när vi firar diwali. Du ska önska dig den lycka du förtjänar då fyrverkeripjäserna briserar och släpper ner sina glittrande slöjor av bloss över staden. Och betänka varför vi firar diwali."

"Du är en poet, Yogi."

Han klappade mig på ryggen och drog mig med genom folkhavet till Tatan, som stod inklämd längst in på en dammig parkeringsplan mellan en lastbil med droppande vattentank och en turistbuss som precis höll på att bordas av en grupp japaner iklädda gröna, självlysande kepsar.

"Du är min allra bästa vän", sa han när vi efter en halvtimme hade trixat oss ut från kaoset vid parkeringen, bara för att fastna i det allmänna kaoset ute på gatan. "Men du är också en i vissa avseenden blind man som har svårt för att se alla de tydliga tecknen i skyn. Du vet väl varför vi hinduer firar diwali?"

"Det är någonting med Rama."

Yogi himlade med ögonen och härmade min röst.

"Det är någonting med Rama. Är det allt du har att säga om din inre gud? Vi firar Ramas återkomst efter att han besegrat Ravan! Vi lyser upp hans väg tillbaka till oss med miljarder av lyktor och bloss. Och vi gör det, mr Gora, i denna tid då du själv rustar dig inför din mest betydelsefulla kamp. Låt dig inspireras! Se på himlen när allting kreverar och låt dig ledas rätt! Gjut mod och bläck i din penna så som Rama fyllde sin båge med gudomlig kraft inför den slutgiltiga striden med Ravan!"

Yogis svaghet för religiöst färgade svulstigheter förnekade sig inte, lika lite som den glupande aptit som brukade följa därpå. På vägen hem till mig stannade vi till vid ett gatukök och köpte samosas med chilisås. Yogi åt fyra stycken som han sköljde ner med två glas sockerrörsjuice.

"Nej, nu får det räcka. Jag måste ha lite plats kvar till middagen med amma. När tror du att din stora artikel är färdig?"

"Snart. Om allt går som vi hoppas kommer den att publiceras om tre veckor."

"Bra, jag kan knappt bärga mig. Tänk nu på vad jag sagt, mr Gora. Se upp på himlen med tillförsikt när raketerna smäller. Ta ett djupt andetag och låt dig uppfyllas av energi."

Jag gjorde som Yogi sa. På själva diwalikvällen, när solen hade gått ner och fyrverkerierna tog fart på allvar, ställde jag mig på min takterrass tillsammans med Shania och tittade upp mot skyn. Det var sprakande vackert, rent av inspirerande.

I en halvtimme.

Raketattacken varade i två dygn, i princip nonstop. Dimman från krutröken lade sig som ett ogenomträngligt lock över Delhi. Att fylla lungorna med livgivande energi var inte att tänka på. Luften stank av ruttna ägg.

55

Det blev något lättare att andas efter ett par dagar, men även om diwali kom ovanligt tidigt det här året utgjorde högtiden tveklöst en skiljegräns mellan sommar och höst i Delhi. Efter den illuminerade kanonaden till Ramas ära kom nattkylan, och med den fick den svavelosande doften av ruttna ägg liksom aldrig riktigt chansen att förflyktigas upp i atmosfären.

Jag satt inne och filade på de sista detaljerna i min del av det journalistiska grävandet om Indian Image, men hann även med lite annat skrivande i väntan på Preeti. En kväll när jag sysselsatte mig med en artikel till Veckans Affärer om Ericssons framgångar i Indien ringde mobiltelefonen. På displayen kunde jag se att samtalet kom från Sverige. När jag svarade och hörde vem det var höll jag på att trilla av stolen.

"Göran, underbart att jag äntligen fick tag i dig!"

Kents stämma gjorde mig alldeles stum.

"Är du där, Göran?"

"Ja …"

"Underbart att höra din röst igen! Du är üppenbarligen en mycket üpptagen man."

"Ja …"

"Väldigt ünderhållande artiklar om Indien du skriver. Både allvarliga och lüstiga."

Det var typiskt Kent, att säga "lüstiga" istället för "roliga" så att han fick klämma in ännu ett tyskt ü. Ordvalet var lika omelodiöst som uttalet. På så sätt fanns det ändå en sorts samklang i hans språk.

"Är du där, Göran?"

"Ja …"

"Ürsäkta, men det låter lite ünderligt. Som om din röst försvinner. Jag hör bara början på meningarna."

"Hur fick du tag i mitt telefonnummer?"

"Nu hörs det bättre! Vad sa du?"

"Hur fick du tag i mitt telefonnummer?"

"Jag ringde Sydsvenskan och pratade med deras utrikesredaktör. Du har jü skrivit flera ünderfündiga krönikor där. Jag måste säga att jag är mycket imponerad. Du är verkligen en fantastiskt düktig skribent."

Under de tre år som han varit min chef på Kommunikatörerna hade Kent inte berömt mig en enda gång. Nu formligen sprutade superlativen ur honom. Det lät så falskt att jag drabbades av ett lätt illamående. Mannen som hade sågat mig längs med fotknölarna och utan att blinka gett mig sparken efter tjugofem års anställning lät helt plötsligt som min störste beundrare. Jag förstod att Kent hade en dold agenda.

"Vad vill du?"

"Jag ville bara höra hur det är med dig, och så tänkte jag att du kanske hade lüst att göra ett konsültüppdrag åt oss. Jag har en lüstig liten beställning som skülle passa dig perfekt. Och jag betalar naturligtvis enligt taxan som är fastställd i kontraktet."

Jag hade förträngt det där avtalet med Kommunikatörerna om två skrivjobb om året och jag var inte överdrivet sugen på att ta mig an dem nu när jag hade så mycket annat som krävde min tid.

"Det är lite körigt för tillfället. Det kanske kan vänta?"

"Helst inte, Göran. Vi har jü ändå ett kontrakt och jag skülle verkligen üppskatta om du ställde üpp. Jag tror inte heller att det är särskilt betüngande. Det är mer liksom en lüstig text om mat."

"Om mat?"

"Ja, vi har fått ett üppdrag från skolköken att skriva något personligt i kommunens tidning Vårt Malmö inför den internationella matveckan som snart ska äga rüm ute på skolorna. I ett svagt ögonblick sa jag att jag künde skriva själv, men nu har jag fått så otroligt mycket annat att göra att jag inte hinner och alla andra på firman har också sina häckar fülla. Så då tänkte jag att du skülle künna göra det, du som bor i Indien där det finns så mycket stark mat. Kanske något om cürry?"

"Du vill att jag ska skriva en personlig krönika om curry?"

"Ja, någonting ditåt. Men liksom lite grann med mina ord, om du förstår vad jag menar. Jag har jü lovat att skriva själv så du künde jü skriva som om det var jag som skrev och sedan kollar jag igenom texten lite innan jag skickar den vidare, så att det känns rätt. Så att den liksom ligger rätt på tüngan."

Kent ville att jag skulle bli hans spökskrivare och skyllde på att han själv inte hade tid. Jag visste att det handlade om hans egen bristande förmåga. Den lille fjanten i lammullspullover ville visa sig på styva linan som en duglig krönikör ovanpå alla sina tabell- och sifferfärdigheter. Och så hade han naturligtvis fått stora skälvan när han märkte att det inte alls var så enkelt som han trott, och nu ville han att jag skulle rädda honom. Vore det inte för den ekonomiska ersättningen skulle det vara lika befängt som om en sovjetisk straffånge som lyckats rymma från Gulag på sin väg mot friheten gick förbi en isvak i vilken en ensam, drunknande Josef Stalin råkade uppehålla sig och att straffången därpå kastade sig ner i vaken för att rädda diktatorn. Lite överdrivet måhända, men någonting åt det hållet.

"Är du där, Göran?"

"Ja ..."

"Jo, jag tänkte liksom att du kunde hålla krönikan lite allmän, eftersom jag jü inte själv har varit i Indien. Men att du ändå får till en personlig ton. Gärna lite lüstig. Och gärna om cürry, som sagt."

"Jag vet inte …"

"Hör här, Göran, jag betalar dübbel taxa mot vad som står i kontraktet om du kan fixa det till i övermorgon."

Det fanns en desperation i hans röst som tilltalade mig djupt. Och dubbel taxa innebar tjugotusen spänn. Det var mer än furstligt betalt för en simpel krönika.

"Varför så bråttom?"

"Vi har en deadline som börjar närma sig."

"Okej. Men om jag ska skriva någonting personligt ur din synvinkel får du ju ge mig lite underlag. Vad vet du själv om curry?"

"Inte ett jota, måste jag erkänna. Men jag tycker det är en ünderbar krydda. Kycklinggryta med cürry är en av mina favoriträtter. Gärna med jordnötter till. Och stekta bananer. Det har jag ätit på Malmöfestivalen en gång. Det är också det som skolbarnen ska serveras under den internationella matveckan. Du kan säkert svänga ihop någonting. Och när jag väl ser texten kan jag komplettera med lite egna tankar och fünderingar. Så att orden ligger rätt på tüngan."

Jag fick en idé.

"Men då vill jag ha betalt i förskott."

"Självklart! Jag kan föra över stålarna på stüds! Det är verkligen hyggligt av dig att ställa üpp."

Lättnaden i Kents röst gick inte att ta miste på. Jag gav honom mina bankuppgifter och lovade att ha krönikan klar så fort pengarna fanns på kontot.

"Då får du skriva fort, för jag skickar dem i denna sekünd!" skrattade Kent. "Verkligen ünderbart att höra din röst igen, Göran. Och att det inte finns några hard feelings mellan oss."

Jag svarade inte på det sista utan avslutade med ett artigt adjö. Sedan tog jag en kall Kingfisher ur mr Malhotras utmärkta kylskåp och satte mig framför min laptop igen och skrev CURRY med stora bokstäver. Kent hade beställt en lustig text, men han hade inte sagt ett ord om att den skulle vara sann. Fingrarna dansade fram över tangentbordet och en timme senare var jag klar med min Kentpersonliga text. En bättre timpenning hade jag aldrig fått. Krönikan handlade om den fantastiska currynöten, som i takt med att det indiska köket erövrade världen höll på att gå om riset som landets största exportvara bland livsmedelsprodukter.

Jag lade in lite Kenttypiskt skämtsamma formuleringar också, som "hetast på marknaden" och "ett brinnande intresse för curry". Och så avslutade jag allt med en Kentinspirerad lovsång till kycklinggryta med jordnötter och stekt banan, den så kallade *curry curry nam namen*, som hade blivit vald till den populäraste maträtten av fyrahundra miljoner indiska skolbarn i världens genom tiderna största internetomröstning, följd av den blott hälften så omtyckta currywürsten med curryketchup. Som kuriosa nämnde jag att currysillen ännu väntade på sitt stora genombrott utanför Kashmir, där den i likhet med i danska Odense var ohotad etta bland de icke-vegetariska förrätterna.

Det var i sanning en både putslustig och lögnaktig text, som hämtad från en riktigt dålig Werner och Werner-sketch med Åke Cato och Sven Melander. Ett tag funderade jag på att krydda den med tyska ü:n också, men det hade väl varit att ta i för mycket.

Jag loggade in på min personliga banksida och konstaterade tillfredsställt att pengarna från Kent verkligen fanns på mitt konto. Sedan väntade jag två timmar innan jag mejlade över krönikan till honom. Det kändes *underbart* att klicka på skicka.

När mobiltelefonen ringde en timme senare och jag såg att det var samma nummer som tidigare hade jag redan förberett mig på vad jag skulle säga inför den förväntade svadan om svek och kontraktsbrott. Men till min stora förvåning kvittrade han likt en våryster näktergal.

"Underbar text, Göran! Och så mycket nytt man fick veta, också. Jag hade inte en aning om att cürry var en nöt. Jag trodde det var en planta! Och vilken perfekt ton du har hittat. Det är verkligen som om jag hade skrivit det här själv. Orden ligger perfekt på tüngan."

Först trodde jag att Kent på något besynnerligt sätt hade förvandlats till en man med skämtlynne, men efter ett tag gick det upp för mig att det nötet verkligen hade gått på min saga om currynöten. Hans reaktion var så osannolik att den bara måste ha varit sann. Jag bad en stilla bön om att han inte skulle googla "curry" för säkerhets skull, och tog farväl av den vedervärdige mannen från Ängelholm. I samma andetag konstaterade jag att han hade förlorat all sin kraft som inre demon. Jag tog upp mitt visitkort och tittade på den misshandlade stavningen av mitt namn. Güran Borg. Det enda det framkallade var ett belåtet leende. Förbannelsen var bruten.

Först Shah Rukh Khan och nu Kent Hallgren. Det fanns med andra ord bara en demon kvar att besegra, men han var å andra sidan inte vem som helst.

Den väldige och skräckinjagande Vivek Malhotra.

Därefter skulle jag vara en fri man, jag också.

Fri från mina demoner och fri att älska världens vackraste skönhetssalongsföreståndarinna.

Utan förbehåll och restriktioner.

56

Jag fick ett mejl från Kent några dagar senare, där han än en gång tackade för min insats. Han bifogade en pdf-fil på tidningssidan i Vårt Malmö, med krönikan om currynöten bredvid en jättelik bildbyline på sig själv där han gapflabbade.

TACK, GÖRAN!
Perfekt humor! Perfekt ironi! Curry nam nam ;–)
PRECIS SÅ SOM JAG VILLE ATT DU SKULLE GÖRA, GÖRAN! Du har fångat mina ord och min humor perfekt!! DET GJORDE VI BRA!!! Det blev mycket uppskattat! Hoppas kunna använda dina tjänster igen någon gång!! Så att vi kan svänga ihop fler lustiga krönikor tillsammans!
ALLT DET BÄSTA!
Kent Hallgren

Jag hade aldrig sett Kent skriva ett sådant mejl tidigare. Han brukade alltid kasta in minst ett par tabeller och en drös siffror i sina knastertorra meddelanden på undermålig kanslisvenska uppblandad med lite engelska branschuttryck. Nu var det som om han plötsligt hade upptäckt utropstecknet på tangentbordet och VERSALERNAS FÖRSTÄRKANDE EFFEKT!!!

Och sådant retar ju alltid kräkreflexerna.

Jag vet inte vad det var för skyddsängel som ständigt vakade över den idioten. Men jag skulle kunna tänka mig att det hade gått till på det här viset:

Kent hade skickat in krönikan till tidningsredaktionen i tron att curry verkligen är en nöt. Redigeraren som skulle lägga in krönikan hade tyckt att texten var så pass rolig i all sin lögnaktighet att han tagit in den, försett den med den avväpnande rubriken "Så knäckte jag nöten om curryns hemlighet", beställt ett skrattande foto på Kent samt lagt till en liten ruta undertill där ordet fick sin riktiga förklaring som både kryddblandning och gryträtt.

I det läget hade Kent inte kunnat göra någonting annat än att spela med. Jag borde ha förstått att han skulle lyckas även denna gång utan att tappa sitt karaktärslösa ansikte. Det fanns nämligen prejudikat inom stilarten att luta sig emot, bland annat hos en krönikör i Kvällsposten som gjort sig ett namn på att ljuga om precis allt. Han hittade på möten med människor som inte existerade, konversationer han aldrig hade hört på bussen, böcker som aldrig skrivits, filmer som aldrig spelats in och historiska händelser som aldrig inträffat. Och eftersom något av det värsta man som läsare kan anklagas för är oförmågan att förstå sig på humor och ironi, slapp han undan med allt. Det trovärdighetsproblem som uppstod då han en och annan gång skrev om verkliga händelser löstes genom att förse dessa texter med en gravallvarlig bildbyline. Dilemmat var att en betydande del av läsekretsen tog även det som ett utslag av ironi och letade efter det roliga mellan raderna i upprörda krönikor om mobbning och åldringsrån.

Kent skulle aldrig erkänna öppet att han blivit lurad. Han var förvisso dum, men samtidigt osedvanligt slug. Om jag hade konfronterat honom direkt skulle han bara ha sagt att han skämtade när han pratade om curryplantan och att han självklart inte hade gått på min blåsning om currynöten. Han skulle förmodligen inte heller bry sig om ifall jag avslöjade för andra att han inte själv hade författat ett enda ord i texten. Talskrivare hade många stora män och kvinnor före honom använt sig av. Det enda riktigt angelägna var ju att hans andemening kom fram.

På den viktigaste punkten hade jag ändå besegrat den lilla hockeyfjollan. Han hade blottat sin enfald för mig och jag kunde skratta hela vägen till banken. Och det visste han innerst inne, hur mycket han än försökte dölja det. Aldrig mer att jag skulle huka mig för Kenttyperna. Den tillfredsställelsen kunde ingen ta ifrån mig.

Tidigt nästa morgon tog jag en taxi till Nehru Park, en av södra Delhis grönaste oaser och tummelplats för allsköns motionärer. Jag hade stämt träff med Uma i joggingspåret, där vi skulle diskutera upplägget av artikelserien.

Taxin släppte av mig vid det lilla teståndet intill parkeringsplatsen, där en stor skara privatchaufförer stod och pratade och drack te i väntan på sina motionerande uppdragsgivare. En kortväxt man med generad uppsyn gick förbi gruppen, rullande på en liten vagn med en gammal och kraftigt överviktig pudel.

"Ute och rastar madams lille prins igen, Sunil! Akta så att han inte springer ifrån dig!" ropade en av chaufförerna efter det udda ekipaget, vilket fick alla andra att brista ut i råa skrattsalvor.

Så här på morgontimmarna var Nehru Park fylld av människor och hundar i mer eller mindre rörelse. Tjänstefolket motionerade jyckarna medan medelklassen försökte motionera sig själv. De allra flesta promenerade, men det fanns också en och annan joggare i spåret. En fetlagd sikh med turban, en lång kniv i ett hölster runt kulmagen och sprillans nya Nikeskor på fötterna stånkade ansträngt när han blev omsprungen av en kvinna i salwar kameez och sandaler. Jag började gå i rask takt längs den vältrampade stigen, bort till en plats mittemot ett tempel där de flesta motionärerna brukade stanna till för att be en kort morgonpuja. Uma var redan där och nickade åt mig att följa efter henne när jag kom fram.

Jag tyckte att det kändes lite överdrivet med dessa ständiga byten av mötesplatser, men litade på henne när hon sa att det var nödvändigt för att minimera riskerna för upptäckt. Varun Khanna hade dragit öronen åt sig efter mitt och Yogis utdragna förhandlande med honom och ville inte längre göra affärer med oss. Kanske misstänkte han att vi hade annat i kikaren och hade satt en skugga på oss. Betydligt konstigare saker än så hände varje dag här i Delhi, påpekade Uma, som själv hade förföljts många gånger under sin karriär. Och jag fick hur som helst ge henne rätt i att det knappast fanns en bättre plats för förtroliga samtal i hela Delhi än i Nehru Park en tidig morgon. Här kunde man smälta in i mängden som två morgonmotionerande Delhibor och samtidigt vara förvissad om att ingen annan hörde det man sa.

"Nu är allting klart. Jag har fått fyra vittnesmål till från pojkar som utnyttjats som barnslavar av Khanna", sa Uma och vevade med armarna i forcerade rörelser som om hon verkligen gick in för att bränna så många kalorier som möjligt.

"Dessutom har jag talat med två tidigare anställda mellanchefer på Indian Image som säger att Vivek Malhotra alltid har vetat om att Khanna använder sig av barnslavar."

"Ställer de upp?"

"Om de får vara anonyma. Det är såklart inte optimalt, och visst finns risken att de styrs av gammalt hämndbegär. Men tillsammans med allt annat vi har samlat på oss blir det här ändå ett riktigt genomgripande avslöjande."

Det var verkligen ett fint paket vi hade sytt ihop. Orderingångar, fakturor och dokument som hårdfakta, och till det känslor i mängder i form av pojkarnas vittnesmål och en intervju som Uma hade gjort med ett förkrossat par från Uttar Pradesh som lurats att sälja sin son som barnslav. Dessutom hade hon bokat en intervju med Indiens socialminister, som hon tänkte ställa till svars för att myndigheterna år efter år låtit det smutsiga utnyttjandet av barnarbetare fortgå utan att på allvar ta tag i problemet.

Många skulle hängas ut med namn och bild: Varun Khanna, hans hantlangare med det smutsiga linnet, teståndsägaren i Shahpur Jat, den korrupte polisen i samma stadsdel och ytterligare andra.

Beträffande tolvtaggaren, den högt respekterade industrimagnaten Vivek Malhotra, uttryckte Uma en stark önskan om att få bli den som höll i bössan. Hon tänkte vänta med att konfrontera honom tills publiceringen precis stod för dörren. Jag hade inga invändningar. Blotta tanken på att själv ringa upp honom eller, ännu värre, möta honom öga mot öga fick mig att darra av rädsla.

Vi fördelade det sista arbetet och kom överens om att byta alla hel- och halvfärdiga texter med varandra inom två dagar, så att Uma kunde sammanställa dem och putsa till min engelska. Därefter skulle det bara återstå drygt en vecka till själva publiceringen.

"Vi har fått femton sidor. Hela ettan och sju uppslag! Det här kommer att dra ner brallorna på honom fullständigt och väcka övrig media", sa Uma och fortsatte att veva med armarna som en robot.

"Femton sidor?!"

"Jag sa ju att det här skulle kunna bli stort."

"Jo, men …"

"Är det ett problem?"

"Nej, varför skulle det vara det?"

Uma tittade upp över sina glasögonbågar med en genomborrande blick.

"Har du fått kalla fötter?"

"Nej, nej!" sa jag med eftertryck och skakade bestämt på huvudet.

Minst lika mycket för att övertyga mig själv.

57

Jag hade legat och vridit mig av oro flera nätter i rad, men denna speciella morgon var det som om all nervositet och alla tvivel runnit av mig. Det var som om jag till fullo insåg att den som verkligen vill vinna någonting stort också måste våga ta stora risker.

Trots att jag inte hade sovit mer än tre eller fyra timmar kände jag mig pigg. Jag hade stämt träff med Preeti på eftermiddagen och då tänkte jag berätta för henne om de kommande tidningsartiklarna. Det fanns helt enkelt inget alternativ.

Shania kom klockan åtta och lagade en omelett med chili på rostat bröd som jag sköljde ner med två koppar starkt kaffe. Min mage hade verkligen härdats under tiden i Indien. Sedan satte jag mig och skrev utan avbrott fram till lunch, varpå jag tog en taxi till shoppingområdet Basant Lok och strosade runt bland märkesaffärerna där. Eftersom tre trötta kor tillfälligt blockerade entrén till Benetton gick jag istället in i Rockports butik, där jag till min stora glädje fann en tunn, svart polotröja som jag genast bytte till. Det var egentligen fortfarande för varmt för att gå klädd i detta favoritplagg, men vad gör man inte vid återseendet av en kär gammal vän. Om en månad, när temperaturen sjunkit ytterligare, skulle jag rent av kunna ta på mig manchesterkavajen också.

Redan kvart i tre satt jag i skuggan på vår vanliga bänk inne i Lodi Garden och väntade på Preeti. Jag strök med handflatan över träribbornas skrovliga yta och tittade ut över parken med alla sina lummiga gömslen och vrår. Det vilade en spänd laddning här, men det fanns också någonting hemtamt och tryggt. Här var vi ett par bland alla andra par, med rädslor och förhoppningar. Vi växlade aldrig några ord med ungdomarna som satt omslingrade på de andra bänkarna, men jag kände en tyst gemenskap med dem. Vi legitimerade varandra. Vi var många, och det skänkte mig paradoxalt nog en sinnesro som jag aldrig upplevde när jag var ensam med Preeti i min lyhörda lägenhet i RK Puram.

Hon dök upp först en halvtimme senare, klädd i samma ljusa klänning och gröna sjal som vid vår första dejt. Preeti satte sig ner på bänken och gav mig en puss. Lukten av hennes parfym konkurrerade genast ut den av ruttna ägg som hängde kvar i luften.

"Jag har någonting viktigt att berätta", sa jag till henne efter ett tag och drog med handen genom min bakom-öronen-frilla.

"Du borde verkligen skaffa den där hästsvansen nu när det har växt sig så långt", sa hon som om hon inte hört vad jag sagt och började rota runt i sin handväska. Hon hittade en gummisnodd som hon samlade ihop mitt hår med. Det blev en liten råttsvans.

"Nu kommer dina vackra ansiktsdrag ännu mer till sin rätt."

"Du menar mina plufsiga kinder?"

"Nej, jag menar verkligen dina vackra ansiktsdrag. Jag förstår inte varför du hela tiden tjatar om att du är tjock. Om det nu inte är för att du vill att jag ska säga att du inte är det längre. Du är bara klädsamt fyllig."

"Klädsamt fyllig? Det låter som beskrivningen av en samosa."

Preeti skrattade och nöp mig kärvänligt i kinden.

"Det är någon sorts medelålderskris du går igenom, eller hur? Det där självironiska."

"Jag tror att du slog huvudet på spiken där. Men jag har fortfarande någonting viktigt att berätta. Vill du inte höra vad det är?"

Hennes blick fladdrade till och en liten rynka blev synlig mellan ögonbrynen en kort sekund innan ansiktsdragen slätades ut igen.

Det är verkligen nu eller aldrig, tänkte jag.

"Jag har fått reda på saker om din man."

"Har han en älskarinna?"

Hennes motfråga kom så snabbt och var så överraskande att jag tillfälligt tappade talförmågan.

"Nej, inte vad jag vet …"

"Vad är det då?"

"Han utnyttjar barn."

I samma sekund som jag hade sagt det insåg jag hur fel det lät. "Alltså, inte på det sättet. På ett annat sätt."

"På vilket sätt?"

"Ett av din mans företag utnyttjar barnslavar. Systematiskt."

"Och hur vet du det?"

Det fanns en liten klang av misstro i hennes tonfall som gjorde mig osäker.

"Genom mitt jobb som journalist. Låt mig förklara."

Jag tog hennes händer och började berätta, långsamt och detaljerat. Hon gjorde inga ansatser till att dra dem till sig. Tvärtom, ju längre in i min redogörelse jag kom, desto hårdare blev hennes grepp om mina händer.

"Jag ramlade verkligen bara över det, Preeti, på hedersord. Sedan kunde jag inte sluta gräva och ta reda på om det verkligen stämde", sa jag. "Förlåt."

Hon snörvlade och torkade sig i ögonvrårna med lillfingret.

"Du gjorde rätt, Goran. Det är inte du som ska förklara dig, det är Vivek. Jag förstår inte hur han …"

Vi satt tysta och höll varandras händer. Jag letade förgäves efter något lämpligt att säga.

"När ska det här publiceras?" frågade hon till sist.

"Om en vecka, ifall det är okej för dig?"

Tillfället krävde att jag frågade henne, även om jag vid det här laget knappast hade någon makt att stoppa artiklarna. Drog jag mig ur skulle Uma garanterat gå vidare själv, eftersom hon ju ändå hade allt material.

"Jag tycker att det är bra att det kommer ut", sa hon. "Vet Vivek om det?"

"Inte än, men snart. Den kvinnliga indiska journalisten som jag arbetar tillsammans med ska konfrontera honom. Jag vore tacksam om du inte sa någonting innan dess. Det skulle ju kunna avslöja oss två, också."

Hon nickade och slöt ögonen.

"Det var länge sedan Vivek slutade bry sig om andra människor."

Samtidigt som hon sa det lutade hon sitt huvud mot min axel. Jag lade en arm om henne och drog henne försiktigt mot mitt bröst, samtidigt som jag med den fria handen kände utanpå min byxficka, där ringen som jag hade köpt till henne låg. Men jag insåg att det var dålig tajming och sökte istället hennes läppar med mina.

Kanske är det en efterhandskonstruktion men jag har en rätt så bestämd uppfattning om att jag just då inne i min hjärna återigen hörde Barry White sjunga "Can't get enough of your love, babe", precis som under min näradödenupplevelse på Hotel Hyatts gym. I så fall borde jag ha tagit det som ett varningstecken, för därefter small det till i bakhuvudet och jag föll handlöst till marken.

Jag kände hur jag var på väg in i medvetslöshetens töcken när Preetis skrik väckte mig. Med en kraftansträngning reste jag mig på ena knäet och försökte fixera blicken.

En mansröst vrålade någonting på hindi och som genom frostat glas såg jag en suddig gestalt höja armarna och slå mot mig med någon form av tillhygge. Jag hann i sista stund få upp en arm, som tog emot slaget innan jag rullade runt på marken. När jag kom på fötter igen hade jag återfått synskärpan och såg mig desperat omkring efter Preeti.

"Hjälp! Polis! Hjälp!" ropade jag för full hals och tog ett par stapplande steg bakåt.

Framför mig stod nu inte bara mannen som redan en gång hade fällt mig till marken utan även sju, åtta andra. Alla hade bambukäppar i händerna som de hötte med samtidigt som de vrålade aggressivt.

Jag tyckte mig uppfatta Preetis skrik igen, men den här gången mer avlägset, som om hon sprang därifrån eller fördes bort. Mellan mig och hennes borttynande röst stod de rosenrasande männen. Jag insåg att oddsen inte var särskilt goda. Och det berodde inte enbart på att motståndarna var många fler, mycket yngre och dessutom utrustade med vapen. Det kom sig även av att mitt livs samlade erfarenhet av slagsmål inskränkte sig till följande tre tillfällen:

1. När jag var fem år och Eskil, en rödhårig pojke på lekskolan som jag hade retat, pryglade mig med en banan så att jag började blöda näsblod.
2. När jag gick i åttan och av misstag råkade spotta på Pia, en tuff tjej som gick i parallellklassen, då vi stod i rökrutan och bolmade. Hon gav mig en knuff som jag besvarade, varefter hon sparkade mig i skrevet och satte ett knä i mitt ansikte så att läppen sprack. Fyra stygn.
3. När jag under Karnevalen i Lund 1982 satte mig bredvid ett gammalt fyllo på en bänk i Stadsparken och skulle göra mig lustig på hans bekostnad inför mina studiekamrater. Jag

frågade honom vilka viner han tyckte hade bäst syra respektive bouquet i Systembolagets vårnyheter och han gav mig en blåtira som svar.

Jag berättar allt det här för att det klart ska framgå med vilket dödsföraktande mod jag skred till verket den där eftermiddagen i Lodi Garden. Jag hade en vansinnig idé om att försöka överraska männen med bambukäpparna genom att hopptackla mig över dem, lite grann som en spelare i amerikansk fotboll, fast utan dennes skydd, och på så sätt ta mig förbi. Så jag tjurrusade rakt mot den mänskliga muren, men slogs naturligtvis omedelbart omkull på nytt.

Den här gången träffade slaget över knäskålarna. Men adrenalinhalten var nu så hög att jag knappt kände någon smärta. Skräcken för vad som skulle kunna hända Preeti fick mig att stappla upp. Det var då jag fick syn på mannen med videokameran. Han rörde sig ostört fram och tillbaka bland de andra männen i jakt på olika filmvinklar. Jag fälldes till marken igen med en skur av käppslag. När jag vred på mitt mörbultade huvud och tittade upp såg jag rakt in i videokamerans lins.

"Hjälp! Hjälp!" skrek jag med hjälp av mina sista krafter och då hörde jag äntligen polisens visselpipor i fjärran.

Sedan sa det pang. Ett nytt slag landade med full kraft över min rygg.

Sedan sa det tjoff. Någon stötte sin bambukäpp i solarplexus på mig.

Sedan sa det smack och brann till i huvudet.

Sedan sa det ingenting mer. För sedan blev allting bara svart, tomt och tyst som i en grav.

58

När jag vaknade låg jag i en sjukhussäng. Det var inte längre svart, tomt och tyst. Det var bländande vitt, och någon spelade trummor och elgitarr inne i min skalle. Det lät ungefär som Eriks och mitt gamla rockband Twins på den där tiden när vi precis hade börjat repa och så att säga *experimenterade* oss fram, för att använda en extremt snäll omskrivning. Jag tog spjärn med armbågarna i akt och mening att sätta mig upp i sängen, men hejdades av en handflata mot bröstkorgen.

"Ta det lugnt, sir."

Handen och rösten tillhörde en sjuksköterska med ärrig hy och ett återhållsamt leende.

"Låt mig hjälpa er", sa hon och hissade upp sängryggen och lade en extra kudde bakom min nacke, där en bullig bula bultade ihärdigt.

Huvudet fortsatte att spränga, och nu blev jag också varse smärtan i resten av kroppen. Det högg till som en serie knivstick mellan ryggkotorna och dunkade våldsamt i knäna. Jag tittade ner på mina ben, som doldes under ett tunt lakan. När jag vickade på tårna fick jag krampkänningar i hålfoten. Men nervtrådarna som styrde mina rörelser verkade fungera och det var åtminstone en lättnad.

"Var är jag?" sa jag och grimaserade eftersom det smärtade även när jag pratade, i magen, halsen och runt munnen.

"Ni är på Max Healthcare Hospital i Saket, sir", sa sjuksköterskan och drog fram en spegel som satt fast i sänggaveln, så att jag kunde se mig själv i ansiktet.

Läppen var svullen. Jag hade en blånad under höger öga och ett stort plåster vid hårfästet. Jag var inte vacker, men det kunde ha varit värre.

"Vad har hänt?"

"Minns ni inte?"

"Jag blev överfallen. I Lodi Garden."

"Precis. En polispatrull körde er hit."

Ögonblicksbilder flimrade förbi på näthinnan. Parkbänken, det plötsliga mötet med marken, de skrikande, våldsamma männen med bambukäpparna, och videokamerans påträngande lins.

Preeti! Tanken på henne fick mig att skärpa mina simmiga sinnen.

"Var är min mobiltelefon?"

"Lugn, sir. Alla era tillhörigheter är i säkert förvar. Ni har precis vaknat efter att ha varit medvetslös i över fyra timmar. Vänta så ska jag hämta doktorn."

Jag grep tag i sjuksköterskans arm.

"Var vänlig och ge mig min mobiltelefon omedelbart."

"Det är tyvärr inte möjligt. Den är inlåst tillsammans med er plånbok i kassaskåpet hos vakten nere i entrén. Det kommer att ta lite tid att få upp den hit."

Hennes återhållsamma leende blev något mer inställsamt.

"Det enda vi har gjort är att skriva ner numret på ert kreditkort, för betalningens skull. Det gör vi alltid när vi får in medvetslösa patienter. Men ni har förmodligen en sjukvårdsförsäkring som täcker det här, sir."

Det var jag ganska säker på att jag inte hade. Max Healthcare var ett av de bättre privatsjukhusen i Delhi. Jag såg tusenlapparna flyga iväg, men det var just då mitt minsta problem.

"Var är mina kläder?"

"Ni kan hämta dem när ni skrivs ut. Men innan ni skrivs ut måste ni skrivas in. Så jag får be er att fylla i det här formuläret", sa hon och räckte över ett papper.

Jag rafsade ner mina person- och kontaktuppgifter och signerade. Man skulle med fog kunna säga att Delhi hade knockat mig fullständigt, på samtliga plan. Jag, som bortsett från den där Budapestresan när jag var ung aldrig tidigare hade svimmat, hade under min vistelse i detta land nu gjort det vid inte mindre än tre tillfällen. Men det här var första gången som det inte var självförvållat, och första gången som Yogi inte fanns vid min sida under uppvaknandet. Och nu var jag fast i en sjukhussäng iklädd en sjukhusrandig pyjamas, utan min mobil och utan en aning om vad som hänt Preeti, kvinnan som knockat mig med sin oemotståndliga charm och skönhet.

"Det kan vara en fråga om liv och död, syster."

"Inte alls", log sjuksköterskan. "Ni har fått en kraftig hjärnskakning och er kropp är ordentligt blåslagen. Vi har klämt ihop ett sår i huvudet som orsakade ett blodflöde, men ni har inga frakturer och jag kan försäkra er att ert liv inte på något sätt är i fara."

"Inte mitt, men någon annans! Det är därför jag behöver min mobiltelefon. Och jag behöver den nu, inte om en timme!"

Jag kände med handen på plåstret vid hårfästet och gav sjuksköterskan en vädjande blick. En kvart senare levererades mobiltelefonen tillsammans med min plånbok och mina nycklar i en förseglad plastpåse som jag fick kvittera ut med ännu en signatur. Jag fumlade upp mobilen med darrande händer och satte på den.

Stendöd.

"Finns det en batteriladdare här på sjukhuset, till en Nokia?"

"Det tror jag inte, sir. Men ni har ju en telefon här bredvid er som ni kan använda fritt."

Erbjudandet var vänligt men värdelöst. Jag hade alla mina telefonnummer inprogrammerade i mobilen och kunde inte ett enda utantill, inte ens mitt eget. På vissa punkter var livet betydligt enklare på den tiden när man tvingades använda sin egen minnesförmåga.

Den allt mer samarbetsvilliga sjuksköterskan skickade dock iväg en springpojke till den lokala marknaden och ytterligare en kvart senare var han tillbaka med en piratversion av en Nokialaddare till det modesta priset av femtio rupier. Den glappade lite men förmedlade ändå så pass mycket ström att jag genast kunde titta på mina nya meddelanden. Det fanns fem och samtliga var från Preeti. Hon skrev att hon var okej men undrade hur det var med mig. En stor sten föll från mitt hjärta. Jag tankade mobilen med ytterligare lite kraft innan jag ringde upp henne.

"Goran! Är det verkligen du?"

Lättnaden i hennes röst fick mig att helt glömma bort min egen belägenhet. En behaglig värme spred sig i min misshandlade kropp. Jag återgav vad som hänt och hon berättade om hur hon flytt från parken, förföljd av tre unga och mycket arga män med bambukäppar. Hon hade lyckats skaka av sig dem i trafikmyllret ute vid vägen och sedan gömt sig inne på ett kafé vid Khan Market i en halvtimme, innan hon smög tillbaka för att leta efter mig.

"Men då var du borta och jag blev alldeles stel av skräck. Är det säkert att du är okej?"

"Jag är mörbultad och lite yr, men sjuksystern säger att det inte är någon fara. Vem tror du ligger bakom attacken? Din man?"

"Men vet du inte?" sa hon med förvånad röst.

"Nej, jag vet ingenting. Jag vaknade upp för mindre än en timme sedan."

"Vivek har ingenting med det här att göra. Det var Hindutva Sainik."

"Och vad är det?"

"Ett politiskt och religiöst huligangäng. Hindutva är ett välkänt begrepp för resning bland hinduer, och sainik betyder soldater."

Det var så de ville se sig själva, förklarade Preet, som moralpoliser. Det fanns många sådana hindunationalistiska grupperingar, och Hindutva Sainik var en av de mer fanatiska. De bekämpade religioner och kulturer som inte hade sitt ursprung i Indien. Muslimerna var huvudfienden, men man hade även siktet inställt på västerländsk så kallad dekadens.

"Förra året anföll Hindutva Sainik ensamma kvinnor som besökte barer, och nu kör de en kampanj mot offentligt kyssande. Jag trodde att vi var förskonade från dem i Delhi, men uppenbarligen har de sina supportrar även här", sa Preeti.

Jag drog en suck av lättnad. Överfallet var ett slumpens verk och hade ingenting med de kommande artiklarna att göra. Mina blåmärken skulle läka och huvudvärken säkert ge med sig inom ett par dagar. Det fanns ingen anledning till panik.

Tänkte jag. Tills Preeti öppnade munnen igen.

"Vi har ett problem", sa hon. "Ett stort problem."

"Vad då?"

"Vi är på teve."

59

BREAKING NEWS!!!

Jag hade för länge sedan vant mig vid den blinkande texten i nedre bildkant under indiska nyhetssändningar på teve. Men jag var inte ett dugg van vid att själv vara huvudnyheten.

Nyhetsuppläsaren skrek exalterat på smattrande hindi medan de rörliga bilderna av överfallet rullades upp om och om igen. Filmsekvensen inleddes med en kamerasvepning över Lodi Garden, som landade i en inzoomning av Preeti och mig bakifrån när vi kysstes på parkbänken. Våra ansikten syntes inte, men jag utgick från att Vivek Malhotra ändå skulle känna igen sin fru på såväl kroppshållning som hår och klänning. Därefter följde den brutala käppattacken på mig, som slutade med en närbild i vilken jag tittade rakt in i kameran med blodet rinnande nerför ansiktet från såret i pannan.

De dramatiska bilderna skulle möjligen ha kunnat passera relativt obemärkt förbi om det bara varit den obskyra nyhetskanalen med det, förmodligen medvetet, lätt förväxlingsbara namnet CN – en förkortning av Crime News – som kablat ut dem. Men filmen verkade ha sålts vidare till alla andra tevebolag. Hur jag än navigerade med fjärrkontrollen mellan de olika kanalernas nyhetssändningar möttes jag nästan överallt av min egen skräckslagna nuna. Det visade sig att Hindutva Sainik hade genomfört

336

synkroniserade attacker i storstäder över hela Indien mot par som vänslades i parker och på andra offentliga platser, och att just överfallet på mig fick tjäna som illustration av dem alla.

Jag tänkte på mannen med videokameran och svor inombords. Antingen var han en av Hindutva Sainiks egna som distribuerat bilderna vidare till media, eller så var han en oetisk reporter på CN som varit involverad redan på förhand så att han fick ett smaskigt inslag som han kunde tjäna en hacka på.

När jag en stund tidigare avslutat samtalet med Preeti hade hon sagt att jag skulle förbereda mig på en chock när jag slog på teven, men samtidigt försäkrat att hon själv inte befann sig i någon akut fara.

”Vivek har aldrig burit hand på mig och kommer inte att göra det nu heller. Bli nu frisk, så hörs vi om ett par dagar. Jag ringer dig. Det blir bäst så, du kan ändå inte göra någonting. Det här måste jag lösa själv.”

Hon har förmodligen rätt, tänkte jag. Det fanns ingenting jag för tillfället kunde göra mer än att rodna djupt. Den ärrade sjuksköterskan, som hjälpt mig att få igång teven som hängde på väggen i rummet, såg på mig med ett visst medlidande. Och när den kvinnliga läkaren som kom för att undersöka mig hade med sig en svans av andra män och kvinnor i vita rockar, insåg jag att jag var aftonens stora snackis i personalgruppen. Med spak röst sa jag till henne att jag kände mig redo för att omgående lämna sjukhuset, men hon lyckades tämligen enkelt övertyga mig om att stanna kvar till åtminstone dagen därpå.

”Dels är det bäst ur medicinsk synvinkel. Vi skulle behöva observera dig över natten och se att allt är bra. Dels tror jag att du för ditt eget allmänna välbefinnande gör klokt i att stanna här ett tag. Det finns fortfarande några reportrar utanför entrén som vill prata med dig.”

Jag visste inte hur murvlarna hade hittat hit, men jag visste att jag inte hade någon lust att möta dem. Snacka om ödets ironi. Här förberedde jag mig inför publiceringen av en avslöjande artikel om Vivek Malhotras smutsiga affärer och så hamnade jag själv i strålkastarljuset på grund av mina egna smutsiga affärer med hans fru.

Det visade sig snart att journalisterna inte var de enda som ville träffa mig. Klockan halv tio på kvällen fick jag besök av en uniformerad kommissarie med stor mustasch och en panna räfflad som en tvättbräda. Han presenterade sig som R V Chopra, satte sig väl till rätta i besöksstolen och lade långsamt det ena benet över det andra, som för att markera att han inte hade det minsta bråttom.

Det första han gjorde var att ta fram en kopia på sjukhusdokumentet som jag skrivit under och be mig kontrollera att alla mina personuppgifter stämde. Sedan frågade han efter legitimation. Jag gav honom mitt svenska körkort.

"Vad gör ni i Indien?"

"Jag bor och arbetar här. Som journalist."

Chopra höjde på ögonbrynen och rynkade samtidigt näsan, vilket fick hans panna att tryckas ihop ännu mer. Därefter förklarade han att New Delhi-polisen redan hade arresterat sex av de religiösa huliganer som överfallit mig. Bevisen var överväldigande, eftersom deras förehavanden ju fanns dokumenterade på film. De hade erkänt utan omsvep.

"Tokstollar. Nu tror de att de blir några sorts martyrer", fnös kommissarien och strök med tummen och pekfingret över sin yviga mustasch.

"Det kommer att bli rättegång så småningom", fortsatte han.

"När då?"

"När tiden är mogen."

Det betydde tidigast om ett år, efter vad jag kände till om indiska rättsprocesser. Helst av allt skulle jag bara vilja stryka ett fett svart streck över denna pinsamma incident och förpassa den till minnets skräpkammare. Just därför framstod kommissarie Chopras nästa fråga, och det direkta sätt på vilket han framförde den, som ytterst besvärande.

"Vem var kvinnan på bänken?"

"Vem då?"

"Driver ni med mig, sir?"

"Nej."

"Då tycker jag att ni gör klokast i att berätta vem det var som ni kysste inför hela den indiska nationen. Eller var det en synvilla?"

Jag försökte svälja ner klumpen som hade parkerat sig i min ömma hals.

"Varför vill ni veta vem hon är?"

"Därför att hon är att betrakta som ett brottsoffer, precis som ni. Därför att vi befarar att hon kan ha råkat illa ut. Men framför allt", sa kommissarie Chopra och spände ögonen i mig, "därför att jag frågar."

"Jag känner bara till hennes förnamn."

"Och det är?"

"Pre ... Priyanka."

"Var får man tag på henne?"

"Ingen aning."

"Är hon prostituerad?"

"Nej!"

"Så hur har ni blivit bekant med henne?"

"Vi träffades i parken och började prata. Sedan ... sedan ledde det ena till det andra ..."

"Ni träffade en indisk kvinna i parken som ni tämligen omgående hamnade i en mycket intim situation med?"

"Nej, inte omgående. Vi pratade först."

"Och ni menar på fullaste allvar att jag ska tro på det?"

"Ja."

"Men det gör jag inte, sir. Inte en endaste sekund. Berätta nu vem hon är. Om hon råkar illa ut blir ni medansvarig för det."

"Hon är okej."

"Och hur vet ni det?"

"Jag hann se hur hon sprang i säkerhet ut ur parken innan männen gav sig på mig."

Just då ringde min mobiltelefon. Jag såg att samtalet var från Uma och klickade genast bort det.

"Varför svarar ni inte", undrade Chopra.

"Jag kan ta det senare."

"Var det Priyanka?"

"Nej."

"Vem var det då?"

"Någon annan."

Kommissarie R V Chopra reste sig sakta ur besöksstolen och ställde sig bredbent vid min sängkant. Han tog ut ett visitkort ur sin plånbok som han räckte över till mig.

"Jag vet inte vad det är ni döljer, sir, men jag gillar det inte. När ni har kommit på bättre tankar vill jag att ni ringer mig."

Han höll upp dokumentet med mina person- och kontakt-uppgifter.

"Annars hör jag av mig. God afton."

Med de orden lämnade han rummet. Den ärrade sjukskötcrs-kan kom in och sa god natt och sedan ringde Uma igen. För att vara en halvt sönderslagen man som behövde vila ansattes jag hårt från alla håll och kanter. Samtalet med henne gjorde mig dock på något bättre humör. Hon ville inte veta vem kvinnan som jag hånglat med var ("jag är reporter, inte skvallerkärring") och trodde för övrigt att de indiska mediernas intresse för storyn om Hindutva Sainik skulle svalna ganska snabbt.

"Det rättsliga efterspelet kommer förstås att mala vidare, men för våra ärade journalistkolleger är den här historien snart död och begraven i mängden av alla andra snaskiga våldssensationer. Imorgon toppas nyhetssändningarna av helt andra grejer, tro mig. Så jag tycker att vi kör på med vårt eget som planerat. Den grejen finns det i alla fall hållfast substans i. Alla sidor är inritade. Om fyra dagar trycks tidningen och sedan går den ut i handeln."

Ja, så får det bli, tänkte jag. Så får det fan ta mig bli.

Nästa dag genomgick jag en medicinsk allmänundersökning utan några allvarliga anmärkningar. Därefter skrevs jag ut från sjukhuset med lätt huvudvärk, ömma knän samt femtontusen rupier fattigare. Det var ändå ett rätt schyst pris med tanke på all den vård jag fått, ungefär i nivå med en övernattning på Hyatt eller något annat av Delhis femstjärniga hotell.

Uma hade rätt. Det fanns inga reportrar på plats när jag haltade ut genom sjukhusentrén, och även om de stora engelskspråkiga morgontidningarna omnämnde Hindutva Sainiks härjningar från gårdagen så var det i mindre artiklar och utan bild på mig.

Yogi hade ringt från Madras på morgonen, totalt ovetande om mina upplevelser. Han hade inte sett nyheterna kvällen innan eftersom han varit hembjuden på middag "till den gode textilfabrikören som värnar om sina anställda, till skillnad från den snikne demonen Vivek Malhotra". Trots att jag försökte tona ner den brutala misshandeln blev min vän mycket skärrad och sa att han genast ämnade flyga till Delhi för att ta hand om mig.

Klockan halv åtta på kvällen ringde det på min dörr och när jag öppnade stod Yogi där med ett lidande ansiktsuttryck. Han kastade sig om min hals och kramade mig så hårt att det gjorde ont i min mörbultade kropp. Jag hade alltid haft svårt för fysiska ömhetsbetygelser män emellan, men hans medkänsla och engagemang värmde i hjärtat.

"Mr Gora, hur kunde jag lämna dig i sticket? Jag är så olycklig för att jag inte fanns vid din sida när du som allra bäst behövde det. Vad är jag för en vän, egentligen? Som bara tänker på mina egna futila affärer när du står inför din mest avgörande och beundransvärda kamp."

"Överdriv inte. Om du så hade varit i Delhi hade du ändå inte följt med mig in i Lodi Garden när jag träffade Preeti."

Yogi lyssnade inte på mina invändningar utan fortsatte att banna sig själv.

"Jag skäms som en hund och hoppas att du på det allra mest storsinta av alla dina storsinta vis kan förlåta mig."

"Det räcker nu, Yogi."

"Hur ska jag kunna gottgöra det här?"

"Sluta! Det finns inte en chans i världen att det här var ditt fel", sa jag och klappade honom lite tafatt på axeln.

Yogi insisterade på att jag skulle följa med honom hem och sova över i Sundar Nagar, eftersom det enligt honom inte var bra för en man som utsatts för ett så skamligt brott att lämnas ensam med sina grubblerier.

"Men då kommer din mamma bara att ansätta mig om händelsen i parken. Det klarar jag inte av."

"Bäste mr Gora, på den punkten kan du känna dig fullständigt lugn. Kära amma må vara en kvinna med koll på ett och annat, men betänk att det enda hon ser på teve är gamla Bollywoodfilmer. Och de enda nyheter hon får sig till livs är dem i Dainik Jagran, och där fanns det inga bilder på dig."

"Tänk om Harjinder har skvallrat för henne."

"Jag tror knappast det. Vår gode chaufför är just i dessa dagar i Amritsar och besöker det gyllene templet."

"Men hur ska jag förklara min blåtira och fläskläpp?"

"Du har spelat cricket och fått en boll i ansiktet och ramlat och slagit dig."

"Cricket?"

"Javisst! Du har varit med på en sådan där cricketmatch som de ordnar för västerlänningar ibland. Amma ogillar den sporten nästan ännu mer än hon ogillar kyla, så det skulle ge henne en möjlighet att ondgöra sig över någonting specifikt, och det gillar hon som bekant väldigt mycket. Samtidigt innebär det att hon kanske klagar lite mindre på andra ting."

"Vinn-vinn?"

"Där sa du ett sanningens ord, mr Gora. Kusten är med andra ord så klar som en kust rimligen kan bli."

"Okej, då följer jag väl med."

"Amma kommer att bli överlycklig!"

Frågan var bara hur hon skulle uttrycka denna lycka. Men i sällskap med Yogi och hans bitska mor skulle jag åtminstone få möjlighet att skingra mina tankar lite. Ännu hade Preeti inte hört av sig efter telefonsamtalet på sjukhuset. Hon hade uttryckligen sagt att hon tänkte lösa det här på egen hand och hur mycket det än kliade i min sms-tumme bestämde jag mig för att ge mig till tåls.

Mrs Thakur livades verkligen upp av min visit. När jag hade dragit lögnen om cricketskadan höll hon en lång monolog över denna nationella farsot som fick vakter att försumma sina plikter, korrupta vadslagningsfirmor att fixa matcher, grönytorna i parkerna att ockuperas av störande pojkar och sporttokiga politiker att glömma bort hur man leder ett land bara för att några män i fåniga kläder kastade en stenhård boll på varandra.

"Och så ska alla dessa uppkomlingar sola sig i den så kallade glansen av detta löjeväckande spel och köpa cricketlag och bära sig åt. Som den där Shah Rukh Khan!"

Efter att gumman haft sitt lilla kvällsutbrott gick hon ner i varv med en förhoppning om att jag nu hade lärt mig en läxa och hädanefter höll mig borta från den livsfarliga cricketplanen.

"Ni förstår, mr Borg, jag vill inte att ni ska skada er hjärna. För särskilt dum är ni ju egentligen inte", sa hon, och det var definitivt menat som en komplimang.

Yogi blinkade nöjt till mig. Han såg ut som ett lyckligt barn där han satt i soffan bredvid sin besvärliga mamma.

"Här är kallt", klagade mrs Thakur och ropade på Lavanya, som genast kom med en extrafilt som hon paketerade in tanten i.

"Lägg värmeflaskor i ammas säng också", instruerade Yogi. "Hon ska snart gå och lägga sig."

"Det ska jag inte alls! Det börjar snart en bra film som jag tänker se."

"Då tror jag att vi går ut i trädgården och pratar så att vi inte stör dig, kära amma."

"Och vad är det som är så viktigt som ni måste prata om?"

"Inget speciellt. Men vi har ju inte setts på ett tag."

"Och det är uteslutande ditt fel! Du flyger och far ner till den där textilhandlaren i söder var och varannan vecka och försummar både dina vänner och din mor. Om du ändå kunde ta och gifta dig någon gång så att det blir lite ordning på dig."

Trots att mrs Thakur lät som en knastrig grammofonskiva som hade hakat upp sig fanns det en liten ton av försonlighet i hennes röst den här gången. När Yogi och jag satt med varsin masala chai i trädgården förklarade han moderns något bättre humör med att hennes reumatiska värk mildrats en aning trots att hösten var här.

"Jag har hittat en naturdoktor till henne som kan bota i princip allt! Du borde konsultera honom, mr Gora, så ska du se att han kan trolla bort din smärta med lite nyttiga avkok och örtmediciner."

"Smärtan är inte så farlig. Mitt största problem är att jag just nu inte kan sova ordentligt."

"Det vet jag i alla fall hur vi ska komma tillrätta med."

Yogi reste sig ur korgstolen på altanen och gick bort till en kompostbehållare som stod i hörnet av trädgården, lyfte på en liten lucka nertill och kom tillbaka med en flaska Blenders Pride och en flaska vatten.

"Trädgårdsmästaren fyller på förrådet när det är tomt. Mycket praktiskt", förklarade Yogi och blandade till ett par stadiga groggar i våra teglas.

"Du är bra på att dölja saker för din mamma", skrattade jag.

"Alla har vi våra hemligheter", log han.

Jag vet inte om det var sviterna efter hjärnskakningen eller helflaskan Blenders Pride som vi hade stjälpt i oss under kvällen, men när jag vaknade vid niotiden på morgonen, efter att äntligen ha sovit en hel natt, spelade Twins i min hjärna igen. Lite starkt kaffe och två aspirin hjälpte dock en aning, liksom det faktum att mrs Thakur redan hade satt sig med Dainik Jagran i sin fåtölj i vardagsrummet och lämnade mig och Yogi ifred vid frukostbordet.

Efteråt har jag flera gånger tänkt att jag trots huvudvärken skulle ha velat frysa det där ögonblicket och stanna kvar i det. I sällskap med min vän, just innan Lavanya kom in till oss med Indian Express, den dagstidning som Yogi alltid läste på morgonen för att underhålla sin engelska.

Jag vecklade ut tidningen och stelnade till när ögonen landade på förstasidans huvudrubrik:

MALHOTRA TAR KRAFTTAG MOT BARNARBETE
Den kände företagsledaren avsätter
50 crore till nystartad stiftelse

Jag sögs in i textpuffen, som genom en tunnel av hotfulla bokstäver ledde mig vidare till tidningens mittuppslag. Den omfångsrika artikeln, som illustrerades med en allvarsam bild på industrimagnaten och en annan på en ung, namnlös pojke vid en vävstol, handlade om hur Vivek Malhotra efter att ha fått reda på att det bland hans leverantörer och underleverantörer fanns slavarbetande barn bestämt sig för att bekämpa denna grymma verksamhet genom en kraftfull insats.

"Det här är någonting som jag tidigare har fått indikationer om men tyvärr blundat för. Men det är aldrig för sent att vakna och nu ska jag göra allt som står i min makt för att en gång för alla rensa upp i detta träsk. Det får under inga omständigheter förekomma olagligt barnarbete hos något av mina företag eller dess leverantörer i samtliga led neråt. Och jag uppmanar alla att rapportera in minsta misstanke till vår nya stiftelse. Den som avslöjas med att ha brutit mot vår policy stängs av direkt och kommer att lagföras", sa han.

Femtio crore var lika med femhundra miljoner rupier, en i sammanhanget svindlande summa som motsvarade mer än sjuttiofem miljoner svenska kronor. Så mycket pengar hade en enskild företagare i New Delhi aldrig tidigare avsatt på ett bräde i välgörande syfte, upplyste artikeln om.

"Jag har kommit till den punkt i mitt liv då jag tvingas konfrontera mig själv och mina värderingar. Jag vill kunna vakna på morgonen i förvissning om att jag efter bästa förmåga bidrar till en ljusare framtid för Indiens utsatta barn. Stiftelsens mål är att ge dem ett tryggt boende och utbildning, och om möjligt återförena dem med sina föräldrar. Samtidigt ska vi i opinionssyfte driva den här frågan på nationell nivå. Det är hög tid att vi som har vunnit rikedom och makt tar vårt ansvar för att hjälpa samhällets minsta och mest sårbara medborgare istället för att utnyttja dem. Jag hoppas att många företagare följer i mina fotspår."

Exakt hur stiftelsens arbete skulle organiseras var enligt artikeln inte klart än. Men den hade redan fått ett namn: "Preeti Malhotras fond för barnens rätt".

De flesta människor har väl någon gång stått framför spegeln och stirrat på sig själva med en känsla av att vara en annan person, pratat med sitt ansikte och noterat att den egna rösten liksom kommer utifrån och att den inte riktigt är synkroniserad med läpprörelserna. Det var just den förnimmelsen av overklighet som drabbade mig.

"Vad är det, mr Gora? Ditt ansikte är blekare än någonsin."

Jag sköt över tidningen till Yogi, som bokstavligt talat studsade till i stolen när han såg rubriken. Efter att ha läst hela artikeln tittade han på mig med vilsen blick. Det var första gången under min bekantskap med honom som jag fann honom svarslös.

"Preeti har berättat för honom", mumlade jag.

Innan jag hann samla ihop mig ringde mobilen. Det var Uma. En olycka kommer sällan ensam, tänkte jag.

"Har du sett vad tidningarna skriver om Malhotra idag?" sa hon med speedad röst.

"Tidningarna? Jag har bara läst Indian Express."

"Hindustan Times, The Hindu och Times of India kör det också stort, liksom alla de hindispråkiga tidningarna. Och nu vevas det på tevenyheterna också att han har blivit den nya stora välgöraren som ska väcka nationen och tvätta bort en av de största skamfläckarna i Indiens moderna historia."

"Skämtar du?"

"Visst låter det som ett riktigt dåligt skämt, men så säger de faktiskt."

"Jag förstår inte hur han har fått reda på att vi höll på att skriva om honom", ljög jag med en tung suck.

"Det är onekligen lite märkligt. Men sådant kan hända när man pratar med många olika människor, som vi har gjort. Det kan vara allt från föreståndaren på härbärget till någon av de tidigare mellancheferna på Indian Image som har läckt av en eller annan anledning, förmodligen relaterat till pengar. Och sedan har Malhotra agerat blixtsnabbt. Risken för läckage får man alltid ha med i beräkningen när man ger sig i kast med omfattande jobb. Men jag har aldrig tidigare upplevt att någon har förekommit kritik genom att skänka femtio crore. Det är ett sanslöst belopp!"

Uma lät märkligt upplivad för att precis ha blivit snuvad på ett stort, avslöjande reportage.

"Men det här sänker ju vårt arbete totalt", sa jag. "Allt jobb som vi har lagt ner är värdelöst."

"Hur kan du säga så? Om det är på grund av vårt grävande som Vivek Malhotra avsätter så mycket pengar till en fond som ska rädda utnyttjade barnarbetare är det här det viktigaste jobb jag någonsin har gjort. Förstår du inte hur mycket det betyder? Även om vi hade förmått alla medier i världen att haka på vår story skulle den aldrig ha fått en sådan tyngd som detta nu får. Det öppnar helt nya perspektiv, med en inflytelserik företagsledare som visar stort socialt patos och uppmanar andra att följa hans exempel. Att det finns taktiska motiv bakom hans agerande, som att skydda sina egna varumärken, bryr jag mig ärligt talat inte särskilt mycket om i just det här fallet. Pengarna kommer att göra underverk, och för barnen som får ta del av dem kvittar det varifrån de kommer. För att inte tala om vilken positiv smitto-effekt det kan få!"

Jag hade inte sett på saken så, förblindad av min egen drivkraft. Men Uma var inte bara reporter, hon var i första hand barnrätts-aktivist, och utifrån det perspektivet var Malhotras pengar och ställningstagande förstås en mycket god nyhet.

"Ska vi lägga ner artikelserien?" frågade jag.

"Absolut inte! Men vi får skjuta upp den en vecka och skriva om vissa avsnitt. Vivek Malhotra har fortfarande en massa frågor att svara på som bara vi kan ställa, och Varun Khanna och hans hantlangare ska självklart hängas ut. Men det går ju inte att presentera Malhotra som en samvetslös skurk när han precis har skänkt en stor förmögenhet till kampen mot barnslaveriet."

Vi avslutade samtalet. Jag satte armbågarna mot bordsskivan, lät huvudet vila i handflatorna och stirrade på en bild på elefantguden Ganesha som hängde på väggen. Killen med snabeln som gav tur. Jag vet inte hur många gånger Yogi försökte påkalla min uppmärksamhet, men till sist slog han undan en armbåge så att jag ryckte till.

"Förlåt, mr Gora, men du måste säga någonting. Vad ska du göra nu?"

"Vad tycker du?" sa jag med en röst som fortfarande släpade efter på det där overkliga sättet.

"Jag tycker att du ska ringa ett samtal. Ett mycket viktigt samtal."

"Du har rätt", sa jag och reste mig och gick ut i trädgården, förbi mrs Thakur, som nyfiket följde mig med sitt förstoringsglas. Väl därute satte jag mig i en av korgstolarna och slog numret till Preeti. Redan efter den första signalen svarade hon.

"Goran, jag hade precis tänkt ringa."

"Vad är det som har hänt?" sa jag.

"Jag vill inte ta det på telefon. Kan vi ses?"

"När då?"

"Kom till salongen ikväll, efter stängning."

62

Jag smög inte den här gången, och Preeti såg sig heller inte oroligt om när hon öppnade dörren till skönhetssalongens foajé och släppte in mig kvart över åtta på kvällen. Hon drog varsamt sin hand över blånaden under mitt högra öga.

"Tack och lov att det inte blev värre. Har du mycket ont?"

"Bara när jag skrattar", sa jag och drog upp mungiporna i ett konstlat leende så att det värkte i fläskläppen.

Hon tittade på mig med ett uttryck av medlidande som fick klumpen i halsen att växa sig stor som en varböld.

"Berätta nu exakt vad det är som har hänt. Hur kommer det sig att din man presenterar en stiftelse med ditt namn just nu?" stötte jag fram.

"Låt mig göra i ordning dina händer", sa hon. "Så kan vi prata under tiden."

Jag nickade och följde efter Preeti in i själva salongen, med blicken fäst vid hennes strama hårknut. En stor och bångstyrig lock hade frigjort sig och hängde ner över kavajslaget. Hon luktade gott av parfym och schampo och jag fick hejda min impuls att kyssa henne i nacken.

Jag satte mig i stolen och hon tvålade in mina händer med varsamma rörelser.

"Jag vill veta vad som har hänt", upprepade jag.

"Okej, jag ska berätta allt", pustade hon ansträngt. "Vivek kom

352

hem sent den där kvällen. Han hade sett nyhetsinslaget från Lodi Garden på teve och kände igen mig. Jag kunde inte ljuga längre och berättade om oss två."

"Allt?"

"Nej, inte i detalj. Men jag sa att vi hade setts från och till en tid."

"Blev han inte arg?"

"Han blev rasande. Slängde en dyr vas i golvet och skrek och gormade. Jag har inte sett honom så arg på över tio år. Men sedan grät han, och det var också första gången på tio år. Det var som om alla hans känslor briserade. Allt vällde fram ur honom på en och samma gång."

Så fort hon hade sagt det anade jag hur den här kvällen skulle sluta. Det fanns någonting skirt och ömsint i tonfallet när hon uttalade sin makes namn som förstärkte den känslan. Hon torkade mina händer omsorgsfullt och började klippa naglarna.

"Är det vanligt att indiska män gråter när deras fruar är ..."

Orden stockade sig i halsen på mig.

"Otrogna?" fyllde Preeti i. "Det är väl inte så vanligt överhuvudtaget att indiska fruar är otrogna mot sina män. Det brukar vara tvärtom. Men när det sker tror jag att män gråter lika mycket som kvinnor, även om det är ganska få som vågar visa det. Många blir nog våldsamma istället. Slänger saker, som Vivek gjorde först. Eller slår sina kvinnor."

"Men det gör inte Vivek? Slår?"

"Nej. Han har aldrig burit hand på mig. Aldrig."

"Berättade du för honom om artiklarna?"

"Ja."

"Men varför, Preeti? Jag bad dig att låta bli."

"Det gick inte. Jag vet att det låter som en dålig ursäkt, men så var det verkligen. När allting ställs på sin spets måste man visa alla sina kort. Så jag berättade för honom, jag berättade hur kall och cynisk och känslolös han blivit, och när han gick i försvarsställning berättade jag att jag visste att hans företag utnyttjar barnarbetare och att det skulle publiceras artiklar om det. Då blev han alldeles tyst och sedan sa han att han skulle ställa allt till rätta. Jag har aldrig sett honom så naket ångerfull. Så hudlös."

"Du kunde ha ringt och förvarnat mig igår om det som skulle stå i tidningarna idag."

"Men jag visste inte, Goran! Det enda Vivek sa till mig var att han tänkte ordna allting och att jag skulle ge honom en dag. En enda dag, så att han kunde visa mig att han fortfarande var värd att älska. Att han inte hade förlorat sina gamla ideal. Att han skulle förlåta mig om jag bara kunde förlåta honom. Sedan försvann han och tog kontakt med tidningarna och berättade för dem om den här stiftelsen. Jag blev lika överraskad som du när jag såg artiklarna imorse."

Bilderna spelades upp i mitt inre. Hur Vivek Malhotra kom in med frukostbrickan till sin fru med tidningarna snyggt upplagda bredvid tekoppen och tallriken med rostat bröd.

"Schyst kärleksförklaring. Skänka femhundra miljoner rupier och döpa en stiftelse efter dig. Jag förstår att jag är chanslös."

Preeti avbröt sig i filandet och såg på mig med tårfyllda ögon.

"Goran, du är något av det bästa som har hänt mig. Du är en underbar man med ett stort bankande hjärta. Men jag kan inte bara ge upp allt jag har. Det handlar inte bara om Vivek, det handlar även om min son Sudir. Utan honom är jag en halv människa. Skulle jag skilja mig från Vivek riskerar jag att förlora Sudir."

"Men älskar du verkligen din man?"

Preeti nickade svagt och den subtila rörelsen smärtade mer än alla hennes ord tillsammans.

"Men jag kommer aldrig att glömma dig, Goran. Du kom in i mitt liv och öppnade mina ögon."

Och sedan öppnade jag ögonen på din träbock till man också, tänkte jag och försjönk i en kvävande tystnad medan Preeti fortsatte med manikyren.

Det var mer än ödets ironi. Det var ödets dubbelironi att mitt kärleksliv hade förvandlats till en förtäckt massmedial följetong som sträckte sig från Shah Rukh Khan över religiösa huliganer och gråtmilda miljardärer, som plötsligt begåvats med socialt patos, fram till den urvattnade final som väntade i tidningen Tehelka om en vecka, med "det stora avslöjandet".

Värst av allt var att demonen hade besegrat mig utan att jag fått en chans att testa mitt svärd på honom, den listige fan.

"Är det slut nu?" sa jag.

"Ja, men jag vill att du ska veta ..."

"Snälla Preeti, säg inget mer. Det räcker nu. Är du färdig med händerna?"

Hon nickade.

"De blev fina", sa jag. "Delhis vackraste händer."

63

Dagen därpå hittade jag en affär i C-block Market i Vasant Vihar som sålde Ben & Jerry's. Med de monstruöst höga indiska tullskatterna på importerade livsmedel gick en halvliter lös på sexhundrafemtio rupier. Jag köpte två förpackningar och tog en autoriksha tillbaka till lägenheten i RK Puram, gick upp på altanen och lade mig i hängmattan och började äta den långsamt smältande glassen till tonerna av 10CC:s "I'm not in love", som snurrade på repeat i min laptop. Shania kom upp med en bekymrad rynka mellan sina vackra ögonbryn och frågade hur det var fatt.

"Jag vill bara vara ifred", sa jag.

"Men sir, vill ni inte ha en kopp te eller en riktig lunch? Jag kan göra chicken tikka masala som ni tycker så mycket om."

Min mobil ringde igen. Min påträngande jävla mobil som aldrig gav sig. Jag såg på displayen att samtalet var från Yogi. Jag klickade av det och skrev ett sms till honom där jag bad om att få bli lämnad ensam idag och imorgon.

"Jag behöver den här tiden för mig själv, kompis. Jag ringer dig på fredag."

Därefter gav jag Shania fyratusen rupier och den första tomma Ben & Jerry's-förpackningen, med instruktioner om var hon kunde köpa glassen, som jag önskade få serverad med jämna mellanrum och gärna i just det där smärtsamt flyktiga tillståndet mellan fryst och smält.

När hon hade gått grät jag ljudlöst, utan att hulka en enda gång. Jag lät bara tårarna flöda fritt nerför kinderna så att den salta smaken från dem blandades med glassens sötma.

Perfekt balans, som Yogi skulle ha sagt.

Jag låg kvar i hängmattan på altanen över natten i orolig sömn, och nästa dag fortsatte jag min hälsovådliga diet och monotona musikterapi däruppe under banyanträdet, med en flock vackert grönskimrande parakiter som enda sällskap.

Det händer någonting med en människa som äter så mycket socker och lyssnar på samma sång om och om igen. Kanske kan man jämföra det med när en sadhu fastar och försätter sig i meditativ trans med hjälp av ett mantra. Tankar frigörs, sammanhang blottläggs.

Så vem var jag egentligen? En katalysator för andras lycka? En utlösande faktor som fått en annan man att inse hur mycket han älskade sin fru och frun att förstå att det enda hon riktigt saknat under alla dessa år var tydliga tecken på hans kärlek? Uppskattning. Passion. Glöd. Åtrå. Kärleksförklaringar. Allt det som jag hade gett henne men som hon innerst inne ville ha av honom och till sist också fick.

Jag tänkte igenom min tid med Preeti. Hur hon inledningsvis hade tagit mig med storm och charm. Hur den febriga hettan i våra möten hade vittnat om en hunger så stark att det nästan gjorde ont. Men också att hon ibland höll en svårtydd distans när vi pratade och att hon inte en enda gång hade sagt att hon älskade mig, trots att jag vid åtskilliga tillfällen bedyrat henne min kärlek.

Jag var varm, jag hade ett stort hjärta, jag var levande och rolig och till och med vacker. Men jag var inte älskad av henne. Jag var ett surrogat för någon annan. Jag var Mr Second Choice, som inte hade en aning om vad han nu skulle ta sig till med sitt värdelösa liv.

Om det verkligen finns en gud, eller som Yogi påstår flera miljoner gudar, måste någon av dem med ett visst inflytande ändå ha tänkt att det nog kunde räcka nu, att jag hade lidit vad jag skulle för den här gången och behövde någonting som återgav mig en känsla av värde. För när jag på fredagen hade ätit upp den sista skeden i den sista Ben & Jerry's-förpackningen och slog på min mobiltelefon hittade jag ett sms från min gamle polare börsmäklaren och penningplaceraren Rogge Gudmundsson.

"Ring! Jag har en bra nyhet. Rogge."

Jag gjorde så och möttes av en nymornad röst.

"Ledsen, Rogge, glömde tidsskillnaden."

"Är det du, Göran? Vad bra att du ringde! Hur är läget?"

"Okej", ljög jag.

"Inte sugen på att komma hem till Sverige?"

"Varför undrar du?"

"Du har fått ett jobb. Ett riktigt bra jävla jobb, Göran!"

Jag medger att det låter som om jag skarvar, att tajmingen verkar lite för bra för att vara sann, men jag svär på min pappas grav att följande stämmer: Rogge hade fått en förfrågan från en bekant i Stockholm som drev en framgångsrik reklambyrå på Östermalm och nu skulle öppna en filial i Malmö. Till den sökte han en god stilist för ett jobb som copywriter. Rogge hade nämnt mitt namn och berättat om min långa erfarenhet och visat ett par av mina journalistiska alster från Indien. Det hade fallit i god jord direkt. Jag var precis en sådan som stockholmaren sökte, en rutinerad medarbetare med skånsk lokalkännedom, lång erfarenhet inom branschen men med vida internationella perspektiv och en förmåga att överraska. En som vågade sig på att pröva nya saker.

"Jag visste det, Göran, att du skulle blomma ut bara du kom iväg från den där fabriken. När du äntligen släppte taget", sa Rogge lyriskt.

Han berättade att reklambyråchefen hade älskat min text från Rishikesh och garvat så att tårarna sprutade åt ett par av mina mer skämtsamma Indienkrönikor i Göteborgs-Posten.

Om jag ville var jag välkommen hem till Malmö för att så snart som möjligt påbörja anställningen. Villkoren var inte fy skam: en ingångslön på 45 lakan i månaden och tjänstebil. Det var inte bara bra. Det var min absoluta räddning undan ett såväl själsligt som ekonomiskt haveri.

"Jag tar det", sa jag utan minsta tvekan i rösten.

"Verkligen? Vad glad jag blir! När kan du börja?"

"Ge mig tre veckor så ska jag kunna vara på plats. Tack, Rogge, det här kom verkligen i rätt tid."

64

Yogi blev förkrossad när jag meddelade honom mitt beslut att lämna Indien. Vi satt vid mitt köksbord och drack varsin kall Kingfisher från mr Malhotras utmärkta kylskåp.

"Men, mr Gora, vad ska jag göra nu? Om du försvinner blir det samma sak som om någon högg av mig min högra arm. Jag behöver dig, du är min allra bästa vän! Du är som den äldre bror jag som liten pojke i kortbyxor aldrig fick den mest utomordentliga glädje av!"

Vi grät, både han och jag.

"Du är också min bäste vän, Yogi, och du kommer alltid att finnas härinne", sa jag och lade handen på mitt hjärta. "Du måste hälsa på mig i Sverige, och så får jag komma hit igen någon gång."

"Låt det bli mer än bara ord", sa Yogi och fräste ut i en näsduk. "Det lovar jag vid allt som jag håller heligt."

När människor häver ur sig sentimentala haranger kan det i regel härledas till någon av följande orsaker:

1. De är fulla.
2. De har kommit upp i åren och blivit allmänt gråtmilda.
3. De är amatörskådespelare som aldrig kom in på scenskolan och försöker kompensera detta trauma med ett spektrum av konstlade känslor.

Men jag hade bara druckit en halv Kingfisher, hade fortfarande tolv, tretton år kvar till pensionsstrecket och led som tidigare nämnts av mild scenskräck. Just där och då menade jag precis allt det jag sa. Yogi var min bäste vän och när han reste sig upp och föll i mina armar i en lång och krampaktig kram kunde jag inte låta bli att stryka med handen över hans vattenkammade frisyr.

"Jag hade fel med allt det där om Rama och Hanuman och Sita och Ravan", snyftade han. "Det var bara min dåraktiga inbillning. Något som jag så gärna ville tro på."

"Häda inte. Det du har lärt mig om tro och vänskap kommer jag alltid att bära med mig. Och jag får väl fortsätta att leta efter min inre gud. Det finns ju rätt många kvar att välja mellan."

Yogi släppte greppet om mig och sprack upp i ett tårfyllt leende.

"Det, mr Gora, måste jag i alla fall ge dig det allra mesta rätt i!"

Yogi var inte den ende som det var svårt att ta farväl av. Under den korta tid som jag hade kvar i Delhi insåg jag hur många goda vänner jag hade skaffat mig där, tillsammans med en och annan ovän förstås. Uma Sharma höll ett vackert avskedstal till min ära i baren på Foreign Correspondents' Club inför bland andra en mycket besvärad Jay Williams, alias den arroganta Gåsen från London, och en mycket begeistrad Jean Bertrand, alias den spritkonserverade filmfotografen från Paris.

Artiklarna i Tehelka hade trots nertoningarna fått ett hyfsat stort genomslag. Två tuffa intervjuer, signerade Uma, med såväl Vivek Malhotra som Indiens socialminister samt avslöjandet om Varun Khannas och hans hantlangares otvivelaktiga skuld var inget dåligt nyhetspaket. Och i Delhis journalistkretsar, möjligen Gåsen undantagen, rådde det ingen tvekan om att det var vårt jobb som tvingat fram Malhotras sociala patos och givmildhet. Själv hade jag blivit något av en myt på kuppen – den svenske frilansjournalisten med den mystiska älskarinnan som pryglats av religiösa huliganer och skrivit ett initierat reportage om giriga män och barnslavar.

"Det bästa är väl ändå att gubben döpte stiftelsen efter sin fru. Det är nästan så man tror att han har rumlat runt med någon annan och nu vill gottgöra henne", sa Jean Bertrand.

Alla utom Gåsen skrattade. Jag också. Vissa hemligheter mår bäst av att aldrig grävas upp. Därom tror jag att jag och Vivek Malhotra kunde vara överens.

Uma rättade till sina Harry Potter-glasögon och höjde sitt glas med sodavatten.

"När jag träffade Goran första gången sa han att han var en simpel reklamare som ramlat över en bra story som han ville att jag skulle hjälpa honom med. Jag önskar att det fanns fler simpla reklamare som ramlade över saker och vände sig till mig. Skål, partner, det gjorde vi förbannat bra!"

Uma var inte bara en av Delhis skarpaste reportrar, hon var också en av de mest godhjärtade. När jag berättade för henne om min oro för vad som skulle hända med Shania då jag reste härifrån lyckades hon ordna ett nytt jobb åt henne, som sekreterare och alltiallo på ett barnhem för föräldralösa flickor som låg i en stor villa utanför Gurgaon.

Jag gav Shania diamantringen som ursprungligen var tänkt till Preeti, plus alla saker jag köpt till lägenheten.

"Du kan sälja rubbet. Bara ringen är värd trettiotusen rupier", sa jag.

"Jag tror nog att jag vill behålla den. Som ett minne av dig", sa hon.

Och så grät vi en rejäl skvätt båda två.

Decembermorgonen när jag skulle resa tillbaka till Sverige var disig och råkall. Det var hög tid att ge sig iväg. Kommissarie R V

Chopra hade kallat mig till förhör dagen därpå, och även om Uma försäkrat att jag inte behövde avslöja någonting om kvinnan som jag hånglat med i Lodi Garden, kändes det angeläget att slippa utsätta sig ens för risken att försäga sig.

Trots Yogis ihärdiga protester lyckades jag avstyra att han följde mig till flygplatsen. Jag ville inte dra ut på avskedet längre och behövde lite tid för mig själv i taxin, för att även hinna ta farväl av Delhi.

Staden ömsade skinn hela tiden. I alla de bättre bostadskvarteren sköt färska huskroppar upp i kratrarna efter gamla, som rivits efter bara några års tjänst. Ute vid Indira Gandhi International Airport skymtade jag genom morgondimman den nya gigantiska flygplansterminal som var under uppbyggnad. Om drygt ett halvår skulle den invigas med buller och bång och förvandla Indiens huvudstad till en internationell metropol. Så var det i alla fall tänkt.

Taxichauffören stannade bara ett tjugotal meter från avgångshallens entré. Det hindrade inte pojkarna och de unga männen från att flockas kring mig och erbjuda sina tjänster som bärare. Jag viftade vänligt undan dem men fastnade med armen i en spenslig gosses fasta grepp. När jag vände mig om och såg honom i ansiktet möttes jag av en välbekant, spjuveraktig blick.

”Mr Reporter, låt mig hjälpa. Er väska mycket stor och mycket tung!”

Det var Kanshi, dalitpojken som hade vittnat om Varun Khannas övergrepp mot barnslavarna i Shahpur Jat. Han hade samma klädsel som när jag såg honom sist, kompletterad med en kycklinggul kavaj i syntetmaterial som var två storlekar för stor. Jag gav honom min väska.

”Så du har lämnat härbärget?”

”Ja, nu jag egen affärsman. Bära bagage och sälja. Du köpa något för resan?”

"Tror inte det."

"Old monk? Saffran från Kashmir? Pashminasjal? Indisk porr? Jag fixa allt. Mycket billigt! På två minuter!"

"Nej tack. Men du ska såklart få ordentligt betalt för ditt arbete", sa jag och gav honom en hundrarupiesedel.

"Mr Reporter, lite till. Tänk på jag affärsman nu."

På vilket sätt det gjorde honom förtjänt av ett arvode som var ännu högre än det överpris han redan fått framgick inte, men jag gillade Kanshis entreprenörsanda och gav honom ytterligare en hundralapp.

När han hade fått pengarna tog han genast fram en endollarsedel och frågade om jag kunde växla den åt honom.

"Vad har du för kurs?"

"Bästa kurs! Du köpa amerikadollar för bara hundra rupier. Slipper växlingsavgift!"

Det var den sämsta kurs jag någonsin erbjudits, men jag hade ju ändå ingen användning för mina indiska pengar längre, så jag tömde fickorna på mynt och sedlar och gav allt till Kanshi. Det måste ha blivit en bra bit över tusen rupier.

När det gick upp för honom att det inte fanns ens en paise kvar att krama ur mig gav han mig en tacksam klapp på armen.

"Du bra man, mr Reporter. Mycket generös. Du åka till Amerika nu?"

"Nej, jag ska resa till Sverige. Det ligger i Europa."

"Europa? Nej, Amerika bättre! När jag tjänar mycket pengar jag åker till Amerika och tjänar ännu mer."

"Är du inte lite för ung för det?"

"Jag växer. Sedan mina affärer växer och sedan pengarna växer ännu mer. Och sedan jag åker till Amerika."

Han gav mig väskan och log.

"Jag fri man nu, mr Reporter. Och fri man gör som han vill."

65

Malmö välkomnade mig med sin sedvanliga december-charm. Ett snöblandat regn vräkte ner från den mörka himlen och piskade ansiktet när jag gick ut genom Centralstationens entré efter att ha tagit Öresundståget över bron från Kastrups flygplats. Jag sneddade över till den långa raden av taxibilar som stod på andra sidan buss-refugen och hoppade in i den första, som körde mig de knappa två kilometrarna hem till Davidshallstorg.

Jag knappade in portkoden och tog hissen upp till tredje våningen. Inifrån min lägenhet hördes omelodiöst technodunk på chockartat hög volym. Nu har Linda gjort mig till grannarnas nya hatobjekt, tänkte jag och stack nyckeln i låset.

När jag hade tagit några steg in i hallen vädrade min känsliga näsa en svag doft av ruttnande sopor. Jag tittade in i köket. Diskbänken var belamrad med smutsiga tallrikar, tomflaskor och gamla fastfood-förpackningar. I vardagsrummet möttes jag av ett virrvarr av kläder (en del uppenbart manskläder), böcker, cd-skivor och dvd-filmer från min egen samling – allt utslängt över golvet.

Jag stängde irriterat av "musiken" och hörde då påträngande stön som flödade ut från sovrummet genom springan i dörren. För den som aldrig har upplevt det kan jag avslöja att det är något av det mest omskakande som en pappa kan utsättas för: att ovetande om vad som väntar honom stiga in i sin egen lägenhet och känna igen sin egen dotters röst mitt i en hämningslös sexakt. I ungefär tio sekunder höll ljudet på tills Linda och hennes sällskap insåg att de inte längre var ensamma.

"Hallå? Vem där?" pep hon och lät plötsligt som en väldigt liten och ängslig flicka.

"Det är pappa", sa jag, vilket å sin sida lät fullständigt fruktansvärt.

Jag övervägde om jag skulle säga att jag kunde komma tillbaka lite senare, men insåg att det inte tjänade någonting till. Skadan var redan skedd och i ärlighetens namn var jag inte helt ointresserad av att konfrontera grispellen som inte bara låg med min dotter utan av allt att döma även svinade ner min lägenhet tillsammans med henne.

Jag satte mig i soffan och väntade. Tre minuter senare kom Linda ut med rufsigt hår och rosiga kinder. Hon var klädd i en väldigt stor T-shirt med Malmö FF:s klubbemblem på som gick ner till knäna på henne, och jag hann tänka att om det var grispellens fanns det i alla fall ett förmildrande drag hos honom. Dessutom måste hon vara ordentligt kär i honom, eftersom Linda alltid brukade ondgöra sig över min nostalgiska passion för Malmö FF och mina rituella promenader genom den själfulla Pildammsparken på väg till stadion på matchdagarna.

"Ett fotbollslag är ett fotbollslag är ett fotbollslag! Och Pildammsparken är för fan bara en park!"

Så talar den historielösa ungdomen, men nu stod hon alltså där lik förbannat med den där T-shirten på sig och såg skamsen ut.

"Pappa, jag trodde inte att du skulle komma förrän imorgon", sa hon alltmedan den röda färgen på hennes kinder tilltog i intensitet.

"Men då trodde du fel", sa jag. "Kul att se dig. Och snygg tröja du har."

Jag gav henne en kram, och det var också en överrumplande

och obehaglig upplevelse: att känna doften av en annan man i hennes famn.

En lång och bredaxlad yngling med jeans och bar överkropp tassade ut ur sovrummet. För att vara en grispelle såg han trevlig ut, med kort och spretigt brunt hår och pigga ögon.

"Det här är Jacob", sa Linda.

Han sträckte fram handen och hälsade på mig. Leendet var nervöst men handslaget fast.

"Bor du också här?" sa jag.

"Bara ibland", sa han.

"Okej, men då kanske det är dags för Jacob och Linda att städa lite. Det är nämligen det man gör ibland när man bor i en lägenhet, även om den inte råkar vara ens egen."

Jag tyckte att jag hade råd med den syrligheten utan att äventyra någonting, och det visade sig vara en riktig riskbedömning.

"Visst, pappa. Lägg du dig i soffan och vila efter resan så fixar vi det här. Vi hade verkligen tänkt röja upp innan du kom."

De var ganska duktiga när de väl satte igång. Ingen Shania-klass förstås, men efter knappt två timmar såg det riktigt trivsamt ut i lägenheten igen.

"Ja, då går jag väl", sa Jacob, som nu hade tagit på sig sin Malmö FF-T-shirt och plockat ihop sina prylar i två plastkassar. "Ursäkta röran, det var verkligen inte schyst."

Jag nickade och tog hans framsträckta hand igen. Höll fast den ett par sekunder och såg honom i ögonen. När jag öppnade munnen rörde sig hans adamsäpple nervöst, som om han förväntade sig ytterligare några förmanande ord från flickvännens stränge far.

"Hur gick det i år?" frågade jag och nickade mot klubbemble-met på hans tröja.

Det tog en stund innan han förstod vad det handlade om, men när han väl gjorde det spred sig lättnaden i hans ansikte.

"Du menar för MFF? Det gick väl som vanligt. Upp som en sol och ner som en pannkaka och sedan lite uppåt igen. Vi slutade sjua eller om det var åtta i tabellen. Fast Daniel Larsson och Edward Ofere var riktigt bra i perioder då de öste in mål. Så nästa säsong, kanske, om vi får behålla laget intakt."

Jag tyckte om hans sätt att säga "vi" när han pratade om laget.

"Ja, nästa säsong, kanske", sa jag. "Vi ses."

66

Linda och jag kamperade ihop i en vecka innan hon flyttade in i andra hand i en lägenhet vid Möllevångstorget tillsammans med Jacob. Han var rätt trevlig, fick jag tillstå. Jobbade som armerare. Jag inbillade mig att det betydde att han också var en något fastare grund att luta sig mot än en eterisk filosofistudent.

I övrigt rullade mitt nya liv i Malmö på i en ganska angenäm takt. Jag träffade mamma ett par gånger och det kändes helt okej. Nästan som om ingenting hade hänt sedan vi sågs sist. Hon frågade lite förstrött om Indien, men pratade mest om sin egen förestående golfresa till Sydafrika.

Det nya jobbet var riktigt kul. Firman hette Östros och vänner och filialen i Malmö låg på elfte våningen i Turning Torso. På så sätt hade jag kommit högre än Kent på karriärstegen, åtminstone rent visuellt, och det gav mig en viss tillfredsställelse när jag ibland såg honom släntra in genom entrén till Kommunikatörerna, långt därnere på gatan.

Jag hade två yngre kolleger – en muskulös kille som var gay och hette Alexander, och en liten tjej som var hetero och hette Jenny. Vi kom bra överens och uppdragen var varierande. Jag skrev mest de längre texterna, medan ungdomarna tog hand om kampanjer och webbdesign. Men vi jobbade gränslöst, som det så vackert heter, och hjälpte varandra på ett konstruktivt sätt. Jag kände mig stimulerad och lärde mig nya saker varje dag, och använde inte en enda sekund av min arbetstid åt att dumsurfa på nätet.

Jag träffade polarna i herrklubben också, såklart. På Bullen. Rogge Gudmundsson gladdes åt att jag kommit så bra in i jobbet och hade nya, friska investeringsidéer som han presenterade för mig (tyvärr låg jag tjugotusen back i den aktieportfölj han förvaltade åt mig på grund av en olycklig Rysslandsplacering, men Rogge föreslog en förskjutning mot Asien och framför allt Indien, vilket jag gick med på med bultande hjärta).

Richard Zetterström hade tyvärr fått diabetes, vilket inte hindrade honom från att fortsätta sitt kopiösa kaloriintag. Bror Landin gnällde på en krönika som jag skrivit i Sydsvenskan där jag hade stavat Indiens första premiärminister Jawaharlal Nehrus namn fel (inget nytt under solen där, alltså) och Mogens Gravelunds bronkithosta var nu så öronbedövande att det gjorde fysiskt ont att lyssna på den.

Den mest märkbara förändringen fann jag hos Erik, som höll en avsevärt lägre profil än han brukade göra. Det var alldeles tydligt att han ännu inte hade hämtat sig från det brutala uppbrottet från Josefin i Rishikesh. (För övrigt nämnde han inte min romans med en gift indisk kvinna för någon av de andra, vilket hade varit en omöjlighet ett år tidigare.)

Även om han var mindre odräglig nu tror jag ändå att jag föredrog hans gamla jag. Det var liksom mer Erik, på riktigt. Jag hoppades att tiden så småningom skulle läka hans sår.

Efter moget övervägande återtog jag kontakten med Mia. Hon lät väldigt frostig på rösten första gången jag ringde, men efterhand tinade hon upp till en uthärdlig konsistens. Det var inte så att jag längtade efter henne, inte alls, men hon var ändå mor till mina barn. Dessutom: någonstans ska även en avprogrammerad fobiker göra av de sista resterna av sina tvångsmekanismer, och det minst plågsamma som jag kunde komma på var att ta upp den där monotona räkningen igen av år, månader och dagar före och efter vår skilsmässa för att placera olika händelser i tid. Det hade inte längre någon känslomässig innebörd för mig utan var bara ett kontrollerat sätt att hålla andra demoner på avstånd.

Relationen till John var väl sådär, och någonting annat var ju inte heller att vänta. En pappa som plötsligt dyker upp efter ett år i Indien, under vilket han hört av sig en enda gång, kan naturligtvis inte räkna med att mötas av öppna famnen. Men jag gjorde i alla fall mina trevare. Först föreslog jag att vi skulle fira julafton tillsammans, men då var han inbokad hos Mia och Max. Någon av juldagarna då? Gick inte heller. Då skulle han hem till sin flickvän Hannas föräldrar och fira med dem.

"Så ni är fortfarande ihop? Vad trevligt! Då skulle vi kanske kunna äta en nyårssupé tillsammans?"

"Vi är redan bjudna på fest då", sa John.

Till sist gav han mig ändå trettondagsafton, men först efter att ha försäkrat sig om att även Linda skulle komma.

Jag bjöd mina barn med deras respektive på sushi och sake på Restaurang Hai. Hanna, som också läste till läkare i Lund, visade sig vara minst lika trevlig som Jacob. Så här långt verkade barnen ha gjort kloka val av partner. Efter drygt två timmar bröt vi upp från bordet utan att ha bestämt när vi skulle ses igen. Men jag sa till John att jag skulle ringa honom, och då sa han "visst" och jag valde att tolka det välvilligt.

Preeti då? Självklart fanns hon i mina tankar. Det gick ännu inte en timme utan att jag drabbades av den där sugande tomhetskänslan i magen.

Jag vårdade mina händer. Det var mitt sätt att hålla det bitterljuva minnet av henne vid liv. Jag köpte en mjukgörande kräm av dyrt märke. Plus en nagelfil och en fin nagelsax och till och med ett transparent nagellack. Det var matt, precis som det Preeti hade strukit på när vi sågs sista gången. Blänkte inte, gav bara stadga.

Men frisyren, den började bli oregerlig. Det var dags att göra någonting åt den. Jag ringde till Salong Cissi.

"Göran! Hur har du haft det i Indonesien?"

"Indien, var det. Jo tack, väldigt intressant och givande. Men det är skönt att vara tillbaka i Malmö igen."

"Och så har du fått ett nytt fint jobb, berättade Mia."

"Ja, det är verkligen jättekul. Så nu måste jag se vårdad ut och då tänkte jag att du skulle få klippa mig. Har du någon ledig tid på tisdag i nästa vecka, runt lunch?"

"Det ordnar vi. Dyk upp vid ettiden så ska jag sätta saxen i dig!"

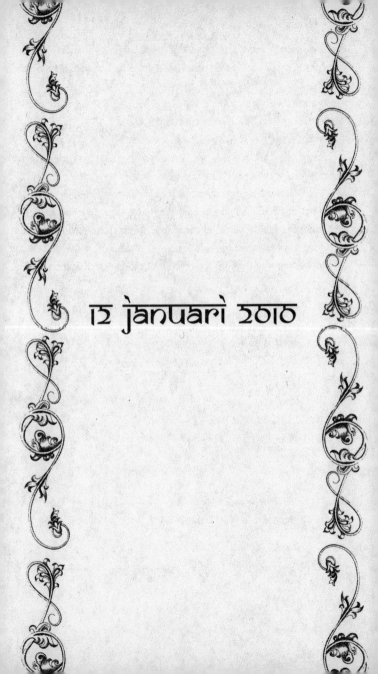

12 januari 2010

Så nu sitter jag alltså här, insvept i en klippkappa i frisörstolen, med blicken fäst på spegelbilden av benjaminfikusen bredvid den röda soffan och funderar på vad jag ska säga till Cissi om mina vackra händer. Cirkeln är sluten. Mitt livs mest omvälvande år har passerat. Och ja, det luktar verkligen som ruttna ägg i salongen.

"Jo, jag har fått manikyr. I Indien."

"Vad gulligt! Någon speciell anledning?"

"Nej. Det är rätt vanligt därnere, även bland män. I Indien ser man händerna som speglar av själen. Det är viktigt att vårda dem."

Någonting i den stilen sa Yogi om visitkort en gång, så jag tänkte att det borde kunna funka på händer också.

"Och sedan har jag fortsatt själv härhemma."

Mina öron glöder och det finns inte en chans i världen att det undgår Cissis skarpa ögon. Men jag ger henne inte mer. Jag är på min vakt. Varenda gång som hon försöker leda in samtalet på brännbar mark navigerar jag oss skickligt bort därifrån med några allmänna floskler om Indiens färger och andlighet.

När hon är färdig har jag inte yppat ett enda känsligt ord till henne. Cissi är besviken, det känner jag igen på hennes sätt att irriterat trumma med fingrarna mot disken när hon tar betalt. Hon vet att hon var någonting på spåren med de välmanikyrerade händerna och det grämer henne att hon inte lyckades krama ur mig ens en liten droppe.

"När ses vi igen?" säger hon.

"Det gör vi väl om två centimeter", säger jag, och då måste hon le fast hon egentligen vill blänga surt.

Jag går ut i regnet utan paraply. Låter vattnet forsa ner över min håret-bakom-öronen-frilla och mina kläder. Jag promenerar hela vägen ut till Västra hamnen, genom ett öde Kungsparken där inte ens de få övervintrande grågässen vågar visa sig, över turbinen och förbi Kockums Fritids ishall med sina igenimmade fönster. När jag kommer fram till Turning Torso är jag så blöt som det går att bli. Den rundlagde conciergen i receptionen ser inte glad ut när jag skvalpar fram över golvet och tar hissen upp till elfte våningen.

Inne på kontoret utlöser min våta entré en våldsam aktivitet. Jenny kommer med frottéhanddukar och en badrock, som jag inte vet var hon har hållit gömd. Och Alexander kokar te. Det känns bra att bli ompysslad av ungdomarna. Hemtamt och behagligt.

Jag sätter mig med tekoppen vid datorn och går igenom mina mejl. Upptäcker ett från Yogi som genast fångar min uppmärksamhet.

Det är en inbjudan. Till ett bröllop.

Till hans eget bröllop.

Mina ögon far febrigt fram över skärmen. Den 8 september 2010 är jag inviterad att övervaka vigseln mellan Yogendra Singh Thakur och Lakshmi Krishnamurti. Bröllopet ska äga rum på en plats som heter Sivaganga och ligger i Tamil Nadu. Under själva inbjudan har Yogi tillfogat en personlig text:

Mr Gora, jag skickar det här till dig redan nu så att du ska kunna ringa in datumet i kalendern och beställa din resa. Och jag önskar av alla slagen i mitt blodfyllda hjärta att du kan komma! Nu har jag äntligen hittat henne, min Durga med elefanthud. Eller rättare sagt:

min Lakshmi! Hon heter så, likt gudinnan, dottern till den sympa-
tiske textilhandlaren som jag gjort så många lysande affärer med.
Det är nästan som ett love marriage. Ja, inte i den mest formella me-
ningen förstås, men vi har på det underbaraste sättet lärt känna var-
andra under alla mina resor till Madras som, det måste jag erkänna,
inte enbart har handlat om att inhandla de där sängöverkasten med
broderier av bästa kvalitet till ett oslagbart pris.

  Hon var en skatt som jag hittade kartan till. Sedan låg den där
kartan i min bästa innerficka som en hemlighet och nu är det dags att
gräva upp skatten och visa den inför hela världen i sin oemotståndligt
strålande glans! Amma har träffat henne och det gick bra. I alla fall
så bra som man med den mest ödmjuka förhoppningen hade kunnat
förutse. Föräldrarna är helt överens. Jag tror att Lakshmi kommer att
bli det bästa sällskapet till amma när hon följer med mig till Delhi
efter bröllopet. Hon är klok och förståndig och diplomatisk och ändå
stark och självständig som den mest kraftfulla och bedårande gudinna
man kan tänku sig. Hon är helt enkelt alldeles underbar! (Dessutom
har hon en storasyster som är mycket vacker och väldigt mycket ogift.)

Med förhoppningar om att se dig som gäst på mitt bröllop och med
innerlig saknad ber jag dig att redan nu förbereda din underbara
återresa till vårt mest underbara av alla underbara länder. Siva-
ganga ligger sex timmars bilresa från Madras. Ta ett flyg dit så häm-
tar jag dig!

  Din allra bästa vän Yogi

Den rackarn. Han gjorde det! Han fixade det som jag gick bet
på!

  Jag går in på flygvaruhusets hemsida, mest för att se vad en resa
från Köpenhamn till Madras kostar. Jag testar några datum. Den
billigaste flighten jag hittar som ligger någorlunda rätt i tiden

avgår den 4 september 2010, med Lufthansa via Frankfurt. Tur och retur, ej ombokningsbar: 7 314 kronor.

Nej, det är en dum idé.

Testar med enkel resa istället: 4 405 kronor. Dyrare med tanke på att jag måste köpa en flygbiljett tillbaka senare, men i gengäld kan jag hålla hemresan öppen.

Nej, det är en ännu dummare idé.

Ändå ställer jag markören i fältet för passagerarens namn. Mest för att se hur det känns.

Det känns lockande.

Tvekar. Försöker tala förstånd med mig själv. Men det är som om fingrarna redan har bestämt var de ska placera sig på tangentbordet.

Innan jag hunnit fatta ett medvetet beslut står det där:

Mr Göran Borg.

Jag ler och känner värmen sprida sig genom min regnpiskade kropp.